Ce pays de rêve

DU MÊME AUTEUR

Saga LA FORCE DE VIVRE

Tome I, *Les rêves d'Edmond et Émilie*, roman, Montréal, Hurtubise, 2009.

Tome II, *Les combats de Nicolas et Bernadette*, roman, Montréal, Hurtubise, 2010.

Tome III, *Le défi de Manuel*, roman, Montréal, Hurtubise, 2010.

Tome IV, *Le courage d'Élisabeth*, roman, Montréal, Hurtubise, 2011.

Michel Langlois

Ce pays de rêve

tome 1

Les surprises du destin

Roman historique

Hurtubise

Catalogage avant publication de Bibliothèque et Archives nationales du Québec et Bibliothèque et Archives Canada

Langlois, Michel, 1938-

Ce pays de rêve : roman historique

L'ouvrage complet comprendra 4 v.
Sommaire : t. 1. Les surprises du destin.

ISBN 978-2-89647-519-3 (v. 1)

I. Titre. II. Titre : Les surprises du destin.

PS8573.A581C4 2011 C843'.6 C2011-941256-X
PS9573.A581C4 2011

Les Éditions Hurtubise bénéficient du soutien financier des institutions suivantes pour leurs activités d'édition :

- Conseil des Arts du Canada ;
- Gouvernement du Canada par l'entremise du Fonds du livre du Canada (FLC);
- Société de développement des entreprises culturelles du Québec (SODEC);
- Gouvernement du Québec par l'entremise du programme de crédit d'impôt pour l'édition de livres.

Graphisme de la couverture : René St-Amand
Illustration de la couverture : Marc Lalumière
Maquette intérieure et mise en pages : Andréa Joseph [pagexpress@videotron.ca]

ISBN 978-2-89647-519-3 (version imprimée)
ISBN 978-2-89647-597-1 (version numérique PDF)
ISBN 978-2-89647-803-3 (version numérique ePub)

Dépôt légal : 4e trimestre 2011

Bibliothèque et Archives nationales du Québec
Bibliothèque et Archives Canada

Diffusion-distribution au Canada :
Distribution HMH
1815, avenue De Lorimier
Montréal (Québec) H2K 3W6
www.distributionhmh.com

Diffusion-distribution en Europe :
Librairie du Québec/DNM
30, rue Gay-Lussac
75005 Paris FRANCE
www.librairieduquebec.fr

Imprimé au Canada

www.editionshurtubise.com

Personnages principaux

Abel, alias Élie Doublet : ami d'Arnaud Perré.

Bédard, Jehan : maître charpentier, père adoptif d'Arnaud Perré.

Bibaud, Mathurin, dit le Farinier : ami d'Arnaud Perré.

Bruneau, Jacques : ami d'Arnaud Perré.

Després, Henri, et son épouse : parents adoptifs de Marcellin Perré.

Duprac, pasteur : vient en aide à Arnaud et à Jehan Bédard.

Durand, veuve : épouse d'André Durand et voisine d'Arnaud Perré.

Gachet : maître charpentier de moulin. Il enseigne son métier à Arnaud.

Jahel, grand-mère : mère de Jehan Bédard.

Lambert, Guillaume : ami d'Arnaud Perré.

Lavigueur, Timothée, dit le Tireur : coureur des bois, ami d'Arnaud Perré.

Letang, Guillaume : ami d'Arnaud Perré.

Martin, Tancrède : coureur des bois, ami d'Arnaud Perré.

Meunier, Agathe : épouse d'Arnaud Perré.

Perré, Arnaud : époux d'Agathe Meunier et père de Marcellin.

Perré, Marcellin : fils unique d'Arnaud Perré et d'Agathe Meunier.

Ruth, maman : épouse de Jehan Bédard et mère adoptive d'Arnaud Perré.

Personnages historiques

Audouart, Guillaume de Saint-Germain: Il vient au pays comme soldat. Comme il sait écrire, il exerce ensuite comme notaire à Québec de 1647 à 1663. Il est secrétaire du premier Conseil de la Nouvelle-France. Son greffe contient mille trois cent un actes dont plusieurs sont rédigés par les sept clercs qui ont travaillé pour lui. Il retourne en France en 1663.

Badeau, François (1632-avant 1667): Il est baptisé à Sainte-Marguerite-de-Cogne-de-La-Rochelle le 10 août 1632. Il est notaire à Beauport de 1654 à 1657, puis des seigneuries de Notre-Dame-des-Anges et de l'île d'Orléans.

Bermen, Laurent: Il est notaire à Québec de 1647 à 1649.

Besnard, René, dit Bourjoli (1625-1689): Baptisé le mercredi 6 février 1625, à Villiers-au-Bouin, en Anjou (Indre-et-Loire), fils du marchand Jean Besnard et de Madeleine Maillard. Il a des vues sur Marie Pontonnier mais elle lui préfère Pierre Gadois. Il prétend avoir des dons et le pouvoir d'empêcher Gadois d'avoir des enfants. Il est condamné à 300 livres d'amende et à l'exil à 60 lieues de Montréal. Il contracte mariage devant le notaire Ameau, le samedi 22 janvier 1661, avec Marie Sédillot, née vers 1627, fille de Louis Sédillot et de Marie Challe, et veuve de Bertrand Fafard. De leur union naissent six enfants. Il meurt à Trois-Rivières entre le 18 avril et le 12 juin 1689, jour de l'inhumation de sa veuve.

Bissonnette, Pierre (c.1626-1687): Meunier, fils de Jacques Bissonnet et de Guillemette Debien, de Saint-Pierre, bourg de La Roche-sur-Yon, évêché de Luçon au Poitou, il épouse Marie Allaire, en premières noces en France. Il contracte mariage devant le notaire Basset, le samedi 24 avril 1660, avec Mathurine Desbordes, veuve de Pierre Guiberge, et l'épouse à Montréal le 3 mai 1660. De leur union naît un enfant. Leur mariage est annulé le mercredi 1er août 1663, parce qu'il était déjà marié en France. Entre-temps, il apprend le décès de sa femme en France et contracte mariage devant le notaire Becquet, le lundi 24 septembre 1668, avec Marie Dallon, fille de Michel Dallon et de Marguerite Veronne, de Saint-Pierre-de-l'île-d'Oléron, en Saintonge, et l'épouse à Québec le mardi 9 octobre 1668. De leur union naissent sept enfants.

Chartier, René-Louis, sieur de Lotbinière (1641-1709): Baptisé à Saint-Nicolas-des-Champs à Paris le 14 novembre 1641, fils de Louis Théandre

Chartier de Lotbinière et d'Élisabeth Damour, à neuf ans il arrive au pays avec ses parents et fréquente le Collège des Jésuites de Québec. Il participe à l'expédition du régiment de Carignan-Salière contre les Iroquois en janvier et février 1666. En 1670, il est substitut du procureur général à la Prévôté de Québec. Il succède à son père comme lieutenant civil et criminel en 1677. En 1703, il est nommé premier conseiller au Conseil supérieur. Il est seigneur de Lotbinière. Il épouse en premières noces Marie-Madeleine Lambert, dont il a dix enfants, et en deuxièmes noces Françoise Zachée.

Courcelles, Daniel de Rémy de (1626-1698): Seigneur normand et officier en Lorraine, il est nommé gouverneur de la Nouvelle-France en 1665, poste qu'il occupe jusqu'en 1672. Il est à l'origine de la malencontreuse expédition du régiment de Carignan-Salière durant l'hiver 1666 contre les Iroquois. De retour en France, il épouse à Paris, en 1675, Marie-Anne Dabancourt dont il a trois enfants. Il meurt en 1698.

Du Plessis de Richelieu, Armand-Jean (1585-1642): Né à Paris le 9 septembre 1585. Il entre dans les ordres et est nommé évêque de Luçon en 1606. C'est davantage comme homme d'État que comme homme d'Église qu'il se fait connaître. Administrateur hors pair, il est nommé secrétaire d'État en 1616 par la reine Marie de Médicis.

Il devient cardinal en 1622 et bras droit du jeune roi Louis XIII. Ennemi juré des protestants, c'est lui qui mène d'une main de fer le siège de la ville de La Rochelle en 1628. Il crée en 1635 l'Académie française. Il meurt à Paris le 4 décembre 1642.

Gadois, Pierre (1631-1714): Fils de Pierre Gadois et Louise Mauger, il contracte mariage à Montréal avec Marie Pontonnier le 6 mai 1657. Ce mariage est annulé par la suite pour une question de sorcellerie. Il épouse à Montréal le 20 avril 1665 Jeanne Besnard dont il a quatorze enfants.

Giffard, Robert (c.1590-1668): Apothicaire né à Autheuil, au Perche, il vient au pays en 1623 et y demeure quelques années. Retourné en France, il épouse le 12 février 1628 Marie Renouard dont il a six enfants. Il se fait concéder en janvier 1634 la seigneurie de Beauport près de Québec. Il s'y établit et devient ainsi le premier seigneur colonisateur de la Nouvelle-France. Il travaille comme maître chirurgien à l'Hôtel-Dieu de Québec et est anobli en 1658. On lui concède les seigneuries de Saint-Gabriel et de Mille-Vaches. Il meurt à Beauport le 16 avril 1668.

Grain, Mathurin: Meunier originaire de Sainte-Hermine, au Poitou, il s'engage à La Rochelle le 9 mai 1662. Il travaille à Québec en 1663 au moulin du sieur Simon Denis puis à l'île d'Orléans pour

Abel Turcot et enfin à Montréal pour les sulpiciens et pour Charles Le Moyne.

Guiton, Jean (1585-1654): Baptisé à Saint-Yon de La Rochelle. Il exerce la profession d'armateur. Amiral de la flotte protestante, il est élu maire pendant le siège de La Rochelle en 1628. Après la reddition de la ville, il gagne l'Angleterre. Sa statue s'élève devant la mairie de La Rochelle. Il continue à combattre sur les vaisseaux anglais et contribue à plusieurs victoires anglaises contre l'Espagne. Il meurt dans son domaine de Repose Pucelle (actuelle commune de La Jarne) le 15 mars 1654.

Hallé, Barbe (vers 1646-1696): Fille de Jean-Baptiste Hallé et de Mathurine Vallet, elle épouse à Québec, le 4 novembre 1670, Jean Carrier dont elle a quatre enfants. Elle meurt à Lauzon le 18 juin 1696.

Juchereau, Jean, sieur de Maure (1592-1672): Fils de Jean Juchereau et de Jeanne Crête, de Saint-Aubin-de-Tourouvre, au Perche, il se voit octroyer, en 1635, toutes les terres comprises entre le Cap-aux-Diamants et Cap-Rouge. En 1636, on procède à un échange en lui concédant à la place les terres au-delà de Cap-Rouge. Il arrive à Québec en 1643 en compagnie de son épouse Marie Langlois dont il a cinq enfants. Il vit à Québec où il travaille comme marchand et commis général des magasins de la compagnie de Nouvelle-France. Il se retire à Beauport chez son fils Nicolas et y meurt le 7 février 1672.

Juchereau, Noël, sieur Des Châtelets: Natif de Tourouvre, dans le Perche, il arrive au pays comme marchand en 1634 et est membre de la Compagnie des Cent-Associés (aussi appelée Compagnie de Nouvelle-France). Il agit comme commis général de la Compagnie de la Nouvelle-France à Québec et également à La Rochelle comme directeur des embarquements pour la Communauté des Habitants. Il repart définitivement en France en 1647.

Langlois, Jehan: Notaire à La Rochelle, il passe de nombreux contrats avec des gens en partance pour la Nouvelle-France. Malheureusement, son greffe étant perdu, avec lui furent aussi perdus une foule de renseignements sur plusieurs de nos ancêtres.

Le Jeune, Paul (1591-1664): Jésuite né à Vitry-le-François en juillet 1591, il entre au noviciat des jésuites à Paris en 1613. Il enseigne dans divers collèges de France avant d'être nommé supérieur des jésuites de Québec de 1632 à 1639. On lui doit les huit volumes des *Relations des jésuites* de 1632 à 1639. Il vit chez les Amérindiens de 1639 à 1649, année où il retourne en France. Il meurt à Paris le 7 août 1664.

Lemire, Jean (c.1626-1684) : Charpentier de moulin, fils de Mathurin Lemire et de Jeanne Vannier, de la paroisse Saint-Vivien de Rouen en Normandie, il contracte mariage devant le notaire Audouart le lundi 14 juillet 1653 avec Louise Marsolet, baptisée à Québec le jeudi 17 mai 1640, fille de Nicolas Marsolet et de Marie Barbier, et l'épouse à Québec le lundi 20 octobre 1653. De leur union naissent seize enfants. Il exerce son métier dans la région de Québec et également à Montréal. Il meurt à Québec le 16 octobre 1684.

Lesueur, Jean (c.1598-1668) : Abbé de Saint-Sauveur. Curé de Thury-Harcourt en Normandie, il vient en Nouvelle-France en compagnie de Jean Bourdon en 1634. Il est aumônier de l'Hôtel-Dieu de Québec, puis s'établit sur la seigneurie de Saint-Jean à Québec où il exerce son ministère pour les habitants de la Côte Sainte-Geneviève. Il meurt à l'Hôtel-Dieu de Québec le 29 novembre 1668.

Marnay, Jean, clerc : Il exerce comme clerc du notaire Gilles Rageot de 1664 à 1666 puis de Romain Becquet, rédigeant pas moins de cent quatre actes au greffe de ce notaire entre 1676 et 1678.

Parthenay de Catherine, duchesse de Rohan (1554-1631) : Née le 22 mars 1554 au Parc-Mouchamps, elle est connue à son époque pour son engagement calviniste. Elle épouse en premières noces Charles de Quellenec et en deuxièmes noces le vicomte René II de Rohan. Mère d'Henri II de Rohan et de Benjamin de Rohan, baron de Soubise, elle habite à La Rochelle pendant le siège avec sa fille Anne et est un modèle de résistance pour les Rochelais. Emprisonnée puis exilée sur ses terres par ordre du roi Louis XIII, elle y meurt en 1631.

Pontonnier, Marie (1643-1718) : Baptisée le jeudi 22 janvier 1643, à Saint-Vincent-de-Le-Lude, évêché d'Angers en Anjou, fille d'Urbain Pontonnier et de Félicité Jamin, elle contracte mariage avec Pierre Gadois devant le notaire Saint-Père le dimanche 6 mai 1657. Leur mariage est annulé le lundi 30 août 1660. Elle se marie à deux autres reprises et a, de son troisième époux, une dizaine d'enfants. Elle meurt à Pointe-aux-Trembles de Montréal le 7 janvier 1718.

Rohan de, Benjamin baron de Soubise (1583-1642) : Chef de guerre huguenot. Frère du duc Henri II de Rohan. Il est le dernier chef militaire de la résistance calviniste. Déclaré par le roi Louis XII criminel de lèse-majesté en 1622, il voit tous ses biens confisqués. Il se fait corsaire et gagne quelques batailles contre la flotte du roi de France. Il se réfugie en Angleterre en 1628 et fait partie de l'escadre qui tente de reprendre La Rochelle. Réfugié en Angleterre, il meurt à Londres en 1642.

Rageot, Gilles (1642-1692) : Baptisé le 14 novembre 1642 dans la paroisse Saint-Jean-de-l'Aigle, dans le Perche. On le retrouve à Québec en 1663, commis au greffe du Conseil souverain, tâche qu'il accomplit de 1663 à 1666. Il exerce comme notaire jusqu'en 1692. Il épouse à Québec, le 29 mai 1673, Marie-Madeleine Morin dont il a neuf enfants. Il meurt à Québec le 3 janvier 1692.

Randin, Hugues (1648-1677) : Enseigne de la compagnie Sorel au régiment de Carignan-Salière, il arrive au pays en 1665. Il accompagne Frontenac en 1673 dans une expédition contre les Iroquois. Il dirige les travaux du fort Cataracoui. Il meurt à Québec le 12 février 1677.

Vimont, Barthélemy (1594-1667) : Jésuite né à Lisieux le 1er janvier 1594, il devient aumônier de la garnison du Cap-Breton, en Acadie, de 1629 à 1630. Il revient en Nouvelle-France en 1639 et réside à la mission de Sillery près de Québec. Il est supérieur des jésuites de Nouvelle-France jusqu'en 1645. Il retourne en France le 22 octobre 1659. Il meurt à Vannes le 13 juillet 1667.

Il est également fait mention dans ce roman de :

Adhémar, Antoine (1636-1714) : notaire à Montréal.

Bélanger, François (1612-1687) : habitant de Beauport.

Boisdon, Jacques : cabaretier de Québec.

Chastelard de Salière, Henri (1649-1720) : commandant du régiment de Carignan-Salière.

Chomedey de Maisonneuve, Paul (1612-1676) : fondateur de Montréal.

Cloutier, Zacharie (1590-1677) : habitant de Beauport.

Denis, Simon, sieur de La Trinité (1600-1678) : propriétaire du moulin du Mont-Carmel à Québec.

Guimont, Louis (1625-1661) : victime des Iroquois.

Guyon, Jean (1592-1663) : habitant de Beauport.

Hallé, Jean-Baptiste (1607-1672) : père de Barbe Hallé.

Hertel, François (1642-1722) : prisonnier des Iroquois.

Lallemant, Jérôme (1593-1673) : jésuite.

Langlois, Noël (1604-1684) : habitant de Beauport.

Lemercier, François (1604-1690) : jésuite.

Le Royer de la Dauversière, Jérôme (1597-1659) : cofondateur de Montréal.

Letardif, Olivier (1602-1665) : procureur de la Côte-de-Beaupré.

Louis XIII (1601-1643) : roi de France et de Navarre de 1610 à 1643.

Nicolet, Jean, sieur de Belleborne (1598-1642) : explorateur.

Piraube, Martial (c.1583-1653) : notaire à Québec et metteur en scène d'une pièce de théâtre.

Prouville, Alexandre, sieur de Tracy (1603-1670) : vice-roi en Nouvelle-France.

Roussel, Timothée (1641-1700) : chirurgien de Québec.

Pezard, de La Touche, Étienne (1621-1696) : seigneur de Champlain.

Saint-Augustin de, Marie-Catherine (1632-1668) : religieuse.

Avant-propos

Nous ne pouvons pas plonger dans un siècle où les gens vivaient dans un contexte bien différent du nôtre sans nous préoccuper de connaître un peu ce qui régissait leur vie. Aussi avons-nous pensé qu'à la lecture de ce qui suit, il puisse vous venir idée de vouloir connaître le système monétaire de cette époque, les salaires payés et la valeur de certaines denrées et de quelques objets. Afin de vous familiariser avec ce qu'était le coût de la vie dans ce temps-là, vous pourrez tout au long de la lecture de cette saga vous référer aux données suivantes.

L'argent

L'argent utilisé en Nouvelle-France au XVIIe siècle et jusqu'en 1760 était le denier, le sol ou sou, la livre tournois ou franc, l'écu qui était une monnaie d'argent et le louis, une monnaie d'or.

Quant à l'équivalence de ces pièces entre elles, 12 deniers faisaient un sol ou un sou ; une livre valait 20 sols ou sous ; 1 écu, 3 livres ; 1 louis, 20 livres.

Les salaires

Les chirurgiens touchaient annuellement 150 à 200 livres tournois. Les gens de métier comme les menuisiers, les charpentiers, les armuriers gagnaient environ 100 livres tournois. Les serruriers et les maçons avaient un salaire de 80 livres tournois, les bûcherons et défricheurs environ 75 livres tournois. Quant aux cordonniers et aux tailleurs d'habits, ils pouvaient espérer gagner environ 60 livres tournois. Les domestiques obtenaient 30 à 40 écus par année.

Le prix des denrées

Un minot de blé pesant 60 livres et contenant 3 boisseaux de France se vendait 8 livres tournois, tout comme le minot de pois ou celui de maïs. Pour un minot de froment, on déboursait 6 livres tournois et parfois plus. Une barrique de 500 anguilles se détaillait 25 à 30 livres tournois. Le beurre se vendait 12 à 16 sous la livre. Enfin, un pain d'une livre et demi valait environ 4 sols.

Le prix des animaux

Un chapon (coq) valait 15 sols; un porc, de 10 à 12 livres tournois; une vache, selon son âge, de 40 à 50 livres tournois; un bœuf, de 100 à 110 livres tournois; un cheval, de 100 à 125 livres tournois.

Voilà donc des renseignements qui peuvent aider à se faire une bonne idée du coût de la vie à cette époque. Mais on ne doit pas oublier que le troc était fort répandu. On échangeait facilement des anguilles pour du beurre, ou du travail pour du blé ou un habit.

PREMIÈRE PARTIE

L'INITIATION

Chapitre 1

Chez les Perré

La Tremblade, septembre 1627

Arnaud courait, les talons aux fesses, il volait presque. Le jour se levait à peine. Signe qu'il allait pleuvoir, une fine buée enveloppait la tour du temple. Toujours attentif à de tels détails, cette fois Arnaud ne remarqua rien tant il se pressait. Maître Jehan avait dit: «Tu cours chercher la mère la Taupine et tu la ramènes illico, maman Ruth va se vider incontinent.»

Arnaud fila bon train vers la poterne. Il la franchit, contourna la tour d'enceinte, tourna brusquement pour entrer dans la rue et buta contre le pied du veilleur Malicorne, en route vers sa chaumière au terme d'une nuit sans histoire. Quand Arnaud reprit ses esprits, il se trouvait allongé sur le dos, dans la boue du fossé. Sur la grande scène du firmament, des nuages en boule de laine tournaient comme girouettes au vent. Penché au-dessus de lui, les yeux bouffis de sommeil, le veilleur l'examinait comme une bête curieuse en se demandant d'où il pouvait bien être si vite sorti.

— Oh, là, puceron ! Où volais-tu comme ça de si bon matin ?

Arnaud ne répondit pas. Il vit la tête du veilleur grossir et rapetisser, puis se mettre à tourner avec les nuages, au milieu de trente-six chandelles. Voyant qu'il restait sans réponse, le veilleur le saisit brutalement par le col pour le relever sans coup férir.

— On ne me marche pas sur les pieds sans faire excuse, grogna-t-il.

Puis soudain, chose rare dans son esprit obtus de veilleur, une idée fit son chemin. Il secoua Arnaud comme pommier et dit :

— Qui court si vite avant soleil levé, cache quelque chose qu'il a dérobé. Vide tes poches !

Ramené malgré lui à la réalité, mais encore tout étourdi de sa chute, Arnaud s'exécuta. Il n'avait en tout et pour tout qu'un mouchoir crotté et deux deniers qui roulèrent sur le pavé.

— Qui n'a rien dans les poches cache son butin dans son arrière-train.

D'une main experte, le veilleur lui fit sauter ses hauts-de-chausses. Tout étonné, Arnaud se retrouva en chemise, les fesses à l'air, au milieu de la rue. Il rugit.

— Je n'ai rien dérobé, brute biscornue !

Il évita de justesse la gifle de Malicorne, releva ses hauts-de-chausses, puis s'éloigna en tirant la langue. Pour se vider de sa colère, il cria encore :

— Je vais quérir l'accoucheuse la Taupine, gros mufle alambiqué.

Le veilleur fit mine de lui courir après, puis s'arrêta en constatant bêtement : « C'est donc qu'un enfant va naître. »

Arnaud poursuivit son chemin en boitant : sa hanche le faisait souffrir. Il n'avait pas fait cinquante pas que, pourchassés par un vieillard muni d'un gourdin, deux molosses, langues pendantes et crocs sortis, surgirent d'une ruelle. Ils s'élancèrent vers Arnaud qui, pour les éviter, eut juste le temps de grimper à une échelle appuyée à un balcon voisin. Les chiens s'installèrent tout en bas, aboyant après lui comme des déchaînés. À l'étage au-dessus, une fenêtre s'ouvrit avec un bruit sec. Une tête ébouriffée en sortit. Le contenu d'un pot de chambre suivit. En se penchant au risque de culbuter, Arnaud évita le plus gros de l'averse, cependant que les chiens déguerpissaient, chassés par cet orage nauséabond. Rendu furieux par ces imprévus, Arnaud descendit rapidement de l'échelle. Il allait continuer son chemin quand, les yeux exorbités et les deux poings en l'air, l'auteur de ce déluge surgit devant lui.

— Malappris ! Que faisais-tu sur cette échelle contre mon balcon ?

— Je fuyais les molosses.

— Pourquoi en avaient-ils après toi ?

— Va le leur demander, visqueux personnage !

— Tu es un larron, petit poltron ! J'en suis sûr.

Pour toute réponse, Arnaud lui fonça dessus en hurlant :

— Je me serais bien passé de cette mixture putride !

Devant son air résolu, l'autre s'esquiva.

Quand il parvint enfin rue des Primevères, il fut accueilli par le plus parfait silence. Personne n'avait encore ouvert un volet et encore moins un œil. Rendu furieux par ses mésaventures et avec l'idée bien arrêtée d'éveiller tout le quartier, il laissa choir le heurtoir avec force contre la porte de la sage-femme. Il entendit un homme hurler :

— Si c'est pour une mise bas, foutre de mécréant, la Taupine n'est pas séant, elle est rue de l'Horloge chez le père Macard, le forgeron !

« Il ne manquait plus que ça, se dit Arnaud. Une seule accoucheuse pour deux engrossées, maître Jehan va être de mauvais poil. »

La rue de l'Horloge n'était pas tout à côté et il mit plus de dix minutes à s'y rendre. À la forge Macard, on lui dit que la Taupine venait tout juste de partir. Il lui courut après à travers les venelles. Elle arrivait au temple quand il la rejoignit.

— C'est vous, l'accoucheuse la Taupine ? Maître Jehan le charpentier vous veut incontinent, rue du Tapabord. Maman Ruth va se délivrer sous peu, si ce n'est pas déjà fait.

Pour toute réponse, l'accoucheuse lui dit :

— Tu sens le pissou. Où es-tu allé te fourrer ?

— Là où il y en avait, pardi ! Et j'en ai reçu plus que ma part.

Pour ne pas avoir à le sentir, elle le précéda sans mot dire. Quand ils arrivèrent rue du Tapabord, le nouveau-né lâchait ses premiers pleurs.

— Tu as mis trop de temps ! gronda maître Jehan. L'enfant est arrivé.

— La Taupine n'était pas chez elle.

— Dis-moi donc… Si je me fie à ce que me raconte mon flair, tu as écopé d'un pot de chambre ?

Maître Jehan qui ne riait jamais, se mit à rire, au grand étonnement d'Arnaud qui se dit : « La naissance du bébé l'aura rendu de bien belle humeur. » Le bébé signala de nouveau sa présence par un pleur qui ressemblait à un jappement de chiot.

— C'est un garçon ou une garce ? s'informa la Taupine.

— Une garce. Elle s'appellera Suzanne.

— Puisque je ne suis plus désirée, dit l'accoucheuse, adieu va !

Elle repartit d'un petit pas en direction de la poterne.

⁂

Le lendemain, alors que grand-mère Jahel, maman Ruth et Arnaud étaient sagement assis à table, maître Jehan se leva. Arnaud s'apprêtait à engloutir une croûte de pain. Il s'arrêta dans son geste, comme pétrifié, la bouche grande ouverte. Jamais maître Jehan ne se levait pendant un repas. À quoi bon! Même assis, il dépassait tout le monde d'une tête. Les nouveaux venus se méprenaient souvent sur son nom en l'appelant «maître géant».

Le simple fait qu'il se soit levé imposa le silence aussi sûrement qu'un appel de cor.

—Ma résolution est prise, dit-il. Arnaud et moi, nous allons à La Rochelle demain. Nous serons de retour avant soleil baissant.

À l'autre bout de la table, comme un vieux parchemin qu'on déroule, le visage de grand-mère Jahel s'allongea d'un coup.

—Je sais que ça vous contrarie, mère, poursuivit maître Jehan, mais c'est décidé: nous y allons demain.

La vieille baissa la tête. Pour se donner contenance, elle avala d'un trait une cuillerée de soupe et avec elle les paroles qu'elle s'apprêtait à proférer. Son visage se renfrogna derrière le masque de ses rides. Maître Jehan n'y prit pas garde.

❖

Arnaud était né à Marennes, mais il habitait à La Tremblade depuis que sa mère, atteinte d'une maladie qui lui avait fait endurer le martyre, était allée rejoindre les saints qu'elle suppliait depuis si longtemps de venir la chercher. Devenu veuf, son père, en route tous les matins pour les marais salants où il gagnait chèrement sa croûte, n'avait que faire d'un fils si jeune.

Pour assurer son avenir, il l'avait engagé au service de maître Jehan Bédard, habitant de La Tremblade et charpentier de gros œuvres, afin qu'il lui apprenne un métier. Il avait alors cinq ans. Dès lors, son sort avait été lié à celui de la famille Bédard.

La mère de son maître, grand-mère Jahel – c'est ainsi qu'elle voulait qu'on l'appelle –, ne tarda pas à lui enseigner la vraie foi, celle qu'elle pratiquait avec toute la rigueur exigée par les Saintes Écritures. Elle ne mit guère de temps à montrer à lire la Bible au petit catholique ignorant qu'il était. Il apprit qu'il figurait parmi les élus de Dieu et qu'en conséquence, il devait se conduire selon les préceptes de la religion réformée. Il sut que l'homme trouvait sa joie dans le travail, que son salut dépendait du zèle qu'il mettait à aider son maître à travailler le bois, comme jadis Jésus auprès de son père Joseph. Grand-mère Jahel l'éleva dans la certitude d'être de ceux qui seuls ont raison envers et contre tous.

Chaque semaine, le dimanche à six heures, Arnaud se retrouvait au temple pour la prière. À huit heures, il récitait par cœur le catéchisme. Déjà, pour lui apprendre la maîtrise de lui-même, il arrivait à grand-mère Jahel de déposer sur la table la tentation même, sous la forme d'un plat de beignets chauds ou de tartines au miel auxquels il n'avait pas droit de goûter tant qu'elle ne lui en donnait pas l'autorisation, si jamais elle la lui donnait. Elle le dressait aussi bien que Médoc, le chien de la famille, qui savait depuis longtemps regarder son plat sans y toucher, n'obéissant qu'aux ordres de grand-mère Jahel qui, du reste, dirigeait d'une main de fer toute la maisonnée. De catholique, Arnaud devint huguenot sans même s'en rendre compte, suivant scrupuleusement les moindres préceptes de la sainte religion.

Maître Jehan était en froid avec le pasteur de La Tremblade. Il se rendait par principe aux offices, mais il n'aurait jamais voulu, même pour tout l'or du monde, que sa fille Suzanne soit baptisée par cet homme qu'il méprisait. Voilà pourquoi en ce mercredi 8 septembre de l'an de grâce 1627, au petit matin, avec son apprenti Arnaud, il monta dans la barque de Pierre Jarousseau afin de se rendre à La Rochelle. Ils allaient y rencontrer le pasteur pour fixer l'heure et la date du baptême.

Maître Jehan était inquiet. Depuis des mois, on n'entendait parler que de guerre. Chaque jour, grand-mère Jahel faisait prier pour la paix. Elle avait longuement expliqué que les huguenots devaient autrefois se cacher pour célébrer Dieu, parce que les papistes ne les aimaient pas.

— Ces temps incertains sont revenus, disait-elle. On ne cherche qu'à nous exterminer.

Mais il en fallait plus pour empêcher maître Jehan d'agir. Il n'avait guère hésité, malgré les réticences de sa mère, à répondre au désir d'Arnaud de l'accompagner dans ce périple.

— D'accord, Arnaud, tu viens, lui dit-il, mais c'est bien parce que tu n'as jamais vu La Rochelle.

Palsambleu ! Il est grand temps, à douze ans, que tu te rendes compte qu'il existe autre chose sur cette terre de misère que le bourg de La Tremblade. D'ailleurs, j'ai quelque chose à te montrer au cours de ce voyage.

— Quoi donc ?

Il esquissa un sourire énigmatique et reprit vivement :

— Bougre de curieux ! Si je te le dis, ça tuera la surprise. Attends, tu verras bien !

— Comment c'est, La Rochelle ? questionna Arnaud.

— Une grande ville fortifiée avec des tours et des remparts, des maisons appuyées les unes aux autres comme les poutres d'une palissade. Mais à quoi bon te dire tout ça, tu sauras bien le voir toi-même.

Malgré sa taille de géant, maître Jehan était un homme doux. D'une force hors de l'ordinaire, il était redouté sans raison par les autres charpentiers, ses compagnons de travail, car jamais il n'élevait ni le ton ni la main. Il traitait Arnaud comme son fils et lui enseignait avec beaucoup de patience, mais sans succès, les rudiments de son métier. Arnaud le lui rendait de son mieux en peinant du matin au soir, attentif à ses moindres besoins et toujours en quête d'un service à lui rendre. Malgré tant de bonne volonté de part et d'autre, maître Jehan n'était pas dupe.

— Tu pourras devenir charpentier, pauvre petiot, mais tu ferais mieux comme mousse sur le grand mât d'une frégate, lui répétait-il souvent. Ton père t'a confié à moi pour que je t'apprenne mon métier, et je te l'apprendrai, foi de charpentier. Ensuite, foutre de bridon, tu en feras ce que tu voudras!

Il avait raison, Arnaud n'avait ni la constitution ni les habiletés nécessaires au métier de charpentier en gros œuvres, mais il pouvait devenir un bon menuisier. Le jeune garçon avait cependant beaucoup d'admiration pour ces hommes qui, avec une adresse étonnante, parvenaient à élever des charpentes compliquées. Il les observait dans leur travail et reproduisait en dessins tout ce qu'ils construisaient. Plusieurs d'entre eux l'avaient fait remarquer à son maître.

— Il réussira mieux comme architecte, c't'enfant!

Pourtant, maître Jehan persistait à lui enseigner son métier, persuadé qu'il n'y avait pas meilleure école dans la vie que celle du travail des mains.

Chapitre 2

La Rochelle

« Huguenots nous sommes, huguenots nous resterons ! »

Maître Jehan prononça fièrement ces paroles avant de monter dans la barque qui devait les mener à La Rochelle. Arnaud ne tenait plus en place depuis l'aube. Il s'était réveillé au chant du coq. Ce matin de septembre 1627 serait pour lui à marquer d'une pierre blanche. Il allait, pour la première fois de sa vie, monter dans une barque à voile pour un voyage de quelques heures. C'était son baptême de mer. Il s'imaginait à la proue du navire lorgnant la côte pour y découvrir les tours de La Rochelle. Il se demandait aussi s'il aurait le pied marin.

Ce fut la tête haute et d'un pas assuré, celui qu'il empruntait dès qu'il quittait la maison et s'éloignait de grand-mère Jahel, qu'il suivit maître Jehan jusqu'au quai d'embarquement. Le marinier, un courtaud tout en nerfs, les sourcils fournis comme une toison, les pressa de monter à bord.

— Faites vite, si nous voulons profiter de la marée !

Malgré les courants contraires au sortir de la Seudre, l'embarcation légère longea la côte comme un berger dans ses sentes. Le batelier connaissait son affaire et dirigeait sa barque d'une main sûre. Arnaud observait son maître. Il se disait : « Il peut construire des embarcations cinq fois plus grandes que celle où nous nous trouvons, mais il ne pourrait pas nous guider sur l'eau qu'il craint plus que la peste. Il doit puissamment haïr notre pasteur pour prendre le risque de se rendre par mer à La Rochelle. »

Comme pour confirmer les pensées d'Arnaud, maître Jehan se tenait coi ainsi que le font ceux qui craignent l'eau plus que tout. Arnaud savait qu'il ne souhaitait qu'une chose, remettre les pieds sur la terre ferme au plus tôt. Curieusement, le marinier chantonnait à la manière de quelqu'un qui s'en va faire une simple balade au bout de la rue. Arnaud se disait : « Chacun son métier. Tout va pour le mieux dans le meilleur des mondes quand chacun y prend sa place comme tenon en mortaise. »

Il était heureux de constater que la mer ne lui faisait pas peur mais, pour une tout autre raison, il s'inquiétait de son sort. Les jours et les mois à venir allaient lui prouver qu'il avait parfaitement raison.

❖

Il fut émerveillé par la cité de La Rochelle, ses murailles, son havre, ses tours et ses places fortes. Partout, on travaillait à des fortifications. Au temple, le pasteur Le Noblet leur fit bon accueil. Il se laissa toutefois tirer l'oreille quand il apprit qu'ils venaient de La Tremblade.

— Pourquoi ne pas faire baptiser à votre temple? demanda-t-il, visiblement agacé par leur visite.

— Parce que le pasteur n'est pas digne d'administrer le baptême, répondit maître Jehan d'un ton sec qu'Arnaud ne lui connaissait pas.

Son interlocuteur fronça les sourcils mais reprit doucement:

— Vous ne l'aimez pas, vous avez sans doute vos raisons, mais est-ce suffisant pour venir faire baptiser votre enfant dans une ville qui se prépare à la guerre?

— Je n'ai que faire de la guerre, reprit le charpentier. Elle ne dure qu'un temps. Le baptême, par contre, est éternel, ajouta-t-il en hochant la tête d'une façon convaincue.

L'argument porta. Le pasteur réfléchit un court moment. Il enchaîna:

— Vous êtes un sage, mon brave, soyez sans crainte, votre fille rejoindra bientôt la grande famille des réformés. Venez après-demain, à midi je la baptiserai.

Il les guida vers la sortie du temple.

— Un moment! fit maître Jehan. Je veux que cet enfant voie de ses yeux ce qu'est une charpente qui sort de l'ordinaire. Je lui avais promis une surprise, la voilà !

Ils étaient au milieu du temple. En levant la tête, ils pouvaient suivre du regard les courbes parfaites formées par chacune des poutres qui soutenaient le toit de l'édifice. L'immense charpente n'était supportée par aucun pilier, mais soutenue par deux clefs de bois comme Arnaud n'en avait jamais vues.

— Observe bien, conseilla son maître, c'est le seul endroit où tu verras pareil ouvrage. Ces poutres courent d'un seul jet jusqu'au faîte. Elles soutiennent tout, en étant elles-mêmes à peine supportées. Elles prennent leur force du fait qu'elles s'imbriquent l'une dans l'autre au sommet.

Arnaud se figea, émerveillé. Le pasteur se racla la gorge avant de dire :

— Je ne veux pas vous presser, mais je suis attendu.

Maître Jehan entraîna Arnaud à travers les venelles de la ville jusqu'à une auberge où pendait l'enseigne Au Bol d'Or. Quand ils y pénétrèrent, ils virent quelques hommes qui jouaient au lansquenet, assis à une table posée près de la porte. Ils levèrent la tête en les voyant entrer. Maître Jehan salua, puis demanda :

— Jorian est-il visible ?

Les hommes se regardèrent du coin de l'œil. Un des joueurs répondit :

— Morbleu ! Faut crécher bien loin d'ici pour ignorer qu'il est en prison.

— Comment ? dit maître Jehan. Que diantre a-t-il fait ?

Les hommes pouffèrent et l'un d'eux expliqua :

— Il a mouché un filou jusque dans l'éternité.

— Autant dire que je ne serai jamais payé, conclut maître Jehan.

Les hommes hochèrent la tête de manière entendue.

Il avisa une table. Enjambant une chaise, il y prit place pendant qu'Arnaud se faufilait sur le banc d'en face. Ils mangèrent un bouillon de poisson accompagné de pain qu'ils trempaient dans leur écuelle pour en ramollir la croûte. Ils avaient tout leur temps. Le marinier Jarousseau ne retournait à la Tremblade qu'en fin d'après-midi. Après le repas, ils flânèrent dans les rues de la ville aux abords du port. Ils admirèrent les tours de La Chaîne et de Saint-Nicolas, sans oublier de s'émerveiller devant celle de La Lanterne. Arnaud n'avait pas assez de ses deux yeux pour tout voir. Le retour à La Tremblade lui parut court. Il n'avait qu'à fermer les yeux pour voir défiler dans sa tête toutes les merveilles de ce jour. Il pensait avoir rêvé.

Chapitre 3

Un baptême mouvementé

La Rochelle, septembre 1627

Le surlendemain, le 10, au petit matin, maître Jehan et Arnaud voguaient de nouveau vers La Rochelle, mais cette fois grand-mère Jahel, maman Ruth et le bébé Suzanne les accompagnaient. Arnaud observait du coin de l'œil, car grand-mère Jahel lui défendait de regarder le bébé Suzanne tétant goulûment au sein de sa mère pendant que la barque glissait sur une mer d'huile, les emportant vers leur destin. On n'aurait pu trouver matin plus paisible et pourtant, à leur insu, ils couraient vers leur malheur. Comme si grand-mère Jahel l'avait pressenti, tout au long du trajet, elle ne cessa de rappeler à son entêté de fils qu'un baptême avait même valeur à La Tremblade.

— Pourquoi nous mettre dans le péril quand le salut est à notre porte ? reprocha-t-elle.

Maître Jehan haussa les épaules avant de répondre :

— Parce que vous le savez, mère, il n'y a pas de vrai pasteur à La Tremblade. Jamais je ne ferai baptiser mon enfant par un imposteur qui ne fraie qu'avec le plus fort.

— Faut-il être entêté comme une bourrique pour raisonner de la sorte !

— Bourrique si vous le voulez, mère, mais je vous ferai respectueusement remarquer que j'ai de qui tenir !

À midi ils étaient au temple. La cérémonie de baptême fut d'autant plus brève que le pasteur s'inquiétait vivement de leur sort. À peine la dernière oraison prononcée, il les pressa de regagner La Tremblade avant qu'il ne soit trop tard.

Au sortir du temple, il les guida jusqu'au port à travers les rues désertes. Grand-mère Jahel trottinait derrière en se plaignant de la mauvaise qualité de la chaussée. On entendait non loin le bruit d'une vive fusillade. Comme ils parvenaient au port, une bombe incendiaire roula sur les toits.

— Malédiction ! s'écria le pasteur d'un ton consterné. Les portes de la ville sont closes et on a levé la chaîne entre les tours. Personne ne peut plus sortir du port, c'est ce que je redoutais tellement pour vous. Vous ne pourrez partir aujourd'hui, vous devrez attendre à demain, il n'y a rien d'autre à faire.

Grand-mère Jahel pleurait. La nouvelle baptisée, effrayée par les explosions, hurlait ; quelques maisons brûlaient ; des hommes tentaient vainement d'éteindre les flammes. Dans quel pétrin, par son obstination, maître Jehan venait-il de les jeter tous ?

Charitablement, le pasteur les accueillit chez lui pour cette nuit à La Rochelle. Le lendemain, ils eurent la certitude de ne pouvoir quitter la ville avant longtemps. Toute la nuit des boulets à feu avaient été lancés, atteignant parfois une maison dont la toiture s'enflammait instantanément. C'était la guerre. Il leur fallait pourtant loger quelque part. Le pasteur fit part de leur situation au maire, qui leur ouvrit les portes d'une demeure quittée précipitamment quelques jours plus tôt par ses occupants. Il les rassura :

— Vous êtes chez vous, les gens qui vivaient là sont des traîtres, ils n'oseront jamais remettre les pieds à La Rochelle. Si jamais ils s'y présentaient, nous les passerions par les armes.

Arnaud n'avait jamais habité une si vaste demeure. Quand il découvrit une chambre dans le grenier, il en fit son royaume. En quelques heures, grand-mère Jahel et maman Ruth mirent tout à leur main. Il ne manquait rien sauf de la nourriture. Maître Jehan découvrit quelques barriques de blé dissimulées dans la cave derrière des tonneaux vides : ils auraient du pain pour des mois.

Chapitre 4

Un travail bénéfique

Tôt le lendemain, ils furent convoqués à une assemblée de citoyens. Chacun se vit confier une tâche selon ses capacités. Maître Jehan fut assigné aux travaux de fortifications. On invita Arnaud à rejoindre une bande de garçons dirigés par un gaillard d'une vingtaine d'années qu'on appelait Abel. Il les mena en direction du port. Tout au long du trajet, Arnaud ne cessa d'écarquiller les yeux devant la diversité des maisons, la profusion des venelles et des arcades. Il se serait arrêté volontiers devant chaque enseigne qui signalait, là un marchand de poisson, plus loin une auberge, un étal de boucher, l'atelier d'un maréchal-ferrant, la boutique d'un cordonnier ou le cabinet d'un apothicaire. Il se demandait comment il ferait pour retrouver son chemin au retour.

Arrivés au port quasi désert, ses compères se regroupèrent autour d'Abel qui, pour se faire bien entendre, fit basculer un tonneau sur lequel il grimpa d'un bond.

— Notre mission, dit-il en désignant la ville d'un large geste, consiste à protéger notre cité contre toute attaque aux boulets à feu. Nous allons d'abord aider à dégarnir les toits de toutes les matières combustibles.

— On dit comestible, le reprit un petit drôle à face de belette.

Les autres le chahutèrent. Abel reprit :

— J'ai bien dit combustible. Ça veut dire tout ce qui peut brûler, comme tes oreilles par exemple.

Les badauds s'ébaudirent aux dépens de ce pauvre innocent qui enchaîna tout aussitôt :

— Tout ce qui est combustible ? dit-il. Les maisons brûlent, faut-il déplacer les maisons ?

Son voisin lui appliqua une taloche assez puissante pour lui replacer la cervelle.

— Il nous faudra monter des baquets plein d'eau sur les toits et y étendre des peaux de bœuf mouillées. Nous nous posterons ensuite en sentinelles sur les toits, dans les tours et dans les clochers afin de prévenir les autres de la direction des boulets. Nous allons nous répartir en équipes.

Il compta rapidement son monde.

— Trente-deux ! cria-t-il en sautant sur le sol.

Il créa six équipes, puis, se ravisant, demanda :

— Quelqu'un sait-il lire et écrire ?

Au grand étonnement d'Arnaud, personne ne répondit. Il s'avança.

— Je sais lire et écrire, lança-t-il fièrement, oubliant soudainement les centaines de coups de bâton de grand-mère Jahel pour le lui apprendre.

Abel lui dit gravement :

— Tu deviens mon adjoint, j'ai besoin de toi pour rendre compte des travaux réalisés.

❖

Ce fut ainsi que débuta sa vie de clerc : il avait douze ans à peine. Il accompagna Abel dans cette première tournée de la ville. Un crieur muni d'un tambour précédait un des échevins. Il roula de son instrument.

— Oyez ! Oyez ! Braves gens ! hurla-t-il. Au nom du maire de notre bonne cité, messire Simon Juniau, votre délégué à l'assemblée, vient vous parler.

Ce Juniau ne mesurait pas plus de cinq pieds. Nerveux, il se dandinait d'un pied sur l'autre, cherchant un endroit où grimper pour être vu. Il se fit hisser sur la margelle d'une fontaine en attendant de pouvoir s'adresser à la foule, replaça son tricorne, releva ses manches et se moucha dans un morceau de soie grand comme le bras.

Le crieur fit de nouveau entendre son tambour.

— Pressez ! Pressez ! Bonnes gens ! Messire Simon Juniau, votre délégué à l'assemblée, vous apporte les dernières décisions de notre bon maire.

Des hommes et des femmes se penchèrent aux fenêtres, d'autres descendirent dans la rue. Messire

Juniau les harangua en les incitant à la prudence en ces temps de guerre.

Pour se payer sa tête, un badaud joua le benêt :

— On est en guerre ? Ah ! On ne le savait pas.

— Bougre de chançard ! hurla un autre, on a un délégué pour nous l'apprendre.

Pendant que ses comparses s'esclaffaient, un troisième qui avait une voix extrêmement puissante cria à son tour :

— Oyez ! Oyez la bonne nouvelle ! On est en guerre !

Sans se laisser décontenancer, le délégué poursuivit :

— Vous tenez tous à la vie autant que moi.

— On l'espère bien, pardi ! On tient plus à la vie qu'à ton avis.

Les rires fusèrent de plus belle. Forcé d'élever le ton, le délégué cria à tue-tête, en rougissant comme une tomate :

— Votre assemblée a décidé de prendre les grands moyens pour éviter que les boulets à feu lancés par l'ennemi ne brûlent nos maisons et notre ville.

— On va grimper sur les toits pour les attraper ? proposa un bossu. Regardez, j'en ai reçu un dans le dos.

— On va pisser dessus pour les éteindre, suggéra un quidam en faisant mine de s'exécuter.

Pendant que tout autour on pouffait à qui mieux mieux, le délégué en profita pour reprendre son souffle, qu'il avait aussi court que sa personne.

— Nous avons mis à contribution les jeunes gens de la cité, continua-t-il. Ils ont ordre de dégarnir les toitures de tout objet inflammable et d'y déposer des baquets d'eau. Il y va de votre sécurité. Vous êtes instamment priés de les bien accueillir. Ils passeront sur tous les toits sans exception et nous ne souffrirons aucun refus, sous peine de cinquante livres d'amende.

Cette décision – et surtout la menace d'une amende – fut accueillie par des huées. Il y eut une bousculade. Quand la foule se dispersa, on récupéra le délégué qui se débattait au beau milieu de la fontaine.

Abel ne perdit pas de temps. Aussitôt la harangue de l'échevin terminée, en moins de deux, il fut sur un toit. Il en fit le tour, décida des travaux qui devaient y être accomplis, indiqua les endroits où devaient être déposés les baquets d'eau. Arnaud esquissa un plan des lieux et consigna le tout par écrit en inscrivant l'adresse des maisons concernées. Abel donna des ordres pour la suite des travaux et courut plus loin évaluer les tâches à réaliser par une autre équipe. Arnaud avait peine à le suivre. Il s'attardait sur un toit, quand, par une lucarne voisine, apparut d'abord le crâne chauve d'un homme corpulent, puis la tête entière ornée d'un nez énorme comme jamais Arnaud n'en avait vu de pareil. Il était fasciné par cette apparition, quand le bonhomme hurla :

— Que fais-tu là, garnement ?

— Mon travail !

— Menteur ! Tu viens pour nous voler, petit mécréant !

— Mécréant toi-même, gros nez morveux !

La lucarne se libéra aussi vite qu'elle s'était remplie. Quelques secondes plus tard, le bonhomme réapparut muni d'un fusil. Arnaud s'attendait à cette réaction, il s'était déplacé en conséquence. À cheval sur la lucarne au-dessus de son assaillant, avant même que l'autre ne se rende compte de ce qui se passait, d'un coup de pied il lui fit sauter l'arme des mains. Le fusil alla choir dans la rue où il se rompit. Furieux, l'homme tenta d'attraper Arnaud qui, vif comme un chat, se retrouva en moins de deux sur le toit voisin. De là, il houspilla le bonhomme :

— C'est bon pour toi, gros nez calamiteux, ça t'apprendra à déranger les honnêtes gens dans leur travail. En plus, tu paieras cinquante livres d'amende, grosse salamandre !

Il lui tira la langue, avant de disparaître derrière une cheminée. Sur le toit voisin, témoin de l'altercation, Abel était plié en deux.

— Heureusement que tes parents ne t'entendent pas, se moqua-t-il, ils en perdraient tous leurs moyens.

Arnaud se contenta de sourire et suivit Abel qui, déjà, inspectait une autre toiture.

Chapitre 5

Une confidence étonnante

Le lendemain et les jours suivants, le même travail se répéta d'un toit à l'autre. Malgré la différence d'âge, Arnaud devint vite le confident d'Abel. Un bon matin, il lui dit :

— Arnaud, devine d'où je viens ?

— De Paris !

— Point du tout.

— De Bordeaux !

— Tu ne brûles même pas.

— De Poitiers !

Il s'esclaffa :

— Tu me veux du mal, petit sacripant ? C'est le dernier lieu où j'aurais voulu naître.

— Tu n'aimes pas cette ville ?

— À qui le dis-tu ! Non seulement je ne l'aime pas, mais j'aurais préféré ne jamais y mettre les pieds. Non, je ne suis pas de Poitiers et je n'y serai jamais le bienvenu, Dieu m'en garde. J'ai bien failli y laisser ma peau.

Curieux, Arnaud lui en demanda la raison.

— C'est une trop longue histoire. Un jour, peut-être, je te la raconterai.

Arnaud avait mentionné les trois seules grandes villes dont il connaissait l'existence à part La Rochelle. Voyant qu'il était à court d'idées, Abel le pressa :

— Tu donnes ta langue au chat ?

Pour ne pas trop paraître ignare, Arnaud fit mine de chercher encore.

— Allons, bourricot ! À ce que je vois, la source est tarie. Je devrai t'apprendre les noms des grandes villes de France : je suis né à Rouen.

— À Rouen ? C'est la première fois que j'entends ce nom !

— Allons donc ! Tu ne connais pas Jeanne d'Arc, la femme soldat ? reprit-il en faisant mine de foncer sur un ennemi invisible.

— J'ai ouï dire par grand-mère Jahel que c'était une sorcière.

— Voilà ! reprit Abel triomphant. Tu as entendu parler de Rouen puisque c'est là qu'elle a été brûlée.

— Est-ce loin d'ici ?

— Au nord, en Normandie. Figure-toi une ville deux fois grande comme La Rochelle, avec un fleuve qui coule au beau milieu, des dizaines de navires, des centaines de marchands, des ponts, des moulins, des gens partout qui crient, chantent, boivent, rient, content des histoires, c'est ça Rouen !

— Il y a un temple ?

— Un temple ! S'il y en a ! Plusieurs, mais des églises aussi et beaucoup de batailles entre papistes et huguenots. Un jour, j'ai vu un pasteur et un curé se battre à coups de poing en se crachant au visage. Ils voulaient sans doute par là donner à leurs ouailles un exemple de la charité chrétienne.

— Je ne te crois pas, soutint vivement Arnaud.

— Libre à toi de me croire ou pas, reprit Abel d'une voix grave, rien n'empêche que je l'ai vu.

— Comment es-tu venu à La Rochelle ?

Il soupira :

— Oh ! C'est une bien longue histoire.

Ils arrivaient près du port, non loin des remparts, dans la partie de la ville la plus exposée aux bombardements. Déjà les gens s'affairaient à dégarnir les toits.

— Ouvre bien grand tes yeux et tes oreilles, conseilla Abel. Je ne te répéterai pas deux fois ce que je vais te dire. Regarde ! Que vois-tu, droit devant nous sur les remparts ?

— Une tour.

— C'est la tour de la Lanterne qui indique aux navires l'entrée du port. Sais-tu que j'y suis demeuré prisonnier durant plusieurs semaines ?

— Prisonnier ? fit Arnaud, incrédule.

— Je savais que tu ne me croirais pas, reprit Abel d'un ton déçu.

Il hésita, puis déclara :

— Je vais te confier un secret dont ma vie dépend, tu devras l'emporter avec toi dans la tombe. Jure-moi que tu n'en parleras jamais à personne, quoi qu'il advienne.

— Pourquoi tiens-tu tellement à me dire un secret?

Abel reprit sur un ton de reproche:

— Pour qu'enfin tu aies confiance en moi et que tu cesses de mettre en doute la moindre de mes paroles.

Arnaud se tut, l'heure était grave. Abel baissa la voix. Il dévisagea Arnaud qui ne sourcilla pas. Après quelques secondes Abel commença:

— On peut avoir confiance en toi, je le sais. Ce que je vais te confier, je ne l'ai jamais dit à personne. Mon véritable nom est Élie Doublet. Ça ne te dit rien?

Voyant qu'Arnaud ne réagissait pas, il ajouta:

— Il est vrai que tu es bien jeune encore. Il y a quatre ans, j'étais à La Rochelle depuis deux jours à peine quand on me soupçonna d'être catholique et espion à la solde du roi. Quatre soldats m'arrêtèrent et me jetèrent en prison dans la tour de la Lanterne.

— Tu as réussi à t'évader?

— Mieux que ça, on m'a en quelque sorte laissé sortir.

— Non!

— Tiens: tu ne me crois pas encore. Dans ce cas, inutile de te conter le reste, dit-il en lui tournant le dos.

Il avait cependant piqué la curiosité d'Arnaud qui le supplia de continuer son récit en l'assurant qu'il le croyait dur comme fer. Abel enchaîna:

— La tour était gardée par deux ouvriers poulieurs, les frères Juillerie, en plus d'être surveillée par les corps de garde de la porte des Deux-Moulins et de la Chaîne. Je n'avais aucune chance de m'évader. Il me fallait trouver un moyen de sortir. Les frères Juillerie, qui vivaient dans la tour, étaient pauvres comme Job. J'avais des sous, je les soudoyai en leur donnant à chacun dix livres. Ils m'autorisèrent à me promener dans les galeries et aux divers étages de la tour. Je pus ainsi me familiariser avec les lieux et je trouvai un moyen de m'en évader. Pour réussir mon coup, il me fallait éloigner un des deux gardiens afin de maîtriser l'autre.

— Et tu as réussi ?

Abel sourit. Il se redressa fièrement, une lueur dans le regard.

— Oui, j'y suis parvenu. Je gage que tu veux savoir comment ?

— Ah, oui ! Raconte-moi ! le pressa Arnaud.

— Nous allons d'abord jeter un coup d'œil aux travaux en cours, puis je te conterai la suite, assura-t-il en le précédant vers une demeure cossue dont il escalada le mur avec agilité.

Pendant trois heures, Arnaud le suivit sur les toits, plein d'admiration pour l'aisance avec laquelle son compagnon sautait d'une lucarne à l'autre en se faufilant comme un chat entre les cheminées. Il donnait des ordres tel un capitaine de vaisseau. Tous lui obéissaient au doigt et à l'œil. Malgré plusieurs jours de pratique, Arnaud avait toujours peine à le suivre. Il esquissait ses plans en y indiquant l'emplacement des baquets d'eau et les points de guet. Ils poursuivirent ainsi leur tâche jusqu'à la nuit tombante. Arnaud, qui avait de la suite dans les idées, demanda :

— Et le reste de l'histoire ?

— Ça sera pour une autre fois. Ce soir, je suis crevé !

Chapitre 6

Une découverte majeure

Le premier soir, en le voyant rentrer si tard, grand-mère Jahel avait rouspété. Maître Jehan avait cependant pris la défense d'Arnaud :

— À la guerre comme à la guerre ! avait-il lancé. On a besoin de tous les bras et à toute heure. Arnaud ne fait que son devoir.

Les soirs suivants, grand-mère Jahel n'avait plus rien dit, peu importe l'heure à laquelle il rentrait.

❖

Deux jours plus tard, entre chien et loup, ils se retrouvèrent sur le toit d'une demeure qu'Abel lui dit être la maison du maire. Il entraîna Arnaud à sa suite sur la toiture de la maison voisine et poussa une porte donnant sur les combles en lui soufflant :

— Suis-moi !

Abel emprunta un escalier étroit qui traversait un grenier avant d'aboutir dans une chambre où il s'étendit sans façon sur le lit. Arnaud craignait à tout instant de voir surgir quelqu'un. Abel le regardait du coin de l'œil en souriant.

— Assieds-toi, l'invita-t-il, fais comme chez toi !

Voyant qu'il ne bougeait pas, Abel se moqua de lui :

— Pauvre Arnaud, tu n'as pas compris que je suis ici chez moi ?

C'était sa chambre. À part le lit, deux chaises et une table de nuit, il n'y avait qu'un vieux bahut entrouvert d'où pendaient des hauts-de-chausses et un justaucorps.

— Regarde sur la tablette, dit Abel en la désignant du doigt, tu trouveras un chandelier. Apporte-le-moi !

Arnaud le lui tendit. Il prit sur sa table de nuit un briquet de sa fabrication et en tira quelques étincelles. En moins de deux, la chandelle éclairait la chambre.

— J'attends quelqu'un, confia-t-il. Ce soir, c'est toi qui seras de garde.

— Grand-mère Jahel s'inquiétera pour mourir, dit Arnaud en se levant.

— Elle comprendra. La guerre ne prévient pas, elle n'a pas d'heure.

Comme pour appuyer ses dires, des coups de canon éclatèrent. Abel bondit. Arnaud le suivit sur le toit. Des boulets à feu se dirigeaient dans leur direction. Ils pouvaient nettement en apercevoir la trajectoire. Sur les toits voisins, les sentinelles s'agitaient.

— Rue de la Chaîne ! cria quelqu'un.

— Rue de la Monnaie ! hurla un autre.

Les boulets frappèrent les toits quelques maisons plus loin. Ils les entendirent rouler et bondir sur les pavés des rues. Des gens sortirent des maisons voisines en maudissant le roi. Des flammes, très vite maîtrisées, léchèrent le bord de quelques lucarnes.

— C'est tout le dommage que ça cause, chiens de papistes ! gronda Abel en tendant le poing dans la direction d'où étaient venus les boulets. Vous ne nous aurez pas comme ça, vous perdez votre temps. Tu vois, ajouta-t-il à l'intention d'Arnaud, notre travail est efficace, nous avons raison d'en être fiers. Maintenant, tu restes ici. Je te confie la garde de ma maison.

Arnaud s'adossa à la lucarne donnant au-dessus de la chambre d'Abel. L'alarme avait été de courte durée. À intervalles réguliers, il entendait les sentinelles s'interpellant d'un toit à l'autre pour s'empêcher de s'endormir.

— Oyez ! fit une voix sur le toit de la maison du maire. Tout va bien ?

— Ça va ! Bonne nuit ! répondit Arnaud avant de transmettre le message au veilleur d'à côté.

Il y avait peut-être une heure qu'il était ainsi de garde quand il entendit des gémissements étouffés. Il crut d'abord qu'il s'agissait d'un chat, puis d'un bébé. Les plaintes venaient par vagues sans qu'il puisse en déterminer la provenance. Inquiet, il paniqua. Dévalant l'escalier à la course, il surgit dans la chambre d'Abel au moment même où sa compagne lançait le cri suprême de son plaisir. Il se figea sur place à la vue de ces deux corps nus et enlacés. Il allait remonter l'escalier à reculons, quand Abel l'interpella :

— Petit coquin ! rugit-il en brandissant le poing. Tu nous espionnais ?

— Non… balbutia-t-il, encore sous le choc de ce qu'il venait de voir. J'ai entendu des gémissements. Je venais te chercher.

Devant son air déconfit, la compagne d'Abel éclata de rire.

— Allons, dit-elle d'une voix douce, ce gamin vient de découvrir les mystères de l'amour. N'est-ce pas merveilleux ?

— Est-ce la première fois que tu vois un homme et une femme unis ainsi ? questionna Abel.

Arnaud baissa la tête et murmura :

— Oui…

— Pauvre enfant, fit la jeune femme d'une voix douce. Approche ! N'aie pas peur !

Arnaud s'avança près du lit. Elle lui passa la main dans les cheveux, en l'attirant vers elle. Il n'osait pas la regarder parce qu'elle était nue. Elle se moqua de lui, puis ajouta d'une voix chaude :

— Regarde, coquin ! C'est beau, une femme nue. Retiens bien ce que je vais te dire : si jamais quelqu'un prétend devant toi qu'il n'est pas bien de s'unir entre homme et femme comme tu nous l'as vu faire, sache bien qu'il ment : il n'y a pas plus grand plaisir sur terre !

Abel lui ordonna :

— Maintenant, va continuer ton guet, je te relèverai à minuit.

Il n'y eut pas d'autres attaques ce soir-là. Au milieu de la nuit, Abel le remplaça comme il l'avait promis.

— Va dormir, dit-il en le poussant vers l'escalier. Tu l'as bien mérité.

— Où ça ? demanda-t-il stupidement.

Abel haussa le ton :

— Dans ma chambre, pardi !

— Avec elle ?

— Bien sûr ! grogna-t-il. Elle ne te mangera pas.

Arnaud s'étendit sur le lit d'Abel, près de sa compagne qui dormait comme une bienheureuse. Il sentait la chaleur de son corps et rien ne lui semblait plus doux. Il mit un long moment à s'endormir, encore tout ému d'avoir percé tant de mystères en si peu de temps.

Chapitre 7

Une évasion remarquable

Tôt le lendemain, Abel et Arnaud firent le tour des maisons touchées par les boulets à feu. Le maire vint constater les dégâts. Ils s'avéraient minimes. Les dispositions prises quelques jours auparavant portaient fruits. Les jeunes gens se relayaient en sentinelles sur les toits. Ils avaient bien accompli leur travail et le maire les en félicita. Il confia une nouvelle tâche à Abel, celle de repérer toute brèche possible dans les remparts.

— Tu m'accompagnes, ordonna-t-il à Arnaud.

Il protesta :

— J'ai faim !

Il n'avait pas mangé depuis la veille à midi.

— Va chez toi, convint-il, tu me rejoindras à deux heures près de la tour Saint-Nicolas.

Arnaud se rendit chez lui. Grand-mère Jahel l'attendait, dans tous ses états. Elle n'avait que des remontrances à lui faire.

— Tu as le front de te présenter encore ici après ce que tu as fait, espèce de vaurien ! Nous étions inquiètes à mourir. Tu oses venir demander à manger, pardessus le marché ? Où as-tu seulement passé la nuit ?

— En sentinelle sur un toit.

— Méchant galopin, tu mens en plus !

— Je dis la vérité.

— Tu oses répliquer à ta mère-grand ?

D'un pas décidé, elle se dirigea vers la cuisine. Arnaud la regarda revenir munie d'un bâton dont elle lui asséna un coup avec tant de force qu'il en vit des étoiles. Il se dirigea vers la porte en chancelant. Elle allait le rejoindre et le frapper de nouveau, quand maman Ruth s'interposa :

— Laissez cet enfant tranquille, grand-mère, sinon je le dirai à maître Jehan.

C'était la première fois que maman Ruth prenait son parti contre grand-mère Jahel. Arnaud comprit qu'il devenait un homme.

❖

À l'heure dite, Abel l'attendait près de la porte Saint-Nicolas. Arnaud lui emboîta le pas le long des remparts. Des toits, ils passaient aux fossés. La petite taille d'Arnaud lui permettait de se faufiler dans les moindres recoins. Dès qu'ils apercevaient un puits de lumière quelque part au sommet ou au bas des remparts, ils allaient l'examiner de près afin de constater si les ennemis risquaient de s'y introduire par un moyen quelconque. Ils marchaient depuis moins d'une demi-heure quand Abel dit :

— Viens par ici, j'ai quelque chose à te montrer.

Ils étaient à quelques pieds de la tour de la Lanterne. Il indiqua à Arnaud une ouverture grillagée dans le mur.

— C'est par là qu'officiellement je me suis enfui au moyen d'une échelle de cordage.

— Comment as-tu fait ? C'est impossible, avec ces grilles.

Abel répliqua calmement :

— Il n'y en avait pas à ce moment-là. D'ailleurs c'est sans importance, puisque ce n'est pas de cette façon que je me suis évadé. En réalité, le gardien Juillerie m'a laissé partir. Assieds-toi que je te raconte.

Ils se trouvaient sur les remparts. Arnaud grimpa au sommet d'une tourelle d'où ils apercevaient la mer, au-delà des murailles. Abel commença :

— Je t'ai dit que j'avais soudoyé les gardiens. Je fis mieux. Tous les jours je causais longuement avec eux, qui se plaignaient sans cesse de leur mauvais sort et de leur pauvreté. Je leur racontai que je connaissais un moyen de les rendre riches. "Comment toi, qui es notre prisonnier, me dirent-ils, peux-tu prétendre nous apporter la richesse ?" "Il n'y a rien de plus simple, assurai-je. Vous pouvez rendre un très grand service au roi." "Tu es donc bien un espion à la solde du roi ?" Je les rassurai : "N'est-ce pas pour ça qu'on m'a arrêté?" Les voyant hésiter, je leur dis: "Si c'est ainsi, adieu la richesse, je me tais." "Cause toujours, m'invita l'aîné, en jetant un coup d'œil vers son frère, nous verrons bien." "Me croyez-vous assez fou, dis-je, pour vous révéler mon secret sans me faire payer, pour qu'ensuite vous alliez tout rapporter pour me faire pendre?" "Tu ne nous connais pas, protesta le cadet, nous ne sommes pas hommes à trahir."

«Je les observais, leurs regards disaient exactement le contraire. Je savais que je n'aurais pas aussitôt fini de parler qu'ils courraient raconter tout ce que j'aurais dit. Je les tenais. "Si vous me promettez que tout cela restera entre nous..." commençai-je en feignant d'avoir peur d'être surpris. "C'est promis, juré, craché", assurèrent-ils en chœur. "Vous serez généreusement récompensés par le roi si vous m'aidez à faire pénétrer des soldats de son armée dans la tour, dis-je tout bas. Une fois ici, ils se rendront maître des corps de garde de la porte des Deux-Moulins et de la Chaîne. Ils feront secrètement entrer des renforts dans la ville et bientôt La Rochelle tombera aux mains du roi, d'autant plus que le maire Gauvain et sa femme sont d'intelligence avec lui", ajoutai-je malicieusement.

«Leur figure s'allongea. "Comment? C'est impossible! Le maire n'est pas un traître", protestèrent-ils. Je poursuivis d'un ton dégagé: "Libre à vous de le croire ou pas!"

«Pendant tout ce temps, je les observais, fier de constater que mon histoire faisait son chemin dans leur tête sans cervelle. Au bout d'un moment, je les invitai à me suivre. "Venez", dis-je.

«J'avais travaillé à mon dessein depuis plusieurs jours. J'étais parvenu à déchausser deux pierres au bas de la tour. Cette ouverture de deux pieds sur cinq permettait à deux hommes à la fois d'y pénétrer. J'aurais pu m'enfuir par là, mais je voulais me venger du maire qui m'avait fait arrêter sans raison. "Savez-vous, demandai-je à mes geôliers, qui a fait ce coup?" Voyant qu'ils n'osaient pas répondre, j'ajoutai d'une voix assurée: "Les hommes du maire Gauvain." L'aîné grogna, d'une voix soupçonneuse: "Qui nous le prouve?" Je protestai vivement, d'un air indigné: "Vous avez besoin de preuves! Ma parole ne vous suffit pas! Vous ne vous rendez donc pas compte que j'aurais pu m'évader cent fois par cette ouverture?"

«Ce dernier argument parvint à les convaincre. Ils s'empressèrent de replacer les pierres et de bien bloquer l'ouverture. Comme je l'avais escompté – je le sus par la suite –, l'aîné partit l'après-midi même raconter au pasteur Le Noblet ce qui se tramait. Pendant ce temps, je maîtrisai l'autre geôlier, qui ne se méfiait pas de moi. Je l'assommai et l'attachai à un anneau fixé au mur de la tour. J'allais tout bonnement sortir, quand il reprit conscience. Comme il tenait à sa peau, il me supplia de faire croire au moins que je m'étais évadé autrement. Il m'indiqua une échelle de cordage. Je l'attachai à cette fenêtre et la lançai à l'extérieur. Voilà pourquoi on crut que je m'étais enfui de cette façon, alors que j'étais sorti tout simplement par la porte. »

— Ils ne t'ont pas repris ?

— Que non ! J'allai me réfugier au fort Louis, chez les catholiques qui me croyaient un des leurs.

— Et le maire ?

— Il s'en tira sans mal, tout comme le pasteur Le Noblet. Il n'y eut que moi et les frères Juillerie qui furent condamnés. Eux furent bannis de la ville. Quant à moi, on me fit un procès où je fus condamné à la roue et brûlé en effigie. Tout cela fit bien rire au fort Louis.

— Si quelqu'un te reconnaissait !

— Penses-tu ? Il n'y a que les deux Juillerie qui le pourraient et s'ils sont toujours de ce monde, c'est certes loin d'ici. Le maire Gauvain m'avait fait jeter en prison sans procès, sur de simples soupçons. Il ne vint jamais me voir. S'il savait qui je suis et que je suis tout aussi huguenot que lui, il en mourrait d'étonnement !

Sur ces mots, Abel fit de nouveau jurer Arnaud de garder pour lui tout ce qu'il venait d'entendre. L'après-midi avançait. Abel indiqua à Arnaud les deux pierres qu'il avait déplacées au bas de la tour. Elles lui parurent si grosses qu'il ne voulut pas croire qu'il avait pu réaliser ce travail seul. Il n'osa cependant pas lui en faire la remarque.

Chapitre 8

L'ami Abel

Il y avait trois bonnes semaines qu'ils étaient enfermés dans La Rochelle. Arnaud avait l'impression d'avoir toujours vécu à cet endroit tant il connaissait à présent la ville par cœur. Ils avaient traîné dans tous les coins, n'ayant guère autre chose à faire que de flâner et d'attendre. Tout l'arsenal de défense était en place. Devant l'inefficacité des boulets à feu, l'artillerie ennemie se contentait de tirer de temps à autre quelques boulets ordinaires, sans trop de dommages, contre les maisons. Dans la ville, les gens avaient espoir que le siège ne durerait qu'un mois ou deux.

Un après-midi, alors qu'Abel et Arnaud se trouvaient sur les remparts en train d'aider à la fonte des couleuvrines, un navire força le blocus. C'était une frégate. Elle rôdait au large depuis un bon moment quand, sans avertissement, ayant le vent en poupe, elle fonça droit vers le port. Avant qu'on réagisse du fort Louis, elle était passée. Un vaisseau du roi la prit en chasse : il fut coulé par les boulets de canon tirés depuis les remparts. La chaîne fut abaissée, la frégate trouva refuge dans le port. En apercevant de plus près ce navire, Abel s'écria :

— C'est Soubise, j'en suis sûr !

— Soubise ? dit Arnaud. Qui est-ce ?

Abel s'étonna.

— Tu ne le connais pas ? Pauvre ignorant ! Sache bien que c'est le frère du seigneur Henri de Rohan, et l'un de nos plus grands chefs huguenots. Tu ne me croiras sans doute pas, mais j'ai combattu à ses côtés.

Arnaud avait de plus en plus d'admiration pour Abel qui n'était son aîné que de huit ans, mais avait connu une vie tellement plus riche et plus mouvementée que la sienne.

— Tu t'es battu à ses côtés ?

— En quelque sorte. J'étais à bord de son vaisseau quand il s'est emparé des navires du roi à Blavet. Nous n'avions presque plus de vivres et les navires du roi étaient désarmés. Nous savions qu'à la première occasion, le roi les armerait pour prendre La Rochelle. On les ramena le long des côtes d'Olonne qu'on dévasta. On prit l'île d'Oléron. Je laissai Soubise afin de suivre un groupe de ses hommes qui descendaient chercher de la nourriture du côté du Poitou. Un jour, on s'empara d'une vingtaine de charrettes que des marchands d'Orléans conduisaient à la foire de Fontenay. On relâcha les hommes et les chevaux, mais on rapporta la nourriture à Soubise.

— Comment vous êtes-vous emparés de ces charrettes ?

— Par une ruse.

— Raconte !

— Nous étions une dizaine d'hommes. Les gens d'Orléans devaient être au moins vingt. Il faisait très chaud. Les hommes et les chevaux peinaient dans les vallons du Poitou. Nous les suivions de loin depuis un bon moment, nous doutant qu'ils allaient s'arrêter quelque part pour la sieste. Au bout d'un moment, ils firent halte près d'un étang afin d'y faire boire les chevaux. Ils eurent le malheur de les dételer en laissant les charrettes à l'abri des chênes qui bordaient la route. Notre chef proposa de les attaquer. Je pris la parole et dis : "Il y a mieux à faire." "Quoi donc ?" s'informèrent mes compagnons. "Nous nous approchons d'eux en feignant d'être ivres et nous leur offrons de prendre un verre avec nous. Ils se regroupent. Nous leur servons à boire et, mine de rien, nous les encerclons. Pendant que nous les distrayons de la sorte, deux d'entre nous mettent hors de service une roue de chacune de leurs charrettes. Nous dégainons ensemble et les tenons à notre merci. Nous les forçons à se déshabiller. Attachés à des arbres, ils n'ont plus d'autre choix que de se tenir tranquille."

— Ton plan a réussi ?

— Mieux que j'aurais pu le croire. Nous avions avec nous trois longs chariots. Toute la nourriture que contenaient les charrettes y fut transférée. Nous avons ri longtemps au souvenir des visages déconfits de ces pauvres bougres.

— Soubise devait être fier de vous…

— Il a parlé de me donner une décoration pour ma débrouillardise.

— Qu'as-tu fait ensuite ?

— Plus tard, quand Montmorency voulut s'emparer de l'île de Ré, j'étais à bord du navire *La Vierge*. Quatre vaisseaux ennemis nous entourèrent. Je me dis que ma dernière heure avait sonné. On se battit comme des déchaînés. Alors que je sortais la tête par un des sabords, j'évitai de justesse un coup de sabre, mais je perdis l'équilibre et tombai à la mer. C'est ce qui me sauva. Quelques minutes plus tard, notre navire sautait et avec lui les quatre vaisseaux ennemis. J'ai nagé un bon moment. J'étais presque épuisé quand je parvins à m'agripper à des débris. La mer me ramena sur la côte. Je ne savais trop où aller, je décidai pour mon malheur de me rendre à La Rochelle. C'est à ce moment, comme je te l'ai raconté, qu'on m'emprisonna. Mais trêve de bavardage, ajouta-t-il, nous avons du travail à faire.

Chapitre 9

Du nouveau sur la vie

C'était ainsi qu'Arnaud passait ses journées d'emprisonnement à La Rochelle, en compagnie d'Abel, à observer les ennemis occupés au large à concevoir des plans visant à les anéantir. Il y avait plus de trois mois qu'il était prisonnier dans la ville et il ne voyait presque plus maître Jehan. Seule grand-mère Jahel tentait encore de le tenir sous sa coupe. Plus que jamais, elle jeûnait et priait pour la fin de la guerre. Les résultats se faisaient attendre, mais Arnaud préférait qu'il en soit ainsi. Il aimait la vie qu'il menait. Elle lui permettait d'échapper aux griffes de grand-mère Jahel et de se frotter à toutes sortes de situations nouvelles. Il connaissait bien La Rochelle, mais il allait bientôt faire meilleure connaissance avec ses habitants.

Ses croquis des maisons pour indiquer l'emplacement des baquets d'eau avaient impressionné un vieil échevin, qui rêvait depuis le début du siège de la ville de connaître le nombre d'habitants qui s'y étaient réfugiés. Il parvint à convaincre le maire de la nécessité d'effectuer un recensement. On requit les services d'Abel et d'Arnaud.

Le maire n'aimait pas ce qui traînait en longueur. Il les convoqua et, d'un ton ferme, leur ordonna:

— Vous allez me recenser tous les habitants de cette ville. Adjoignez-vous les gens qu'il faut si ça vous chante, dans trois semaines je veux tenir en main les résultats de votre travail.

Le lendemain, ils se mirent à parcourir systématiquement les rues de la ville avec mission de s'enquérir du nombre et de la qualité des habitants de chacune des maisons. Arnaud avait un plan de la ville sur lequel il consignait au fur et à mesure, demeure par demeure, le nombre de personnes qui y logeaient. Abel menait l'enquête rondement. Il posait ses questions avec autorité. Arnaud apprenait à son contact que, pour être obéi, il faut être sûr de soi. Les leçons de soumission de grand-mère Jahel lui paraissaient d'une autre époque.

Il n'avait de répit que le soir, après le couvre-feu. Il allait de temps à autre chez Abel en espérant y revoir la jeune femme avec laquelle il avait dormi. Il ignorait son nom et Abel ne voulait pas parler d'elle. Un soir qu'ils causaient de choses et d'autres, Abel raconta ce qu'avait été sa jeunesse.

— Tu sais que je suis né à Rouen, mais j'ai vécu à Paris, commença-t-il. Mon père y tenait une boutique où pendait l'enseigne À la Clef d'Or. Il fabriquait des bijoux et des objets de valeur qu'il vendait surtout aux marchands étrangers. Un jour, j'avais à peine dix ans, un homme rude au regard fuyant se présente à l'atelier. Mon père me donne quelques deniers. "Va chez le boulanger chercher du pain !", me commande-t-il. J'y cours. À mon retour, il me dit : "Tu fais ta besace, je t'ai engagé au service de ton oncle pour les cinq prochaines années." Ce furent les jours les plus pénibles de ma vie.

— Ton oncle ne t'aimait pas ?

— C'était un filou de la pire espèce. Il trompait les gens, comme les saltimbanques qui leur font dire des oh ! et des ah ! En plus, il me traitait comme le dernier des moricauds. Je recevais de sa part plus de coups de bâton que la plus malheureuse des bourriques en reçoit d'un méchant maître. Il se servait de moi pour réaliser ses mauvais coups.

— Tu es demeuré avec lui cinq ans ?

— Non. Il a été arrêté, mis en prison et pendu au bout de trois ans.

— Pourquoi ?

— Il s'était fait une spécialité de détrousser les voyageurs.

Abel hochait la tête aux souvenirs de ces mauvais jours. Arnaud voyait qu'il hésitait à continuer, mais il brûlait d'envie de parler. Comme il le lui avoua plus tard, Arnaud était le premier à qui il confiait de tels secrets.

— Nous sommes partis à pied de Paris et mon oncle ne cessait de maugréer. Nous avons marché jusqu'à

Orléans en dérobant de l'argent et de la nourriture dans les fermes, le long de la route. À Orléans, nous avons pris une patache pour nous rendre à Tours. Tout au cours du trajet, mon oncle causa avec les passagers. Il savait se montrer affable comme le savent tous ceux qui sentent une bonne affaire. Il fit circuler une bouteille d'eau-de-vie. Les trois autres voyageurs trinquèrent à sa santé. Au bout de quelques lieues, ils s'endormirent à poings fermés comme des chérubins. Mon oncle vida leurs poches et déroba dans leurs effets tout ce qui parut lui convenir, montre, argent, hardes. Il fit arrêter la patache un peu avant d'entrer à Tours et laissa filer ces malheureux à leur mauvais sort.

Intrigué, Arnaud demanda :

— Comment se fait-il que ces voyageurs se soient tout à coup endormis si facilement ?

— Pauvre toi, tu n'as donc pas compris ? Il mettait une poudre dans l'eau-de-vie et les droguait.

— Il a fini par se faire prendre ?

— À force de détrousser les voyageurs de la sorte, il devenait de plus en plus audacieux. Il se servait de moi pour les amadouer. "Voyez mon neveu, disait-il, je veux en faire un chirurgien. N'auriez-vous pas quelques petits travaux à lui confier ?" Une fois à destination, les gens m'invitaient chez eux. J'avais ordre de prendre connaissance des lieux. Mon oncle me forçait ensuite à lui décrire l'endroit. Durant la nuit, il s'y introduisait et faisait main basse sur tout ce qui pouvait avoir de la valeur.

— Vous deviez avoir beaucoup d'argent ?

— Suffisamment pour bien vivre. Mais il n'en avait jamais assez. C'est ce qui l'a perdu.

Avant de poursuivre son récit, Abel se leva et fit les cent pas dans sa chambre. Arnaud avait l'impression qu'il voulait de la sorte chasser le mauvais sort.

— Ce dont je viens de te parler et tout ce que je vais te conter maintenant doit demeurer un secret entre nous. Si on me reconnaissait quelque part, je risquerais la pendaison. Quand je serai mort, tu feras bien ce que tu voudras de mes histoires.

Arnaud promit de garder à jamais pour lui tout ce qu'Abel lui confiait. Ce dernier poursuivit :

— Un jour que nous étions dans une diligence en route pour Dijon, il intéressa un vieux curé à mon sort. Le prêtre me trouva quelques petits travaux à exécuter dans son presbytère. Mon oncle s'y invita sous le prétexte de venir me chercher. Il causa longuement avec le curé et son vicaire. Quand ce dernier se retira pour la nuit, il offrit une bonne bouteille de vin au curé qui, pour son malheur, ne se fit pas prier pour y goûter. Mon oncle avait mal calculé la dose de drogue. Le vieux curé passa de vie à trépas avant même d'entamer un second verre. Le lendemain, sans doute prévenus par le vicaire, les gendarmes se mirent à nos trousses. Ce fut une course éperdue à travers la France. Malgré les menaces de mon oncle, je parvins à le semer dans la région de Poitiers où il fut arrêté. Tu comprends pourquoi j'évite cette ville. Je m'engageai sur un navire marchand en partance pour les Antilles. Je ne remis les pieds en France que cinq ans plus tard, alors que d'enfant, j'étais devenu un homme.

Chapitre 10

Un siège dommageable

Les récits d'Abel passionnaient Arnaud. Il avait hâte comme lui de connaître le vaste monde. Pour lors, il était coincé depuis des mois dans une ville assiégée sans savoir s'il en sortirait vivant. Tel était son triste sort. Déjà, faute de nourriture, de plus en plus de gens mouraient. En recensant les habitants de la ville, ils avaient compté, y compris les soldats, vingt huit mille deux cent dix-sept personnes. Tous les jours depuis un mois, ils en menaient une dizaine au cimetière, surtout des vieillards et de jeunes enfants. Arnaud s'inquiétait de la santé de grand-mère Jahel, qui dépérissait. Elle économisait la nourriture, préférant se priver de manger plutôt que de voir maman Ruth être impuissante à donner le sein à la petite Suzanne. Grâce aux réserves de blé trouvées dans la cave, ils étaient parmi les privilégiés. Maître Jehan avait cessé de travailler aux fortifications. On avait recours à ses services pour fabriquer des cercueils qu'il vendait de plus en plus cher, car le bois manquait pour les confectionner et la demande se faisait de plus en plus pressante. « Si je survis à cette catastrophe, répétait maître Jehan, je posséderai une fortune comme je n'en ai jamais eue. »

Pendant tout ce temps, leurs ennemis continuaient d'encercler la ville tout en fermant l'accès à la mer au moyen d'une digue. Il n'y avait guère autre chose à faire que de les observer, impuissants, en souhaitant que la mer les empêche de terminer leur œuvre. Dans la ville, tout était calme. Malgré tout, les gens gardaient espoir. On savait que les Anglais préparaient une flotte pour venir les délivrer. Ce fut durant cette période, cinq mois après son arrivée à La Rochelle, qu'Arnaud fit connaissance avec un homme pour lequel il eut toujours la plus grande admiration, messire Jean Guiton.

Un jour, en compagnie d'Abel, il observait du haut des remparts la progression des travaux de la digue quand il vit pointer deux galiotes entourées de plusieurs chaloupes. Malgré le feu ennemi, elles parvinrent à passer par la brèche de la digue et à pénétrer dans le port. Tout le monde courut accueillir ces audacieux marins.

— Qui sont-ils ? demanda Arnaud à Abel.

— Je l'ignore !

Un petit homme trapu qui, épée en bandoulière, attendait avec impatience sur le quai entendit sa question et répondit vivement :

— Pardi, jeunes hommes ! Vous devriez savoir qu'il s'agit du capitaine Bourguis qui rapporte des provisions saisies à l'ennemi.

Quand les galiotes accostèrent, il se fit un mouvement de foule pour monter y chercher cette nourriture. Le petit homme sauta d'un bond sur le pont, tira son épée et hurla :

— Le premier qui approche, je l'embroche comme un poulet.

Les gens s'arrêtèrent. Il en profita pour lancer :

— Foi de Guiton, chacun aura sa part de façon équitable. Allez chercher le maire. Dites-lui d'apporter les listes du recensement.

Arnaud partit en compagnie d'Abel à la recherche du maire, qui demeurait dans la maison voisine de celle d'Abel. Ils le trouvèrent chez lui et le ramenèrent jusqu'au port. Le jour même et le lendemain, la nourriture fut distribuée à la satisfaction de tous. Abel et Arnaud furent réquisitionnés avec d'autres jeunes gens pour cette tâche. Des clercs avaient dressé la liste des denrées apportées par ces galiotes. Chaque famille eut droit à sa part. Arnaud retourna à la maison les mains chargées de viande fumée. Ce fut leur dernier repas de qualité à La Rochelle.

Sa participation à la distribution des denrées lui valut une invitation du petit homme qui avait si énergiquement évité la catastrophe. Jean Guiton habitait une demeure cossue, rue des Merciers. Il adorait faire les honneurs de sa maison et il ne se fit pas prier pour la faire visiter de la cave au grenier. Ils étaient une dizaine à le suivre d'une pièce à l'autre, pleins d'admiration pour ses meubles et tapisseries de fort bon goût. Arnaud fut particulièrement impressionné par le nombre extraordinaire d'enseignes prises aux ennemis. Guiton les montrait fièrement en racontant pour chacune avec moult détails les circonstances dans lesquelles il s'en était emparé. C'était pour lui en quelque sorte des trophées de chasse.

Il possédait également une multitude d'armes dont une arbalète et une pertuisane d'une rare beauté. Abel tomba en admiration devant la pertuisane. Il ne cessait de répéter :

— Ça, c'est une arme, une vraie… As-tu vu comme elle est belle ? Avec elle, je crois que je ne perdrais pas un combat.

— Peut-être, dit Arnaud, mais elle ne t'appartient pas.

Messire Guiton, qui ne semblait pas perdre un seul mot des conversations, s'approcha. Il décrocha la pertuisane du mur où elle était rangée et la tendit à Abel.

— Tenez, jeune homme, elle est à vous. Puisse votre vœu se réaliser. Si vous ne perdez pas un combat, La Rochelle sera délivrée.

C'était la première fois qu'Arnaud voyait Abel à court de paroles. Il resta planté là, encore incrédule, pendant que le groupe continuait sa visite. Messire Guiton venait de se faire un ami pour la vie.

Chapitre 11

L'initié

La Rochelle continua à supporter le siège que le cardinal de Richelieu, le « suppôt de Satan », ainsi que grand-mère Jahel le nommait, lui imposait. Il n'y avait plus qu'un seul espoir, celui de voir arriver la flotte anglaise, que chacun espérait de jour en jour. Arnaud parcourait la ville en compagnie d'Abel et de quelques autres compagnons en quête de travail. Il n'y avait rien d'autre à faire que d'aider à enterrer les morts, de plus en plus nombreux. Les gens se terraient chez eux. La ville semblait déjà condamnée. Ce fut pendant une de ces virées sans but qu'Arnaud fit connaissance avec un homme dont le souvenir le hanta des jours durant. Ils étaient à décharger une charrette des détritus ramassés le long des maisons quand un homme aux cheveux gris, marqué par la mort, le retint par un bras.

—Jeune homme, murmura-t-il d'une voix éteinte, veux-tu être mon successeur ?

Arnaud ne savait que dire. Cette proposition lui paraissait ambiguë, compte tenu de la situation où ils se trouvaient.

— Votre successeur ? demanda-t-il, étonné.

— Nous avons tous une mission sur terre. La mienne s'achève, la tienne commence. Je te confierai les secrets de ma vie, tu continueras ma mission là où je la laisserai.

Le pauvre homme lui parut à la fois si sincère et tellement désespéré qu'il le suivit chez lui. Il vivait seul, rue du Temple, dans une chambre remplie de livres et d'objets hétéroclites. Il le fit asseoir pendant qu'il fermait soigneusement les volets et allumait une chandelle. C'était pourtant le milieu du jour. Son attitude intriguait Arnaud qui prit peur. Le vieillard s'en rendit compte et commença à parler d'une voix profonde mais douce.

— Tu n'as rien à craindre de moi. J'ai fermé la fenêtre pour être certain que mon secret ne s'ébruitera pas. J'ai le grand bonheur d'être un initié. Sais-tu seulement ce qu'est un initié ?

Arnaud haussa les épaules.

— Le Christ, poursuivit-il, a donné à ses disciples une doctrine secrète destinée à quelques initiés seulement. J'en suis un, je possède des secrets que tous ignorent.

Lisait-il de l'incrédulité dans le regard d'Arnaud ? Il arrêta de parler un moment puis ajouta :

— Je vois que tu ne me crois pas... Attends un peu !

Il se leva pour aller feuilleter un livre sur la table et revint, triomphant. C'était une Bible. Son index velu suivait la ligne qu'il lisait :

— "Ne donnez point les choses saintes aux chiens, et ne jetez point vos perles aux pourceaux, de peur qu'ils ne les foulent aux pieds, ne se retournent et ne vous déchirent." Sais-tu quelles sont ces choses saintes et ces perles dont parle la Bible ?

— Je l'ignore, avoua Arnaud.

— Je suis parmi les rares initiés qui le savent, ajouta-t-il. Je possède les secrets fabuleux de la nature. J'ai pour mission d'apprendre aux hommes l'amour du Christ et les mystères de ce monde. Je sais comment fabriquer de l'or.

— Si vous savez comment se fait de l'or, pourquoi vivez-vous dans une si petite et pauvre chambre ?

— Par choix. Je pourrais être riche, j'ai choisi de vivre pauvrement. La richesse n'apporte ni la sagesse ni la paix. Si tu veux venir chez moi tous les jours, je te livrerai tous mes secrets. Maintenant tu dois partir. Si tu reviens demain, tu me trouveras ici et c'est toi que j'initierai, sinon je choisirai quelqu'un d'autre.

Arnaud n'osa pas parler de cette rencontre à Abel et encore moins à grand-mère Jahel. Il n'en pensa pas moins qu'il ne perdrait rien à connaître la façon de fabriquer de l'or. Le lendemain, il se rendit chez le vieil homme qui n'en menait pas large. Arnaud avait vu depuis plusieurs jours des personnes qui s'acheminaient infailliblement vers la mort. Le visage décharné de son interlocuteur laissait voir les mêmes signes, ceux laissés par le scorbut. Le vieil homme ne devait pas avoir mangé depuis plusieurs jours.

— Tu as bien fait de venir. Si tu écoutes attentivement mon enseignement, tu pourras un jour vaincre les éléments et devenir immortel. Tu trouveras parmi les éléments la pierre qui guérit toutes les maladies. C'est toi, je le sais, qui mettra fin aux misères du monde.

Arnaud se dit: «Il commence à délirer.» Comme s'il avait lu dans ses pensées, l'homme lui reprocha:

— Tu doutes de moi. Tu te dis: c'est un vieux fou. Détrompe-toi et ouvre bien grand tes deux oreilles et surtout ton cœur. Écoute attentivement ce que je vais te dire. Sais-tu que nous possédons en nous une part de tous les éléments de la nature?

Voyant qu'Arnaud ne répondait pas, il demanda à brûle-pourpoint:

— Connais-tu au moins les éléments de la nature?

Arnaud ne sut quoi dire.

— Pauvre enfant, poursuivit-il, tu as encore beaucoup à apprendre. As-tu entendu parler des dryades, des salamandres, des nymphes, des sylphes et des gnomes?

— Ce sont des êtres qui habitent les bois et les eaux, balbutia Arnaud.

— Les dryades sont les esprits des bois, les salamandres ceux du feu, les nymphes ceux de l'eau, les sylphes ceux de l'air et les gnomes ceux de la terre.

Je te dirai comment te rendre maître de ces esprits, c'est ainsi que tu deviendras immortel.

Arnaud s'enhardit :

— Vous n'avez pas réussi vous-même à les maîtriser.

— Qu'est-ce qui te le fait croire ?

— Depuis plusieurs jours, j'ai vu la mort sur le visage des gens. Vous portez ce même visage, vous n'êtes pas immortel.

Il regarda Arnaud en esquissant un sourire.

— Je ne me trompais pas en te demandant de venir. Tu es intelligent et perspicace, tu sauras réussir où j'ai échoué. Pour se rendre maître des esprits des bois, du feu, de l'eau, de l'air et de la terre, il ne faut pas douter de ses pouvoirs et de sa mission. J'ai douté des miens, ce qui m'a fait rater la chance de devenir immortel.

Arnaud ne savait plus trop quoi penser. Valait-il la peine d'écouter encore ? Qu'allait-il inventer de plus pour le retenir ? N'était-il pas qu'un vieillard désireux d'un peu de compagnie avant de mourir ? L'homme interrompit ses tergiversations en déclarant :

— Je vais te révéler la façon de fabriquer de l'or.

— Vous savez vraiment comment ?

— Oui, je le sais. Mais avant de te confier ce secret, je veux que tu écoutes bien ceci. Ma mission n'est pas terminée, c'est à travers toi que je veux la continuer. Tu iras très loin d'ici, là où les esprits n'ont guère été dérangés. Quand tu seras en ces lieux, n'oublie pas que je te l'avais prédit. À un endroit, que tu verras d'abord en songe, tu trouveras une large rivière, ses eaux couleront sur l'or. Si tu es alors maître des esprits, toutes ces richesses t'appartiendront. Tu seras dans le pays rêvé.

Arnaud écoutait distraitement, plus préoccupé par son estomac vide que par la maîtrise des esprits. Le vieil homme lui fit promettre de revenir le voir afin, lui dit-il, « que je te transmette mes pouvoirs et le secret de la fabrication de l'or ».

❖

Il se passa quelques jours, et Arnaud en avait presque oublié Joseph de La Valaudière, ce vieil homme désireux de l'élever au rang des initiés. Quand il retourna le voir, il lui parut encore plus décharné. Trop faible pour se tenir debout, il gardait le lit depuis sa dernière visite. Le scorbut faisait son œuvre. Arnaud aurait aimé lui apporter de la nourriture, mais il en avait à peine pour lui-même. Jamais grand-mère Jahel ne lui aurait permis de donner au vieillard ne fût-ce qu'un morceau de pain chaudé. En l'apercevant, le vieil homme lui dit faiblement :

— C'est la providence qui t'envoie. Viens près de moi, mon garçon.

Arnaud s'approcha du lit.

— Penche la tête, commanda-t-il.

Arnaud obéit. Le vieil homme plaça ses mains tremblantes au-dessus de lui. Il l'entendit prononcer des paroles mystérieuses, puis dire nettement :

— Je te transmets les forces et les vertus des pierres, des herbes et des animaux. Désormais, tu connaîtras la puissance des esprits. Si tu ne doutes pas d'eux, tu deviendras immortel.

Il respirait avec peine. Arnaud se releva. Il retint faiblement son bras.

— Tout ce que je possède, je te le donne. Promets-moi seulement de ne pas m'abandonner.

— Je reviendrai demain, promit Arnaud, bouleversé.

— Il sera trop tard, murmura-t-il. Va plutôt dans la cour, derrière la maison. Contre le mur tu trouveras une pelle. J'ai commencé à creuser une fosse, termine l'ouvrage, que je puisse aller y dormir à jamais. Quand tu auras fini, viens me le dire.

Arnaud sortit dans la cour. Quand il eut accompli son travail de fossoyeur, il revint vers lui.

— Merci, dit-il. Promets-moi de m'enterrer dignement dans ce trou quand tu me trouveras mort.

Arnaud s'engagea à faire au vieillard une digne sépulture. Quand il revint le lendemain, l'homme n'était plus dans la maison. Arnaud sortit à sa recherche. Il s'était traîné jusque dans la cour et s'était laissé choir tête première au fond de la fosse. Il l'enterra à cet endroit comme il le lui avait promis. Il jeta un coup d'œil sur ce que le vieil homme laissait derrière lui. Il y avait surtout des livres qui traitaient d'astronomie et d'alchimie. Arnaud prit un astrolabe dont il se servit comme presse-papier et une carte du ciel qui indiquait la position des étoiles.

Chapitre 12

Un siège qui se prolonge

Des événements majeurs se déroulaient dans la guerre contre le cardinal et sa clique. Au large, chaque jour, la digue conçue pour couper aux assiégés l'accès à la mer prenait forme. Abel et Arnaud observaient avec inquiétude les progrès des travaux. Pendant des heures, ils regardaient leurs ennemis guider des navires chargés de terre et les couler de manière à former une estacade infranchissable. La digue prenait forme de jour en jour. Ils se sentaient de plus en plus étouffés entre les murs étroits de la cité.

Pour sa défense, la ville comptait plusieurs bastions dont celui de la porte Maubec. Cette porte faisait face aux marais salants. Bien que murée en temps de paix, elle pouvait s'ouvrir pour permettre des sorties contre les attaquants. De plus, les bateaux chargés de sel, en passant par les marécages, empruntaient un canal qui les conduisaient à une voûte fermée par une grille de bois qu'on levait pour leur permettre d'entrer. Il y avait des traîtres parmi les catholiques de la ville. L'un d'eux alla informer le cardinal de la disposition de ces lieux et de la possibilité d'y faire facilement pénétrer des soldats.

Arnaud connaissait cet endroit pour y être allé avec Abel. Le fossé par où passaient les bateaux avait environ douze toises de largeur et l'eau y était haute de six pieds au plus fort de la marée. Des gens du cardinal furent envoyés à cet endroit en éclaireurs. Des guetteurs les surprirent, tuèrent l'un d'eux, le sieur de La Forêt, et firent prisonnier monsieur de Feuquières. Abel, qui suivait de près toutes ces péripéties, alla quérir Arnaud. Ensemble, ils assistèrent à l'arrivée de Feuquières et de ses hommes faits prisonniers.

❖

Les mois passaient sans apporter d'espoir. Maître Jehan fabriquait des cercueils. L'un d'eux servit au repos éternel de grand-mère Jahel. Elle s'était tellement privée de nourriture que le scorbut avait fini par l'emporter. La maladie s'était d'abord attaquée à ses gencives, lui faisant perdre une à une les quelques dents qui lui restaient encore. Peu à peu, elle fondit de partout sans se plaindre, sans dire un mot, acceptant la mort comme une délivrance. Maître Jehan la souleva de son lit pour la déposer directement dans son cercueil. Ils partirent, maître Jehan, Abel et Arnaud, pour l'enterrer au cimetière de la ville. Elle ne laissait rien derrière elle que quelques hardes dont maman Ruth fit un paquet. Sous son oreiller, ils trouvèrent un plan indiquant, à la cave, une porte condamnée derrière laquelle elle avait caché la farine et le blé qui leur sauvèrent la vie.

❖

Tenaillé par la faim, incertain du lendemain, Arnaud n'avait plus guère d'occasion de se réjouir. Pourtant, le 30 avril 1628, dimanche de la Quasimodo, malgré sa misère, il avait le cœur en fête. Ce jour-là, comme à chaque printemps, La Rochelle élisait un nouveau maire. Les citoyens pouvaient assister à l'assemblée qui, pour la circonstance, se tenait dans la grande salle des fêtes de l'hôtel de ville. Arnaud n'avait jamais mis les pieds dans ce vaste édifice où se jouait l'avenir de la cité. L'assemblée avait élu trois candidats: André Toupet, Jean Guiton et Jean Berne, sieur d'Angoulins. Messire Loudrières, sénéchal d'Aunis, devait choisir celui des trois qui deviendrait maire. On apprit que le sénéchal était à l'article de la mort et l'élection fut reportée. Arnaud, tout comme Abel, espérait voir messire Guiton élu.

Deux jours plus tard, pendant qu'ils attendaient patiemment la nomination officielle, Abel le poussa du coude:

— Regarde le gros homme qui se tient près de l'ancien maire Godeffroy.

— Oui, je vois. Qu'a-t-il de particulier ?

— C'est le bourgeois catholique que j'ai suivi près de la porte Maubec. Il veut devenir maire. S'il est élu, c'est la capitulation.

Arnaud avait de la difficulté à comprendre comment un traître pouvait aspirer à un poste de si grande importance. Il s'en ouvrit à Abel. Pour toute réponse, il dit :

— Il est riche !

Arnaud comprit pour la première fois de sa vie que tout pouvait s'acheter, même les honneurs.

Les médecins vinrent déclarer devant l'assemblée que messire Loudrières, assesseur civil et lieutenant général, n'était pas en état de décider quoi que ce soit. L'un des chirurgiens déclara même que La Rochelle pleurerait sa perte avant le lendemain. Le maire sortant prit la parole :

— Messieurs du Corps de Ville et du Présidial, en l'absence du lieutenant général, il revient à l'assesseur civil, messire Raphaël Colin, de désigner notre nouveau maire.

L'assesseur Colin se leva. Il ressemblait à une carpe avec ses yeux exorbités.

— Il y a quarante ans, dit-il, notre bonne ville et la religion que nous pratiquons couraient un aussi grand danger qu'aujourd'hui. Qui fut élu maire pour notre défense ? Un Guiton. Son descendant parmi nous fera dignement la même charge. Je choisis, pour succéder à messire Godeffroy, messire Jean Guiton.

Un large sourire éclaira le visage d'Abel. Les échevins, à l'exception du traître, félicitèrent le nouveau maire dont le pâle visage montrait une détermination farouche. Il se leva et prit la parole.

— En ces jours de misère, commença-t-il, votre confiance m'honore. Je serai maire, puisque vous le voulez.

Guiton portait toujours une arme sur lui. Il brandit son poignard.

— Je serai maire, à condition qu'il me soit permis d'enfoncer ce poignard dans le sein du premier qui parlera de se rendre. Je consens qu'on en use de même envers moi dès que je parlerai de capituler.

D'un coup sec, il planta le poignard au milieu de la table devant lui en ajoutant :

— Tant que je serai maire, cette arme demeurera sur cette table autour de laquelle nous nous rassemblons. Nous ne capitulerons jamais. Nos ennemis n'entreront dans cette ville que le jour où il n'y aura plus un seul homme pour en fermer la porte.

❖

Quelques jours plus tard, l'assesseur Colin, après avoir rencontré messires Godeffroy et Guiton, fit mettre le traître à la question, sur la place publique, pour connivence avec l'ennemi.

— Il paraît que c'est le maire Guiton qui a insisté pour que tout se passe au vu et au su des gens. Il veut faire un exemple, assura Abel. Amène-toi, nous devons assister à ce spectacle.

Arnaud savait que « la question » était une façon de faire parler les gens soupçonnés de crime, quand ils refusaient d'avouer et qu'on ne disposait pas d'autres moyens de prouver leur culpabilité. La séance se déroulait normalement au fond d'un cachot en présence d'un juge, d'un médecin et d'un greffier qui avait pour tâche de consigner le tout par un procès-verbal. Cette fois, en raison de la gravité des fautes qu'on reprochait à l'accusé, on avait décidé de procéder sur la grand-place.

La foule était déjà nombreuse, massée près de l'estrade où on devait amener le prisonnier. Des têtes paraissaient aux fenêtres des maisons avoisinantes. Abel et Arnaud se frayèrent un chemin jusqu'aux abords de l'échafaud.

— Je tiens à l'entendre hurler, confia Abel avec un sourire méchant. Un traître comme lui ne mérite pas de vivre.

— S'il tient le coup et n'avoue pas, dit Arnaud, l'assesseur devra le libérer.

— Dans ce cas, nous lui ferons justice nous-mêmes, gronda Abel. Mais ne crains rien, ce ne sera pas nécessaire. Ce genre de lâche ne résiste pas à la question.

À l'arrivée du bourreau, le silence se fit dans la foule. Ce dernier portait une cagoule. Personne ne devait savoir qui il était. Un petit homme suivait, les bras chargés des instruments du supplice.

— Ce ne sont que les brodequins, fit Abel, déçu. J'aurais préféré la question à l'eau.

— Quelle différence ? demanda Arnaud.

— Tu l'ignores vraiment ? dit-il, étonné. Si on se préparait à la question à l'eau, il y aurait un tréteau sur l'échafaud.

— Il sert à quoi ?

— On écarte les bras de l'accusé au-dessus de sa tête et on lui attache les mains à des anneaux de fer. On en fait autant pour les pieds. On lui glisse le tréteau entre les jambes sous les reins afin de l'écarteler le plus possible. Le médecin lui pince le nez pour lui faire ouvrir la bouche. On y introduit une corne de bœuf en forme d'entonnoir, dans laquelle on verse des coquemars d'eau de deux pintes et demie chacun.

— Plusieurs coquemars ?

— Quatre, s'il s'agit de la question ordinaire, huit pour l'extraordinaire.

Arnaud n'en croyait pas ses oreilles.

— L'accusé risque de se noyer, dit-il.

— Il n'a qu'à avouer avant.

— Et s'il n'est pas coupable ?

— Il doit choisir entre mourir et encourir une condamnation moindre.

Abel se tut. On amenait l'accusé. Le gros homme joufflu n'en menait pas large. Les assistants murmuraient. On sentait à la fois une grande tension et une vive excitation dans la foule. Le spectacle allait bientôt commencer.

Le bourreau fixa des planches aux jambes de l'homme, l'une d'un côté, l'autre à l'opposé. Au moyen de lacets de cuir, il les lia fortement au-dessous des genoux et au-dessus des chevilles. D'un coup de marteau, il enfonça un premier coin de bois entre le genou droit et la cheville de l'accusé. Celui-ci grimaça en serrant les dents.

— Avoue ! cria l'assesseur.

— Parle, Judas ! hurla quelqu'un.

— Avoue ! crièrent d'autres. À mort les félons, les renégats, les scélérats !

Il grogna en déniant d'un geste de la tête. Le bourreau lui enfonça un autre coin entre le genou gauche et la cheville. Cette fois, la douleur fut si vive qu'il lança une longue plainte. Il y eut des murmures dans la foule. L'assesseur l'incita de nouveau à avouer. L'accusé ne broncha pas. Un autre coin à la jambe gauche fit perdre conscience à l'ex-échevin. Le bourreau le ranima en lui versant un plein seau d'eau sur la tête. Puis l'assesseur lui donna quelques minutes de répit.

— Tu n'avoues pas ? questionna-t-il.

Il ne répondit pas.

Le quatrième coin lui arracha le pire hurlement de douleur qu'Arnaud ait jamais entendu. L'homme secoua vivement la tête de haut en bas, puis murmura quelques mots. L'assesseur s'approcha en tendant l'oreille vers lui.

— Répète à haute voix, ordonna-t-il.

La foule se tut d'un coup.

L'accusé dit nettement :

— J'ai trahi.

— Que Dieu te vienne en aide, reprit l'assesseur.

Un puissant cri monta de la foule.

— À mort ! À mort ! Pendez-le !

— Je savais qu'il ne tiendrait pas le coup, dit triomphalement Abel.

On le ramena au cachot. Deux jours plus tard, on le pendait sur la place du Château. Ses complices, les sauniers, furent également mis à la question. Aucun d'eux n'avoua. Ils étaient forgés à plus rudes épreuves.

Chapitre 13

Un vain espoir

Les jours qui suivirent leur donnèrent à la fois les plus grands espoirs et les plus vives déceptions. Après le prêche du dimanche 7 mai, le maire Guiton rasséréna toute la cité en lisant une lettre reçue d'Angleterre annonçant l'arrivée prochaine d'une escadre venant les délivrer et leur apportant de la nourriture.

— Ne nous laissons pas abattre, ajouta le maire, nous avons encore de la farine pour tenir durant trois mois. Les blés et les légumes que nous avons plantés sur la contrescarpe, près des remparts, nous donneront des provisions pour un autre mois. Les ennemis de notre religion ne sont pas encore dans la ville.

Le même soir se dessina autour de la lune un halo comme on n'en avait jamais vu. Abel assura que c'était un bon présage. Le lendemain, cinq cygnes blancs venus d'Angleterre volèrent près des remparts.

— Dans quelques jours, prédit Abel, les voiles anglaises seront en vue.

Il ne tenait plus en place. Un matin, il dit:

— Arnaud, suis-moi.

Arnaud ignorait où Abel l'emmenait. Il ne voulut rien dire. Rendu à l'église Saint-Barthélémy, il jeta un coup d'œil furtif à l'intérieur, puis disparut dans l'ombre d'une colonne. Arnaud le suivit. Abel lui fit signe de se taire en mettant son index sur ses lèvres, même si l'église était vide. C'était un temple catholique. Grand-mère Jahel avait toujours défendu à Arnaud d'y pénétrer. Il s'y sentait menacé. Abel savait ce qu'il faisait. Ils entendirent soudain un bruit venant des hauteurs. Quelques instants plus tard, un soldat poussait la porte. Dès qu'il fut dehors, Abel tira Arnaud par le bras. Un escalier en colimaçon donnait accès au clocher. Abel grimpa rapidement quelques marches en lui faisant signe de le suivre.

Dans le beffroi, à la hauteur des cloches, des ouvertures permettaient d'observer la ville et toute la campagne environnante. Arnaud fut stupéfait du spectacle. Une chaîne de murailles, de tours, de bastions munis de canons encerclait la ville. Il dénombra pas moins de dix-sept fortins et redoutes en forme de losange ou d'étoile surmontés d'oriflammes, et des soldats partout, par dizaines, par centaines, à l'abri de ces murailles. Il en avait le souffle coupé. Plus loin, spectacle qu'il n'avait pas vu depuis des mois, des troupeaux de vaches et des milliers de moutons broutaient paisiblement l'herbe des champs. Au loin tournaient les grandes ailes des moulins à vent, pendant que tout près, pour l'exemple, pendus à des gibets, les corps des fuyards se balançaient dans le vent. Du côté de la mer, deux forts reliés par la digue du cardinal fermaient le passage vers la cité.

Abel, qui ne soufflait mot, pointa du doigt une partie de la campagne, non loin des remparts de la ville, là où de temps à autre ils allaient pêcher. Ignorants du risque qu'ils couraient, quelques pauvres hères y ramassaient des herbes. Cinq cavaliers du roi s'amenaient à toute allure, bride abattue et sabre en main. Avant que ces pauvres gens ne puissent se rendre compte du danger, leurs têtes roulaient déjà dans la vase des marais. Les soldats rapportèrent leurs dépouilles plantées au bout d'une pique. Cette scène si brutale laissa Arnaud abasourdi. Par une claque dans le dos, Abel le ramena à la réalité :

— Vite, il faut redescendre avant que le soldat ne regagne son poste !

❖

Le lendemain, les voiles anglaises parurent du côté de l'île de Ré. On signala leur arrivée par quelques coups de canon tirés du fort Tasdon. Les cloches de toutes les églises se mirent à sonner à toute volée. On assista à un événement tout à fait particulier : la résurrection d'une ville. En quelques minutes, tout le monde descendit dans les rues. Les remparts furent pris d'assaut. Tous voulaient voir de leurs yeux ces vaisseaux qu'on attendait depuis des mois. La flotte s'avançait vers la ville précédée de quatre ramberges. Abel ne voulait rien manquer. Il était parvenu à pénétrer dans la tour de la Lanterne et observait la progression de l'escadre en décrivant tout ce qu'il voyait.

— Cinq vaisseaux d'au moins cinq cents tonneaux! Une quarantaine de plus petits : des brûlots, des navires de transport. Tiens ! Ça tire du côté de Chef-de-Baie.

On entendait le grondement des canons. Abel hurla :

— Les navires se dirigent vers la digue ! Ils ripostent !

De son point d'observation, Abel ne pouvait apercevoir au loin qu'une infime partie de la flotte enveloppée dans la fumée de la canonnade. Le reste était dérobé à sa vue par une partie de la digue sur laquelle s'étaient massés des centaines de soldats. Déjà, les canons tonnaient. Malgré le bruit, Abel continuait à hurler, mais sa voix se faisait moins enthousiaste.

— Les gros vaisseaux viennent de tourner, les ramberges en font autant, c'est sans doute une manœuvre.

Ce jour-là, leurs espoirs s'évanouirent en même temps que disparurent les voiles anglaises. Ils ne savaient quoi penser. Allaient-ils revenir ? Deux jours passèrent sans le moindre coup de canon. Il y eut ensuite quelques escarmouches sans importance au loin. Les ennemis s'observaient sans oser se rapprocher. Pendant ce temps, dans la ville, les gens perdaient espoir de voir arriver enfin ces provisions dont regorgeaient les cales des vaisseaux anglais.

— Ce ne sont pas des soldats, ce sont des lâches, maugréa Abel. Ils ne tentent même pas une vraie attaque contre la digue. Il n'y a rien à espérer d'eux.

Les navires anglais lancèrent quelques bordées inutiles, puis tournèrent de bord pour ne plus revenir. C'était le 18 mai 1628. Ce jour-là commença l'agonie de La Rochelle.

Chapitre 14

Une question de semaines

Depuis longtemps, ils ne vivaient plus qu'à force de se priver. Personne ne mangeait à sa faim, sauf quelques riches individus qui, à prix d'or, parvenaient à s'arracher les derniers minots de blé. Depuis longtemps déjà, les pauvres rivalisaient d'ingéniosité pour transformer en nourriture tout ce qui pouvait y ressembler. Abel ne manquait pas d'imagination en ce domaine, comme en tout le reste. Ils avaient encore un peu de farine et maman Ruth l'employait avec parcimonie. Arnaud et Abel se chargeaient de varier le quotidien en risquant quelques sorties extra-muros. De jeunes enfants les accompagnaient parfois. Ils allaient en vitesse ramasser quelques crevettes ou cueillir des racines de chardon au-delà de la contrescarpe, entre les remparts de la cité et les lignes de circonvallation ennemies.

Chaque fois qu'il mettait les pieds hors des murs de la ville, Arnaud était saisi d'inquiétude. Il lui semblait que le moindre monticule, le plus petit creux de terrain cachait des soldats ennemis. Il surveillait les environs, le cœur battant. Pendant qu'il montait la garde, Abel s'efforçait de repérer un endroit où ils pourraient attraper des loches ou glaner des coquillages.

Le reste du temps, ils le passaient à ramasser des morts pour les transporter au cimetière le plus proche. Il n'y avait plus de chevaux en ville. Ils s'attelaient à une charrette et ils faisaient du porte à porte en quête de cadavres. Chaque jour, ils enterraient pas moins d'une centaine de personnes. La ville entière se desséchait au rythme de ses morts. Le mois de juillet s'achevait quand les gens se mirent à mourir par dizaines d'une maladie appelée le férobs ou mal de terre. Maître Jehan entendit dire qu'un apothicaire prescrivait une potion miracle contre cette maladie. Il dit à Arnaud :

— Toi qui te promènes partout en ville, tu sauras bien trouver cet apothicaire.

— Je le trouverai.

— Tu lui demanderas quel est son remède.

Arnaud partit et finit par apprendre que l'apothicaire en question habitait non loin du temple. Il se rendit chez lui.

— Est-ce bien vous qui connaissez un remède contre le férobs ?

— C'est bien moi !

— Maître Jehan m'envoie m'enquérir de quoi il en retourne.

— Rien de plus simple, mon garçon. Il faut consommer de l'herbe de moutarde avec du vin blanc.

— C'est tout ?

— Non point. Il faut se laver la bouche avec de l'eau légèrement salée et se panser les jambes avec la lessive de l'apothicaire Seignette.

— Et la lessive de l'apothicaire, où puis-je la trouver ?

— Si tu as des sous, je t'en vendrai.

Arnaud retourna demander de l'argent à maître Jehan et revint avec ce remède miracle. En l'espace de quelques jours, la maladie fut enrayée dans toute la ville.

❖

Cette vague de guérisons ne leur donnait pas de nourriture pour autant. Les gens se plaignaient, la révolte grondait, dirigée contre le maire qui demeurait inflexible. « Si nous capitulons, disait-il, on y passera tous. Les hommes seront pendus, les femmes et les jeunes filles violées, les maisons pillées. Il n'y a qu'une solution, tenir jusqu'au dernier. » Malgré tout, devant le mécontentement, le maire tenta de laisser partir les bouches inutiles. On avisa les femmes et les enfants qui voulaient quitter la ville. Maman Ruth dit :

— Je vais partir avec Suzanne.

Maître Jehan s'y opposa.

— Je ne fais aucune confiance à ces gens.

Plusieurs centaines de personnes se massèrent près de la porte Maubec. Elles se dirigèrent à travers les marais vers les campements ennemis. Du haut des remparts, Arnaud observa ce troupeau humain qui avançait péniblement vers la liberté. Au fond, il les enviait.

Un coup de canon tiré d'un des fortins ennemis mit fin à leur progression. Ils s'arrêtèrent. Des cavaliers, sabres au clair, les repoussèrent jusqu'à la contrescarpe et les massacrèrent sur place.

❖

La vie pénible de tous les jours reprit son cours. Le maire n'en finissait plus de calmer les esprits rebelles. Deux événements bien différents par leur teneur vinrent pour un moment permettre d'oublier ces temps de souffrances.

Chapitre 15

Dernière résistance

Un matin qu'Arnaud et Abel passaient par les maisons en quête de nouveaux morts, une trompette se fit entendre du côté du fort Tasdon.

— Viens, lança Abel, le roi nous envoie un de ses hérauts !

Les trompettes firent entendre une seconde fois leur chamade. La délégation s'approchait du fort. Abel courut devant puis, haletant, glissa quelques mots qu'Arnaud eut peine à comprendre.

— Serons… premières places.

— Où ?

— Les premiers aux remparts.

L'éclat des trompettes se répercutait avec plus de puissance sur les murs de la cité quand, à bout de souffle, Arnaud rejoignit Abel. Il lui désigna le héraut à cheval, tête haute, s'approchant au son du tambour. Il portait des gants de velours et une casaque fleurdelisée. Un dernier roulement de caisse claire se fit entendre. Cérémonieusement, le héraut déroula un parchemin dont il s'apprêtait à faire lecture lorsque, du fort, une voix se fit entendre.

— Qui va là ?

— Messire Boulanger, héraut de Sa Majesté ! cria un des trompettes.

Le maire Guiton avait donné ordre de retourner tambours et trompettes. La réponse ne se fit pas attendre :

— Nous n'avons que faire des boulangers et encore moins des z'hérauts.

Un coup de mousquet transperça le tambour.

Le héraut et les trompettes tournèrent la bride sous les applaudissements des badauds. Quelqu'un mit un point final à l'épisode en criant :

— Faute de héraut, le roi nous envoyait un boulanger !

❖

Malgré le siège et la disette, certains braves de la ville tentaient de temps à autre des coups de main. Sans doute enhardi par ce qui venait de se passer, Charles Le Veneur dit La Grossetière, ancien page du roi devenu huguenot par amour de madame d'Aigrefeuille, déclara soudain :

— Nous avons besoin de pain, j'irai en chercher. Qui m'aime me suive !

Abel, que ce genre d'exploit passionnait, se porta volontaire. Ils quittèrent la ville au cours de la nuit.

Charles Le Veneur, Abel l'apprit à Arnaud par la suite, avait un plan. Il voulait mettre le feu à une poudrière dressée par leurs ennemis sur la ligne de circonvallation.

— Quand la poudrière sautera, nous en serons loin, assura Le Veneur. Mais pendant que de partout on se précipitera pour éteindre les flammes, nous ferons main basse sur des minots de farine emmagasinés dans un grenier près des marais.

— Comment les rapporterons-nous? questionna Abel.

— Dieu y pourvoira, mon jeune ami!

Cette réponse évasive déplut à Abel, qui se dit qu'ils couraient à leur perte.

— Dieu ne se mêle ordinairement pas de ce genre d'affaires, fit-il remarquer. Nous prenons de grands risques sans en connaître l'issue. Que voulez-vous dire par "Dieu y pourvoira"?

— Ce que je veux dire? s'indigna Le Veneur. Nous aviserons une fois sur place.

— Il sera trop tard, ajouta Abel.

— Trop tard? Il n'est jamais trop tard. Si vous avez peur, jeune homme, la ville est dernière nous. Retournez-y!

Abel tenta par tous les moyens de l'amener à plus de prudence, il ne désarma pas. Ils s'approchèrent des lignes ennemies. Le Veneur, qui ne se tenait pas sur ses gardes, fut cerné avant même de pouvoir dire ouf. Abel parvint à désarçonner le soldat qui lui fonçait dessus. Il sauta sur son cheval et regagna la ville au grand galop. Il pénétra par la porte de Cougnes en hurlant son nom. Reçus à coups de mousquet, ses poursuivants abandonnèrent la poursuite à une centaine de pieds des remparts.

La prise de Charles Le Veneur dit La Grossetière attrista le maire et tout le Corps de Ville. Quand on apprit que le roi voulait le faire passer par les armes comme brigand, le maire fit prévenir qu'en compensation, on exécuterait le sieur Feuquières. Tout ce que cette folle expédition rapporta de vivres fut le cheval dont Abel s'était emparé. On l'abattit, sa chair fut distribuée aux pauvres de la ville. Abel en garda un morceau et en fit remettre un autre à Arnaud.

❖

Il faisait nuit. La ville somnolait déjà, comme repliée sur sa faim. Arnaud sentait la fatigue de la journée. En pressant le pas, il traversa la place de l'hôtel de ville. Au moment où il s'engageait sous le porche de la grosse horloge, trois hommes sortirent de l'ombre. Ils voulaient manifestement le détrousser. Arnaud tenta de fuir, mais ils lui barraient le chemin. Il s'arrêta pile en leur disant :

— Si c'est ma bourse que vous voulez, sachez que je n'ai pas un sol vaillant.

— Et ça ? s'enquit l'un d'eux en désignant le morceau de viande.

— Ça ? Si vous tentez de me l'enlever, je vomis dessus.

— C'est ce qu'on va voir !

Ils foncèrent sur Arnaud qui, en se penchant, les esquiva, mais du même coup se retrouva coincé le long d'un mur que longeait un caniveau d'où se dégageait une odeur nauséabonde. Les trois hommes l'entourèrent.

— Vous avez faim, hurla Arnaud, et moi aussi !

Il leva le morceau de viande à bout de bras. L'un des agresseurs s'approcha pour le lui arracher des mains. Arnaud le laissa choir dans le caniveau. Il leur lança :

— C'est tout ce que vous aurez, détrousseurs de mon cul !

Tête première, il se rua dans le ventre de celui qui lui barrait le chemin. Sous l'effet de surprise, le gueux roula par terre. Arnaud en profita pour filer en vitesse pendant que ses agresseurs restaient sur place à se disputer un morceau de viande maculé de détritus.

Chapitre 16

Tout pour survivre

Plus le temps passait, plus la misère grandissait. Les cimetières se remplissaient. Le décompte des morts depuis le début du siège s'élevait à plus de douze mille personnes. Par son entêtement, le maire s'était fait de nombreux ennemis, mais il gardait la tête froide et rien ne semblait l'affecter. Pourtant, les derniers espoirs s'envolaient un peu plus chaque jour. Les gens mouraient comme des fleurs sans eau. Personne n'avait plus la force d'enterrer les cadavres. Seul maître Jehan continuait à fabriquer des cercueils jour et nuit. Il ne fournissait plus à la tâche depuis longtemps, d'ailleurs. À vingt-cinq livres pièce, il voyait grandir sa fortune jour après jour, comme quoi le malheur des uns fait le bonheur des autres.

— À quoi bon, disait-il, il n'y aura peut-être personne pour fermer notre cercueil. On ne m'enterrera pas avec mon or.

Par précaution, il indiqua à Arnaud où il cachait son argent.

— Tu es le plus jeune et le plus fort, tu nous enterreras tous, alors tu dois savoir, au cas où…

❖

Les mois d'été avaient été horribles, ceux de l'automne le furent plus encore. On enterrait les morts dans des fosses communes. Arnaud appréhendait le jour où il irait les rejoindre en terre. Ils en étaient réduits à manger des racines et toutes sortes d'herbes qui, selon leur vertu, donnaient des nausées, des maux de tête ou des diarrhées. Abel fondait à vue d'œil, Arnaud en faisait autant. Un seul espoir leur restait encore : le retour des navires anglais.

❖

La réserve de farine s'épuisait. Maman Ruth désespérait de trouver quelque chose à leur donner à manger. Elle avait eu beau fouiller de fond en comble leur demeure, les réserves de nourriture étaient épuisées. Avec appréhension, elle voyait venir le jour où le dernier quart de pain serait mangé. Arnaud s'ingéniait à chercher par quels moyens il pourrait mettre la main sur des denrées quelconques, ne fût-ce que du poisson séché ou des pains chaudés.

Ce fut alors qu'apparurent les recettes les plus bizarres qu'on pouvait imaginer. Un homme dont la femme venait de mourir leur apprit que madame de

Rohan avait mangé les deux derniers chevaux de son carrosse.

— Aujourd'hui, ajouta-t-il, elle en est réduite à manger son carrosse.

Ce qu'Arnaud avait d'abord pris pour une boutade s'avéra par la suite ce qu'il y avait de plus vrai. Madame Rohan mangeait les cuirs de ses voitures.

— Comment peut-on les apprêter ? s'interrogea Abel.

— Nous n'avons qu'à aller voir, dit Arnaud.

Abel ne voulut pas l'accompagner.

Malgré ses forces décroissantes, Arnaud traversa la ville pour se rendre chez les Rohan. La maîtresse de céans était une femme énergique qui ne se laissait pas abattre. Elle le reçut aimablement sans laisser paraître la moindre gêne.

— On m'a dit, madame, commença-t-il, que les cuirs se mangent.

— Vous êtes bien renseigné, jeune homme. Non seulement ils se mangent, mais ils sont nourrissants.

— Comment peut-on les apprêter ?

— De diverses façons, enchaîna-t-elle. Venez à la cuisine, on vous le dira.

Elle lui fit l'honneur de l'y conduire. Le cuisinier était au désespoir et ne cessait de répéter :

— Qu'avons-nous fait au bon Dieu ! Qu'avons-nous fait au bon Dieu !

Leur arrivée lui amena un peu de divertissement. En se plaignant de ces jours maudits, il enseigna à

Arnaud sa façon d'apprêter les vieux cuirs et les parchemins.

— Le secret, geignit-il, réside dans le fait de bouillir et bouillir de nouveau. Il faut faire tremper dans l'eau au moins vingt-quatre heures avant de bouillir avec du suif. On peut y mettre des herbes pour donner du goût.

Il lui montra deux grands parchemins qu'il préparait en prévision du dîner.

— Quels temps misérables nous vivons ! se lamentait-il. Si je tenais ce triste Louis XIII, je l'égorgerais.

— Allons, intervint madame de Rohan, il ne faut pas parler ainsi de notre souverain, mon bon Jules. Il a ses raisons d'agir de la sorte.

Le cuisinier rouspéta.

— Sauf votre respect, madame, il nous traite ainsi parce que nous sommes protestants.

— Il y a des catholiques dans cette ville et ils souffrent tout autant que nous, reprit la duchesse.

Le cuisinier grogna entre ses dents.

— S'ils voulaient partir, ils pourraient le faire à leur guise, on les recevrait à bras ouverts, tandis que nous, qui veut de nous ?

— Prenez votre mal en patience, Jules, justice sera faite.

Le cuisinier hocha la tête tout en montrant à Arnaud quelques herbes propres à assaisonner la bouillie de parchemin.

— Vous connaissez la christe marine, le pourpier sauvage, la ravanelle ? C'est tout ce qu'il nous reste pour accompagner cette pâtée indigne des chiens. Vous pouvez servir avec des feuilles de vigne si vous en trouvez encore quelque part. Vous verrez: c'est un régal! ajouta-t-il ironiquement.

Arnaud en connaissait suffisamment sur le sujet pour se débrouiller. Le cuisinier continua, d'un ton acerbe, à lui conseiller des recettes à la colle forte, des bouillies au cuir et à la cassonade, des confitures de verjus. Il termina en lui disant:

— Vous êtes trop jeune pour vous laisser mourir, mangez tout ce qui se mange, à la sauce de votre choix, ce maudit siège finira bien un jour.

La duchesse le guida jusqu'à la sortie. Arnaud la regardait. Malgré sa maigreur, elle marchait la tête haute. Son attitude lui donna du courage. Il la remercia, elle le laissa sur ces paroles:

— On ne meurt que lorsqu'on le choisit.

Elle referma la porte en le gratifiant d'un sourire qu'il n'oublierait jamais. En retournant à la maison, il songeait aux paroles du cuisinier. Il revoyait l'attitude courageuse de la duchesse et, au fond de son cœur, il maudissait ce souverain qui laissait se produire avec tant d'insouciance autant de mal dans son royaume. Dès son retour, il fouilla de nouveau la maison à la recherche de tout ce qui était cuir et qu'il pouvait bouillir. Des parchemins aux gants, aux bottes et aux chapeaux, il récolta tout. Maman Ruth l'aida à préparer une première bouillie.

Ils vivotèrent d'expédients de la sorte pendant une semaine. Les rares habitants qui parcouraient encore les rues portaient leurs enfants mourants à l'hôpital, et les petits cadavres directement au cimetière le plus proche. La petite Suzanne y passa à son tour, maman Ruth ne mangeant pas suffisamment pour continuer à l'allaiter. Ce fut la consternation. Maître Jehan rassembla ce qui lui restait de forces pour lui fabriquer un cercueil. Ce fut le dernier qu'il fit.

Dans le jardin, derrière la maison, Arnaud eut la force de creuser la petite fosse. Il n'avait plus de larmes pour pleurer la perte de Suzanne. « Laissez les morts enterrer leurs morts », disent les Saintes Écritures. Il bredouilla :

— Nous sommes des morts vivants. Nous portons à leur dernier repos les enfants morts de faim, pendant que dans son palais, entouré de ses fidèles sujets, le souverain s'empiffre en attendant de nous voir crever jusqu'au dernier.

⁂

Le roi n'eut pas cette joie. Désormais assuré que les Anglais ne feraient rien pour secourir sa ville, le maire, avant de la livrer aux vainqueurs, demanda à négocier la capitulation avec le roi. Il obtint qu'on laisse la vie et la liberté à tous ceux et toutes celles qui respiraient encore. Le 30 octobre au matin, le duc d'Angoulême et ses hallebardiers pénétrèrent dans La Rochelle.

Arnaud se traîna jusqu'à la porte pour voir passer les soldats. Ils lui jetèrent quelques miches de pain. Maître Jehan empêcha Abel et Arnaud de les dévorer trop vite, ce qui leur sauva la vie. En quelques jours, ils retrouvèrent suffisamment de force pour fuir cet endroit où, au nom de leur foi, ils avaient tant souffert. Ils étaient cinq à l'arrivée, ils n'étaient plus que trois à en repartir. Les trois quarts des habitants de la ville y avaient laissé la vie.

Maître Jehan trouva un marinier qui, contre quelques écus, voulut bien les ramener à La Tremblade. L'heure était aux adieux. Arnaud se jeta dans les bras d'Abel sans pouvoir prononcer un seul mot. Malgré sa gorge nouée, Abel eut la force de dire :

— Un jour peut-être, à la grâce de Dieu !

DEUXIÈME PARTIE

L'APPRENTISSAGE

Chapitre 17

Retour et départ

La Tremblade, novembre 1628

Ils n'étaient pas au bout de leurs peines ! Quel ne fut pas leur étonnement, à leur arrivée à La Tremblade, de trouver leur maison complètement vidée. Persuadés de leur mort, les voisins s'étaient emparés de tous leurs biens. Ils avaient emporté chez eux les meubles et même les vêtements. Maître Jehan se fâcha, d'une sainte colère à faire trembler tout le village, et se rendit chez le maire. Le soir tombait, les rues étaient désertes, mais Arnaud sentait des regards peser sur eux par l'entrebâillement des volets. Le maire les accueillit comme un homme qui voit des fantômes. Il n'était pas fier sous sa perruque quand maître Jehan hurla en donnant du poing sur la table :

— Vous avez deux heures pour retrouver tous mes meubles, mes outils et mes hardes, sinon tous tant que vous êtes, foi de Bédard, vous allez regretter d'être nés !

Avisant un sablier posé sur une tablette au-dessus de l'âtre, maître Jehan le retourna en disant calmement :

— Nous attendons.

Le maire, qui jusque-là soupait paisiblement, avala de travers.

— Pourquoi cette colère ? Tout le monde vous pensait morts !

— Eh bien ! Qu'ils sachent que nous sommes plus vivants que jamais.

Regardant le sablier, maître Jehan fit remarquer :

— Vous perdez du temps.

Le maire se leva sans plus discuter, prit son tricorne et sortit. Quelques minutes plus tard se fit entendre le roulement d'un tambour. Arnaud entendit nettement le crieur :

— Oyez ! Oyez ! Ordre de notre bon maire. À tous ceux qui ont des hardes, meubles et autres effets appartenant à maître Jehan Bédard, vous avez deux heures pour les lui rapporter !

❖

Leurs meubles, leurs hardes revinrent comme par enchantement, tout comme le chien Médoc. Mais le mal était fait. Maître Jehan ne pouvait plus sentir ceux de ses voisins qui avaient osé s'emparer de ses biens. Deux jours ne s'étaient pas encore écoulés depuis leur retour qu'il chargeait de nouveau une bonne part de leurs effets sur une barque. De bon matin, à l'aube du troisième jour, ils quittaient La Tremblade pour l'île de Ré, non sans avoir au préalable mis le feu à leur maison.

Maître Jehan grogna :

— Celle-là, personne ne pourra nous la voler.

La barque qui les conduisait à Ré avait à peine quitté La Tremblade que maman Ruth s'inquiétait déjà :

— Où allons-nous loger ?

— Pourquoi vous inquiéter, ma mie ? s'insurgea maître Jehan. Je ne vous ai jamais laissée sans toit. Vous dormirez au chaud ce soir.

— Mais où ?

— Chez mon bon ami Bonneteau, à Loix.

Ils arrivèrent en fin d'après-midi en face d'une grande demeure de pierre qui donnait sur la mer. Ils y étaient attendus puisque maître Jehan avait fait prévenir de leur venue. Ils ne furent que deux soirs les hôtes de l'ami Bonneteau, car dès le lendemain, maître Jehan fit le tour du village en quête d'une maison à vendre. La fabrication de cercueils, durant son séjour forcé à La Rochelle, lui avait permis d'accumuler une petite fortune. Il ne lésina pas sur le prix quand, en retrait du village, il trouva, regardant la mer, une demeure de pierre entourée d'un jardin. Il l'acheta le jour même. Le lendemain, il s'y installait.

❖

Arnaud s'adapta très vite à Loix. C'était un tout petit bourg accroché au bord de la mer, dont la plupart des habitants travaillaient aux salines ou encore comme pêcheurs. Il n'y avait pas deux jours qu'il se trouvait sur l'île qu'il traînait déjà dans le village. Comme il l'avait fait à La Rochelle, il arpenta systématiquement l'endroit, le parcourant de ruelles en venelles jusqu'à la place de l'église Sainte-Catherine qu'il admira, en milieu de matinée, pour la première fois dans son écrin de tilleuls. Après avoir flâné autour du temple, il poussa plus avant et se retrouva sur une plage en forme d'anse, surplombée par un petit fort en ruine qu'il ne manqua pas d'explorer. De là, il aperçut les salines et fut ému d'y voir à intervalles réguliers, comme à La Tremblade, des amoncellements de sel en forme de cône. Sa curiosité l'incita à poursuivre plus loin. Plus il avançait dans les marais salants, plus il était fasciné par le ballet des aigrettes et des hérons avec leur grand bec, leur long cou et leurs ailes impressionnantes. Il aperçut un homme occupé, à l'aide d'un long râteau sans dent, à rapporter au bord d'un bassin les résidus de sel.

Il arriva au port en plein midi et tomba en admiration devant le moulin à marée dont la roue tournait sous la poussée de l'eau. Il vit sur la plage des gens affairés à chercher quelque chose.

Une vieille femme s'approchait. Il lui demanda :

— Grand-mère ! Que font ces gens ?

La vieille le regarda curieusement.

— Pauvre enfant, dit-elle d'une voix chevrotante, tu es certainement étranger. Ce sont des pêcheurs de moules.

— Des pêcheurs de moules ?

— Eh oui ! Ils ne cherchent pas de l'or.

Après cette réponse pour le moins étonnante, la vieille laissa échapper un petit rire pointu, découvrant la seule dent qui lui restait dans la bouche, et elle poursuivit son chemin.

Arnaud s'arrêta. « Ils pêchent des moules ? Ça vaut la peine de voir comment ils s'y prennent. » Un jeune garçon en rapportait un plein seau. Il lui demanda :

— Qui t'a appris à si bien pêcher ?

— Mon père, répondit fièrement le gamin.

— Est-ce qu'il me le montrerait si je le lui demandais ?

— Pourquoi pas ? Va le voir et demande-lui. Il est là-bas, celui en noir avec un béret.

Arnaud s'approcha.

— Votre fils me dit que vous me montreriez sans doute à pêcher les moules.

— Pas seulement des moules, des Saint-Jacques, des palourdes, des bigorneaux, des crevettes et même des étrilles, si ça te chante.

Arnaud, qui n'y connaissait rien, s'informa :

— La pêche aux moules et aux autres que vous dites, c'est pas pareil ?

— Que non, que c'est pas pareil ! Mais l'un dans l'autre, combien de sous es-tu prêt à mettre là-dessus ?

Arnaud n'avait pas vraiment réfléchi à la question. Il s'informa :

— Pour la pêche aux moules, il vous faut combien ?

— Deux francs et je t'enseigne tout ce que je sais.

Il ne répondit pas tout de suite, comme quelqu'un qui calcule dans sa tête.

— Va pour un franc, risqua-t-il.

L'homme plissa les yeux et le regarda en souriant.

— Tu marchandes, mon coquin !

— C'est à prendre ou à laisser, ajouta-t-il avant de cracher par terre d'un air désinvolte. Si je ne l'apprends pas de vous, votre fils me le montrera pour quelques sols.

L'homme s'esclaffa. La réponse d'Arnaud lui plaisait.

— Viens demain si ça te chante, je te le montrerai, et gratuitement en plus. Apporte un seau et un couteau !

— À la même heure ?

— À marée basse, ça va de soi.

❖

Fidèle à sa promesse, il fut là le lendemain et les jours suivants. L'homme lui apprit d'abord où trouver des moules.

— Tu m'as plu, commença-t-il, voilà pourquoi je te révélerai où en chercher, mais ensuite, tu devras te débrouiller pour les dénicher où tu voudras. Les pêcheurs de moules ne divulguent pas facilement leurs cachettes.

Ils s'approchèrent d'un estran rocheux recouvert de sable et d'un peu d'eau.

— Les moules respirent, dit l'homme, et elles laissent des traces de leur respiration dans le sable. Tu vois le petit trou au bout de mon doigt ? Tout au fond tu trouveras une moule. Elle est fixée au rocher. Tu entres ton doigt dans le trou. Tu la repères et tu la détaches de son rocher. Si tu n'y parviens pas avec ton doigt, tu y vas avec ton couteau.

Arnaud ne mit guère de temps à se familiariser avec cette technique singulière. Quand l'homme fut assuré qu'il pourrait se débrouiller seul, il lui dit :

— Je t'ai montré où en trouver et comment les pêcher, il ne me reste plus qu'à te souhaiter bonne chance. Ta mère saura bien les faire cuire.

— Et les autres ?

— Quels autres ?

— Les autres coquillages, vous me montrerez comment les pêcher ?

— D'abord, ce ne sont pas des coquillages, mais bien des animaux de mer comme les bigorneaux et les palourdes. Je te montrerai, mais quand ce sera le temps de les pêcher. Pour le moment, c'est au tour des moules.

❖

Arnaud, que tout intéressait, suivit de près les différentes périodes de pêche. Il apprit à distinguer dans le sable la trace des palourdes de celles des moules. Il savait en les pêchant, d'après le trou laissé dans le sable, s'il s'agissait d'une palourde mâle ou femelle. Il apprit à découvrir les bigorneaux dans les rochers ou dans les algues qui y sont suspendues et, à la suite des grandes marées, comment repérer des Saint-Jacques. Mais la pêche qu'il aima le plus fut celle aux étrilles, ces crabes qu'on doit, après avoir soulevé la pierre leur servant de cachette, river au sol à l'aide d'un doigt appuyé sur la carapace puis attraper en les soulevant par une patte arrière afin d'éviter leurs redoutables pinces.

Maman Ruth était toujours aussi enchantée de le voir revenir, riche du fruit de ses pêches, et maître Jehan ne se faisait pas prier pour en engloutir une bonne partie à lui seul.

Si Arnaud s'adonnait à la pêche avec plaisir, il ne manquait cependant jamais de s'arrêter devant le moulin à marée, l'admirant chaque fois qu'il passait devant. Ce qui l'intriguait, c'était d'en connaître le mécanisme. Il n'avait jamais osé s'en approcher suffisamment pour attirer sur lui l'attention du meunier. Il demeurait toutefois impressionné d'en voir tourner la grande roue. Un midi qu'il rôdait dans les parages, le meunier l'interpella.

— Hé, gamin ! Ce n'est pas la première fois que je te vois badauder autour. Qu'est-ce qui te bijarre tant à propos du moulin ?

— J'aimerais savoir, monsieur, comment ça marche.

— Eh bien ! Le flux de la marée remplit la retenue près du moulin. Au jusant, on ouvre les vannes. L'eau alimente la grande roue et puis…

— Ça, je le vois bien, l'interrompit Arnaud. C'est comment ça marche là-dedans que j'aimerais savoir.

— Si ce n'est que ça qui te bijarre, tu n'as qu'à me suivre, je te ferai voir.

Le meunier lui expliqua en détail le fonctionnement de son moulin. Quand Arnaud en sortit, il avait en mémoire des mots qu'il ne connaissait pas avant d'avoir mis les pieds au moulin : trémie, fuseau, rouet, lanterne, bluteau. Il avait vu les engrenages des différents mécanismes s'agencer les uns dans les autres, grâce aux alluchons dont ils étaient munis. Il se dit : « Un jour je fabriquerai tout ce qu'il faut pour faire vivre un moulin. » Cette découverte décida de son avenir.

❖

Un bon matin qu'il s'apprêtait à courir jusqu'à la mer comme il le faisait maintenant depuis des mois, maître Jehan le retint.

— Tu as maintenant treize ans. Tu ne resteras pas à fainéanter. Il te faut penser à gagner ta vie. Tu ne seras jamais un charpentier de gros œuvres, ça je le sais tout aussi bien que toi. Mais tu pourrais être un bon charpentier de menus ouvrages. Tu pourrais te spécialiser à fabriquer de menus huis, ce qui ferait de toi un menuisier. Ton apprentissage de la charpenterie est assez avancé. C'est à toi maintenant de prendre ta décision. Quel genre de travail de charpente veux-tu faire ?

— Je serai charpentier de moulin.

— Fort bien ! Je ne saurais t'apprendre ce métier. Tu vas devoir faire ton apprentissage auprès d'un charpentier de moulin.

— Qui pourra me montrer par où commencer ?

— Jacob saura te conseiller. Va le voir sans tarder. Ton avenir est maintenant entre tes mains.

Arnaud se dirigea aussitôt vers le village. Il savait qu'à compter de ce jour, le bon temps de son enfance était derrière lui. Il allait désormais devoir gagner sa vie. Jacob, le charpentier de moulin, le reçut à bras ouverts. C'était un homme maigre qui, s'il n'était pas un Samson, savait utiliser sa force à bon escient. Il avait développé toutes sortes d'astuces lui permettant de manipuler avec aisance les lourdes pièces de bois dont il se servait pour la construction des moulins. L'érection d'une charpente de moulin n'avait pas de secret pour lui. Toutefois, il prévint immédiatement Arnaud :

— Je te montrerai à charpenter des moulins et à fabriquer des grandes roues. Tu devras faire ensuite ton Tour de France pour apprendre la confection des fusées, des lanternes, des rouets, des trémies et des bluteaux.

Arnaud travailla deux années complètes avec le charpentier Jacob qui, en retour, lui fournissait nourriture et logement. Au bout de ce temps, il savait monter les murs d'un moulin, tant à eau qu'à vent. Il avait également appris à fabriquer une grande roue. Un jour, Jacob lui dit :

— Tu en sais assez maintenant pour devenir compagnon et courir les routes de France pour ton tour de compagnonnage. Si tu veux apprendre la fabrication des fusées, des lanternes, des rouets et des bluteaux, va à La Roche-sur-Yon. Tu demanderas à parler à Auguste Bichon. Il te dira comment devenir compagnon. Tu sauras te faire engager par des charpentiers de moulin qui t'apprendront tous les secrets du métier.

Chapitre 18

Le Tour de France

Arnaud ne mit pas de temps à suivre les conseils de Jacob. Il fit sa besace et, après avoir fait ses adieux à maman Ruth et maître Jehan, il s'embarqua sur le navire du capitaine Rousselière, venu faire son plein de sel à Loix avant de regagner La Rochelle puis de filer vers Terre-Neuve pour la pêche à la morue. De La Rochelle, Arnaud fit le trajet en patache jusqu'à La Roche-sur-Yon. La journée était belle. Ses compagnons de voyage, un paysan assez mal dégrossi, plongé dans ses pensées, et un moine dans ses prières lui laissaient tout loisir de causer avec le conducteur de la patache, un petit homme rond et jovial friand d'anecdotes et toujours prêt à raconter.

Arnaud apprit de lui que la route où ils se trouvaient avait vu passer au cours des siècles beaucoup plus de brigands que de curés, même si ces derniers l'empruntaient aussi en grand nombre. Il se mit en frais de lui raconter l'histoire du plus célèbre de ces détrousseurs de voyageurs qu'il se vantait d'avoir déjoué un jour qu'il attaquait sa patache.

— Il fallait, dit-il, que ce jour-là Pétrimou soit vraiment sans le sou. Il s'en prenait à volonté aux diligences. C'est bien connu, ceux qui les empruntent sont ordinairement bien dotés côté fortune. Mais que comptait-il obtenir des voyageurs que je transportais dans ma modeste voiture ? Des sans-le-sou pour la plupart, à peine capable de payer leur écot pour se faire transporter d'un village à un autre.

— Si je comprends bien, intervint Arnaud, ce Pétrimou n'avait pas trouvé d'autres moyens pour gagner sa vie ? Voler était son métier ?

— Tout juste ! Il vivait de ses larcins. Mais comme il s'en prenait aux gens à l'aise, je voyageais sans trop me soucier d'être attaqué. Il avait la réputation d'agir en bon chrétien, ne violentant personne, ne s'en prenant qu'à la bourse de ces messieurs, et aux pochons et bijoux de ces dames. Pourtant, je me méfiais quand même de lui et j'avais imaginé une façon fort simple de le déjouer si jamais il s'attaquait à mon équipage.

— Je suis curieux d'apprendre quelle astuce vous avez mise en œuvre pour lui faire échec, dit Arnaud.

— Ah ! Rien de plus simple. Tu sais que souvent ce qui trompe le mieux, c'est l'évidence même. Ainsi, un cambrioleur entre chez toi. Où crois-tu qu'il va chercher où tu caches tes biens les plus précieux ?

— Sans doute dans les endroits habituels où nous les mettons : un secrétaire, un coffre, etc.

— À mon idée, il va chercher à forcer tout ce qui est sous clé. Si tu fermes à clé une pièce de ta maison, sois assuré que c'est là qu'il va fureter en premier. Eh bien ! Dans ma voiture, après avoir dépouillé les voyageurs, le premier endroit où il va fouiller ensuite, s'il en a le temps, c'est dans leurs bagages, parce qu'habituellement c'est là qu'ils cachent leurs biens les plus chers. Si je te demandais en ce moment où se trouve ce qu'il y a de plus précieux dans ma patache, serais-tu capable de me le dire ?

— Dans les bagages, sans doute.

— Que non ! Que non ! Penses-y encore un peu !

Arnaud se mit à rire.

— Qu'est-ce qui te met tant en joie ?

— Vous vous apprêtez à me dire votre cachette. Et si j'étais moi-même un voleur ?

L'homme resta quelque peu éberlué. Puis il reprit :

— Allons donc ! Toi, un voleur ? Tu ne sais même pas deviner où se trouvent dans ma patache les biens les plus précieux. Un voleur le saurait déjà sans doute.

— Où est-ce, alors ?

Le conducteur laissa partir un rire triomphant.

— Je savais que tu ne le trouverais pas ! Eh bien ! Nous sommes assis dessus.

— Assis dessus ?

— Tu as bien entendu. Voilà comment Pétrimou, quand il a attaqué ma voiture, est reparti bredouille. Les voyageurs m'avaient confié leurs trésors, que j'ai tout bonnement glissés dans le couvercle de mon banc. Si tu y regardes de près, tu verras que je l'ai fait bricoler pour y construire un compartiment. Dans le coffre, tu ne trouveras que des bagatelles. C'est ce qui est arrivé à Pétrimou. Il a soulevé le couvercle, a poussé un juron et est reparti Gros-Jean comme devant. Pourtant il avait un trésor sous le nez.

— Il faut que je voie, dit Arnaud, comment ce siège a été trafiqué. Le menuisier qui l'a fait avait sans doute beaucoup de métier.

Quand ils firent halte à Luçon pour la nuit, le conducteur lui montra le mécanisme permettant d'ouvrir le couvercle. Arnaud l'étudia de près.

— Qui sait ! Un jour, ça pourra peut-être m'être utile, murmura-t-il.

Le lendemain, en milieu d'après-midi, ils atteignaient La Roche-sur-Yon. La patache s'arrêta devant l'auberge servant de relais. Arnaud n'y descendait pas, mais il s'informa tout de même auprès de l'aubergiste où il trouverait le sieur Pichon.

— Pichon, le notaire ? Il crèche rue d'Ecquebouille.

— Loin d'ici ?

— Que non ! À deux pas.

❖

Auguste Pichon était fort heureusement chez lui. Arnaud n'eut guère de peine à l'y trouver. Il l'informa aussitôt du motif de sa venue.

— Crénom, jeune homme, tu tombes à point ! Pas plus tard qu'hier, le maître charpentier Gachet m'a fait promettre de lui envoyer le premier apprenti charpentier venu. Il travaille présentement à la réfection du moulin à vent de la Garde. Il devrait accepter ta compagnie. Dis-moi, es-tu simple apprenti où déjà compagnon?

— Apprenti, mais prêt pour le compagnonnage.

— Gachet ne demandera pas mieux que de te faire entrer dans la confrérie des Compagnons. Il n'a cure d'un simple gâtebois. Il se fera plaisir en te montrant ce qu'il sait faire de mieux. Je te fais une mise en garde tout de même. Ce maître charpentier a la conviction profonde que personne ne lui va à la cheville pour la confection des moulins. Il n'accepte aucune critique et va même jusqu'à nier l'évidence. Si jamais tu te rends compte qu'il erre d'une manière ou d'une autre – il a déjà mal placé une fenêtre alors que son aide lui en avait fait la remarque –, garde-toi de le lui mentionner. Laisse-le vivre de ses illusions. Ne te laisse pas impressionner non plus par ses airs bourrus. Il a besoin de grogner comme d'autres ont besoin de boire.

La mise en garde du notaire Pichon ne s'avéra pas superflue. Le maître charpentier reçut Arnaud sur ses paroles:

— Qui a eu la brillante idée de t'envoyer à moi? Je n'ai pas besoin d'un avorton comme aide.

— Mon apprentissage est fait, et bien fait, avec maître Jacob de Loix en Ré, lança Arnaud. L'heure a sonné pour moi d'être compagnon.

Sa réplique sembla faire impression sur le maître charpentier, car il avait adouci la voix quand il poursuivit :

— C'est donc Jacob qui t'envoie. S'il était catholique, je le considérerais comme mon meilleur ami. À la bonne heure ! Il te veut compagnon, tu seras compagnon. Tu logeras chez la mère Michèle, à deux pas d'ici. C'est elle qui chez nous héberge les Compagnons. Je te veux au travail tous les matins avec le lever du soleil.

Chapitre 19

Chez les Compagnons

Maître Gachet n'apprit pas grand-chose de neuf à Arnaud. Les rénovations qu'il effectuait au moulin de la Garde s'avéraient d'ordre mineur. En travaillant tous les jours en sa compagnie, Arnaud avait fini par amadouer le maître charpentier, lequel s'adressait désormais doucement à lui, alors qu'il ne manquait pas de rudoyer tout le monde par ses propos mal équarris. Ce maître charpentier avait toutefois de nombreuses relations et il ne tarda guère à entreprendre les démarches nécessaires pour qu'Arnaud devienne aspirant compagnon.

— Dès que tu seras reçu compagnon, promit-il à Arnaud, je te trouverai auprès d'un charpentier de mes amis du travail digne de ton rang. D'ici là, tu devras faire ton Tour de France afin d'y apprendre les diverses facettes de notre métier.

— Comment devient-on compagnon ?

— Tu seras compagnon le jour où tu auras réalisé un travail que nous appelons un chef-d'œuvre. Pour lors, ton Tour de France va débuter au moulin de Malicorne-sur-Sarthe, en Anjou, dont le meunier est Pierre Piron. Tu logeras dans une maison-mère gérée par une dame hôtesse que j'aime bien, la mère Boniface. Elle a de la poigne, un rire qui te met chaque jour en joie et, derrière ses airs de matrone, un cœur d'or. Son premier compagnon se nomme Godefroi et le rouleur qui voit aux embauches n'est autre que mon neveu Guillaume. Voilà pourquoi je te dirige tout de suite vers eux.

— Qu'est-ce qu'une maison-mère ?

— Ce sont, comme qui dirait, les auberges où logent les Compagnons qui font leur Tour de France. À partir de maintenant, tu fais partie d'une grande famille. Tu n'as plus à te préoccuper où tu devras coucher ni manger parce que ton itinéraire est tout tracé à l'avance. Mais tu dois être discret. Depuis nombre d'années, la chasse est lancée contre les Compagnons qui s'engagent dans le Tour de France.

Il lui tendit une carte sur laquelle apparaissaient les maisons-mères où devaient obligatoirement s'arrêter les Compagnons dans leur Tour de France. Elles étaient éloignées l'une de l'autre d'environ huit à dix lieues, distance qu'un jeune apprenti pouvait parcourir à pied en une journée.

Arnaud étudia la carte, remercia le maître charpentier et, besace à l'épaule, gagna à pied sa destination, qu'il atteignit au bout de cinq jours. La première nuit, il s'arrêta à La Lande-Ragonneau où il fut reçu par une mère hôtesse toute ronde de menton, de joues, de seins et d'arrière-train. Elle marchait lentement, parlait doucement d'une voix haut perchée, mais souriait constamment des yeux. Arnaud comprit tout de suite en la voyant qu'elle avait le cœur aussi rond et aussi doux que le reste de sa personne. Elle lui dit tout de go :

— Bienvenue chez nous, futur compagnon que la vie désormais va prendre par le bout du nez. Tu ne feras que passer chez nous, mais tu n'en partiras pas les mains vides. Voici le papier qui te servira de passe-partout. Tu sais lire ?

Voyant l'assentiment d'Arnaud, elle lui remit une feuille pliée en carré qu'il ouvrit lentement.

— Lis-nous ça à haute voix, dit-elle.

Arnaud s'apprêtait à lire, mais sa figure s'allongea pendant que la mère et un jeune homme arrivé sur les entrefaites s'esclaffaient. Le papier était blanc.

— Il n'y a rien à lire ! s'exclama Arnaud, contrarié.

La mère et le premier compagnon l'avaient intentionnellement mis à l'épreuve afin d'analyser sa réaction.

— Tu t'en tires bien, jeune homme. Tu as tout de même une certaine maîtrise de toi-même. Tu feras désormais partie de notre grande famille. Mais, avant de t'engager plus avant, sais-tu que notre mère la Sainte Église catholique, apostolique et romaine ne voit pas d'un bon œil notre société ? Ils sont nombreux, les prêtres qui prétendent qu'entreprendre son Tour de France pour devenir compagnon revient à commettre un péché mortel.

Arnaud haussa les épaules. La mère partit d'un grand rire.

— Voilà un jeune homme qui n'a pas peur du péché.

— Ni de l'enfer, ajouta vivement Arnaud.

— Dans ce cas, tu seras des nôtres et nous te rebaptiserons. Mais pour l'instant tu n'es encore qu'un aspirant. Quel nom te donnerons-nous?

Elle hésita un moment, puis demanda:

— Tu nous viens d'où?

— De Ré.

— Par conséquent, Rétais t'ira.

Arnaud acquiesça d'un signe de tête. La mère reprit le papier qu'elle lui avait donné et inscrivit dessus: «Permis à». Elle allait ajouter le nom quand elle se ravisa.

— Inscris ton nom toi-même sur ton passe-partout, l'invita-t-elle.

Arnaud saisit la plume qu'elle lui tendait et s'appliqua à bien écrire ce nom à l'endroit qu'elle lui indiquait. Elle lut par-dessus son épaule:

— "Permis à Arnaud le Rétais." C'est parfait ainsi, dit-elle.

Elle se saisit d'un sceau qu'elle imprima à côté du nom sous lequel Arnaud serait dorénavant connu parmi les Compagnons.

— Bienvenue chez nous, Arnaud le Rétais, fit-elle en lui posant doucement la main sur le bras.

Elle reprit la plume et inscrivit sur le document la date, puis signa à son tour : Rachel de La Lande-Ragonneau. Elle remit le document à Arnaud et le conduisit à sa chambre, le temps qu'il y dépose sa besace. Elle le pria ensuite de la suivre dans une grande salle au rez-de-chaussée où l'attendait un copieux repas. La salle était occupée par un groupe de jeunes hommes. Ils le saluèrent gaiement en se présentant tour à tour : Poitevin la Tendresse, Berry la Douceur, Ardéchois la Vertu, Breton le Gentil, Nantais la Gaieté. Arnaud apprit qu'ils étaient tous des aspirants compagnons et qu'ils travaillaient ensemble à l'érection d'une église.

Le lendemain, il trouva un refuge semblable à dix lieues sur la route le menant à sa destination. Il n'avait qu'à montrer son laissez-passer pour être reçu à bras ouverts. Tout, pour lui, se déroulait sous de bons augures. Après quatre jours de marche, au début du cinquième, quand, après avoir longé la Sarthe sur plus d'une lieue, il atteignit Malicorne, il fut tout de suite fort impressionné par le moulin à eau où il allait travailler. C'était un haut moulin de pierre à quatre étages bien assis sur le bord de la rivière, là où un petit barrage contribuait à maintenir à bonne hauteur le niveau de l'eau afin de faire tourner la grande roue.

Comme le lui avait recommandé le maître charpentier Gachet, il se dirigea immédiatement à la maison de la mère Boniface. Il montra son laissez-passer et fut fort bien reçu par une hôtesse en belle forme, au verbe haut et au rire solide.

— Comme ça, ce bon vieux Gachet t'a dirigé vers nous en espérant nous voir faire de toi un compagnon. Tu as réussi à comprendre ses grognements ? C'est un bon point pour toi.

Devant l'air ahuri d'Arnaud, la mère Boniface se mit à rire gaiement.

— Allons, mon garçon, nous connaissons notre Gachet aussi bien que nos brodequins. C'est un vieux grincheux. Pourquoi le cacher ? Ça ne lui enlève pas son bon cœur pour autant.

— Comme vous dites, fit mollement Arnaud à moitié convaincu.

Il en profita pour remettre à la mère la lettre de recommandation que lui avait remise maître Gachet.

La mère Boniface enchaîna aussitôt :

— Ce n'est pas l'ouvrage qui manque dans nos parages. Plusieurs moulins ont besoin de retouches et le nôtre en premier. Il est tout comme nous à se faire vieux. Ses mouvements ont besoin d'une deuxième jeunesse. Lui, au moins, peut en avoir une. Tu auras belle occasion, avec le maître charpentier Prévost, d'apprendre les secrets des rouets, sa spécialité. Pour les fusées, les lanternes et les bluteaux, nous saurons bien te diriger dans ton tour vers des maîtres qui te les enseigneront à la perfection. Il ne faudra pas t'en faire avec le maître Prévost, autant Gachet est grognon, autant Prévost est taciturne. Il ne parle pas beaucoup, mais enseigne fort bien. Ça te changera des sautes d'humeur du vieux Gachet.

— Je saurai bien retenir, promit Arnaud.

La maison fut bientôt remplie des cris et des rires des Compagnons revenant de leur travail.

— Demain soir, les prévint la mère Boniface, réunion du trait.

Arnaud demanda à son voisin :

— Qu'est-ce que le trait ?

— Tu ne sais pas ? Le métier s'apprend par la pratique mais aussi par le dessin. Nous devons savoir dessiner les volumes des objets que nous fabriquons. Ce qu'on a dans la tête, il faut aussi savoir le mettre sur papier.

— Je saurai bien faire, dit Arnaud. Mon père aurait voulu me voir architecte, tant j'avais de talent pour rcporter sur papier.

— Et tu as choisi plutôt de travailler le bois ?

— Charpentier de moulin, voilà ce qu'il me plaira d'être.

— C'est un bon choix, fit l'autre. Dans la vie, il n'y a rien de mieux que de faire ce que nous aimons.

❖

Tôt le lendemain, Arnaud se mit aux ordres du maître charpentier Prévost. Comme la mère Boniface le lui avait dit, c'était un homme de peu de mots. Il prit tout de même le temps, avec beaucoup de patience, de montrer à Arnaud comment se fait un alluchon.

— Il y en a quarante à cinquante, selon la grandeur du rouet. Tu devras apprendre à les fabriquer de même dimension. Je te montrerai ensuite comment se monte un rouet, et où et comment y fixer les alluchons. Allez, au travail !

Arnaud se mit aussitôt à ébaucher son premier alluchon, sous l'œil bienveillant du maître. Il y mit la matinée. Quand il eut terminé, le maître examina son travail en hochant la tête. En quelques mots, il indiqua à Arnaud tous les défauts relevés sur cet alluchon. Il jeta au feu la pièce défectueuse, mais non, cette fois, sans lui fournir un modèle.

— Recommence, dit-il, en copiant celui que tu as sous les yeux. Prends les mesures appropriées. Tu peux faire beaucoup mieux. Je n'accepte que de la belle ouvrage.

— Pourquoi dites-vous “de la belle ouvrage” ? Ne doit-on pas dire “du bel ouvrage” ?

— Tu ne sais donc pas que parmi les charpentiers et les hommes de métier, cette façon de dire est consacrée ? Quand nous disons “de la belle ouvrage”, nous parlons de quelque chose qui atteint quasiment la perfection.

À la fin de la journée, Arnaud avait produit un nouvel alluchon qui subit le même sort que le premier.

— C'est mieux, dit le maître. Nous verrons demain.

Ce même soir, à la maison-mère, il eut l'occasion de s'exercer à reproduire à l'échelle sur papier la pièce qu'il devait réaliser.

— Tu as un vrai talent pour le trait, l'encouragea le premier compagnon chargé d'enseigner le dessin en dimension.

Ce fut avec cette esquisse en main qu'Arnaud se présenta le lendemain à son travail.

Il s'appliqua si bien quc, le soir venu, le maître ne jeta pas l'alluchon qu'il avait mis une journée à produire. Il mit plusieurs mois à fabriquer avec succès un rouet complet dont il n'était pas peu fier. Durant ses temps libres, il s'appliqua à produire la maquette d'un rouet de moulin actionné par l'eau. Il terminait son travail auprès de maître Prévost quand la mère Boniface, accompagnée du premier compagnon, le prévint qu'il pourrait être admis définitivement au sein des Compagnons en produisant la pièce relative à son métier sur laquelle il travaillait depuis son arrivée.

Chapitre 20

Aspirant compagnon

Arnaud se prépara minutieusement à cette épreuve. Ses connaissances, la progression dans son travail, son habileté, ses qualités et ses défauts, tout serait évalué par les autres Compagnons. La maquette qu'il avait produite fut exposée au milieu de la salle commune. Tous les Compagnons sur place l'examinèrent de près. Le cœur serré, Arnaud fut ensuite contraint de subir leurs critiques.

Après avoir, de sa canne, frappé trois coups par terre afin d'obtenir le silence, d'une voix posée, le premier compagnon commença l'interrogatoire :

— Arnaud le Rétais, peux-tu nous dire ce que représente pour toi ce travail ?

— C'est le résumé de mon passage parmi vous. Le rouet est pour moi la pièce principale des mouvements d'un moulin. Maître Prévost m'en a appris la fabrication et j'en suis très fier.

— As-tu vraiment raison d'en être fier ? interrogea Berry la Douceur. Il me semble à moi que c'est loin d'être parfait.

— Je sais que je peux faire mieux, mais déjà, j'ai mis tout mon cœur et mes connaissances dans la réalisation de ce rouet miniature, de là ma satisfaction.

Le premier compagnon enchaîna aussitôt :

— Si tu as pu apprendre la fabrication d'un rouet, qu'est-ce que cette épreuve t'a apporté ?

— La patience et la persévérance, reconnut Arnaud. J'en avais déjà fait l'expérience pendant le siège de la ville de La Rochelle, mais ce travail m'en a demandé une bonne dose. Je pourrai désormais l'enseigner à d'autres.

— Mes compagnons et moi-même ont su apprécier tes qualités. Tu as du caractère, tu es prompt, mais tu sais aussi te maîtriser. Tu sais où tu vas et tu ne calcules pas ton temps quand il faut aider. Bien que cette pièce ne soit pas parfaite en tout point, nous reconnaissons volontiers que tu mérites de faire désormais définitivement partie des Compagnons.

Le soir même, au cours d'une cérémonie à laquelle tous les Compagnons assistaient, le premier compagnon déclara :

— Arnaud le Rétais, te voilà maintenant aspirant charpentier du Devoir sur le Tour de France. Mes compagnons et moi t'adoptons, et pour te le bien signifier, te remettons ce ruban de soie à la couleur des Compagnons charpentiers. Nous y apposons la première marque qui nous identifie : le blason des charpentiers. Avec lui, nous te remettons l'étui où le ranger afin qu'il garde toujours la vivacité de sa couleur.

Tu ne l'utiliseras que lors des cérémonies officielles. En d'autre temps, garde-toi de trop l'exhiber. N'oublie jamais que les autorités tant civiles que religieuses nous ont toujours à l'œil. Nous te remettons ensuite ta canne d'aspirant. Sache t'y appuyer en tout temps et qu'elle t'aide à marcher toujours droit.

Arnaud tira de sa poche le laissez-passer reçu un an plus tôt. Il y fit imprimer le sceau démontrant qu'il avait séjourné à Malicorne.

Aussitôt, une voix entonna :

Si vous voulez voir quelque chose de beau,
Venez quand la Saint-Joseph s'éveille.
Nous avons des cannes, des couleurs au chapeau.
Beaucoup portent des boucles d'oreilles.
Et quand vient le moment des entrechats,
On danse à l'équerre et l'on valse au compas :
En avant quatre, et gare les pieds.
Place aux Compagnons charpentiers.

La fête se poursuivit par un repas qui se prolongea durant plusieurs heures. Le lendemain, le rouleur apprenait à Arnaud sa nouvelle destination : Fillé-sur-Sarthe.

— Fillé n'est même pas à une journée de route de Malicorne. Tu y seras ce midi si tu marches d'un bon pas. Rapporte-toi à la mère Michèle et que Dieu te garde.

La mère Boniface s'approcha. Arnaud l'embrassa, salua le premier compagnon et il prit la direction de Fillé. Ses compagnons des douze derniers mois l'attendaient discrètement au bout de la rue. L'époque n'étant pas trop favorable aux grandes démonstrations, sans trop parader ils l'accompagnèrent jusqu'à la sortie de la ville. Ils entonnèrent alors un chant, puis effectuèrent la guilbrette, cet ensemble des signes conventionnels propres à leur fraternité. Ils burent à leur gourde tout en invitant Arnaud à renoncer à partir et à revenir avec eux.

Saisi par l'émotion du départ et ne voulant pas le laisser paraître, Arnaud fit quelques pas rapides puis, se retournant, il lança avec désinvolture :

— Pourquoi retournerais-je avec une bande d'incapables ?

Les autres firent mine de le poursuivre. Il les entendit maugréer puis rire de bon cœur. Il n'était déjà plus avec eux, l'esprit tourné vers sa nouvelle destination.

❖

La route longeait la Sarthe, ce qui l'obligeait à de longs détours. Il avait à la fois le cœur triste d'avoir quitté ses compagnons des douze derniers mois et le cœur léger à l'idée de se retrouver dans un nouveau milieu et de relever un nouveau défi. Il marchait depuis trois bonnes heures sous un temps lourd et menaçant quand il s'arrêta à une source pour y remplir sa gourde.

Un jeune homme occupé à boire s'y trouvait déjà. Arnaud pensa : « C'est un compagnon ou je ne suis pas bon devin. » Il s'approcha et dit :

— Tope là !

— Tope ! dit l'autre en l'examinant des pieds à la tête. De quelle couleur ? demanda-t-il.

— Bleu.

— Charpentier du Devoir. Compagnon ?

— Aspirant.

— Et toi ?

— Compagnon reçu.

Il déposa sa canne au pied d'Arnaud qui en fit autant en croisant la sienne sur celle de ce compagnon de rencontre. Face à face, les pieds placés dans les quatre angles formés par leurs cannes, en signe d'amitié, puis après avoir échangé à l'oreille quelques mots secrets, ils se firent l'accolade et burent à leur gourde en croisant leur bras droit. Puis ils se présentèrent :

— Normand l'Espérance.

— Arnaud le Rétais.

— Où vas-tu comme ça ?

— Au moulin de Fillé.

— Et toi ?

— En route pour Angers.

— Si tu t'arrêtes à Malicorne, ne manque pas de saluer pour moi ceux que je viens de quitter.

— Ça sera fait, puisque c'est ma prochaine escale.

Ils bavardèrent encore un moment, puis reprirent allègrement la route chacun vers sa destination.

Arnaud ne se pressait pas, il avait tout son temps et goûtait les beaux paysages. Il décida de s'arrêter un peu avant d'atteindre Roézé. La Sarthe coulait tranquillement. Des chants d'oiseaux lui parvenaient des moindres fourrés. Il s'avança vers la berge et trouva tout près un champ de mousse où il se laissa choir. Son esprit dériva aussitôt vers Ré. Que devenaient maman Ruth et maître Jehan ? Il se fit reproche de ne pas penser à eux plus souvent et, surtout, d'avoir négligé de leur écrire. Il trouva excuse dans son travail trop accaparant, tout en mesurant le chemin parcouru depuis Ré. Que lui réservait l'avenir ? Il se sentait de nouveau seul. Les amis qu'il avait mis un an à se faire, il venait de les quitter. Certes, il en trouverait d'autres à Fillé, mais tout serait à recommencer. Était-ce cela, vivre ? Avant de sombrer dans la tristesse, il se releva. « En route, se dit-il. Plus vite tu seras à Fillé, plus tôt tu te créeras des amitiés. »

❖

Il atteignit Fillé en début d'après-midi. Sur le bord de la Sarthe, il aperçut aussitôt le moulin où il serait appelé à travailler. Sur l'autre rive qu'on atteignait par gué, il distingua la silhouette d'un château dont il apprit le nom de la bouche même du passeur qui s'apprêtait à traverser.

— Ah, jeune homme ! Tu es nouveau dans nos sentes. Si tu étais des nôtres, tu saurais depuis belle lurette qu'il s'agit du château de Buffes. Les Le Boindre, ici tout le monde les connaît. Leur blason orne leur château et la quasi-totalité des terres leur appartient. Nous sommes des dizaines à travailler pour eux. J'en suis, puisque le gué leur appartient. Tu vas où comme ça ?

— À Fillé, chez la mère Michèle.

— À l'auberge ? Serais-tu de ces ouvriers qu'on appelle les Compagnons ?

— J'en suis et fier de l'être.

— Bienvenue parmi nous en espérant que tu saches t'y plaire.

Le passeur s'affaira autour de son bac. Avant de gagner Fillé, Arnaud le regarda manœuvrer. Cet homme lui plaisait. Il se promit, quand l'occasion se présenterait, de venir jaser avec lui.

Il fit rapidement le trajet le menant jusque chez la mère Michèle. On lui avait parlé d'elle avec beaucoup d'éloges. Il ne fut pas déçu de se retrouver devant une femme mince et vive qui le reçut à bras ouverts et lui présenta aussitôt le rouleur nommé Saintonge la Sagesse. Autant qu'Arnaud pouvait se le figurer, ce Saintonge devait avoir trente ans. Il était élancé avec de grandes mains, de grands bras et de grands pieds qui semblaient l'embarrasser. La mère Michèle lui dit :

— Conduis le nouveau à sa chambre, celle de Champenois la Fidélité. Il y occupera le deuxième lit.

Arnaud suivit le rouleur dans l'escalier.

— Tu sais peut-être déjà où tu travailleras dès demain ? Maître Michon est à rajeunir le moulin de Fillé. Tout y est à refaire. Ce sera pour toi une bonne occasion d'apprendre. Il y en a bien pour une année.

— Je ne demande pas mieux, dit Arnaud.

— Au fait, comment on t'appelle ?

— Arnaud le Rétais.

— Bienvenue, le Rétais ! Si j'étais toi, j'en profiterais pour arpenter quelque peu les rues de Fillé et j'irais mettre le nez au moulin.

Arnaud engouffra le potage que lui avait préparé la mère Michèle et il suivit le conseil du rouleur. Maître Michon était un petit homme tout rond mais puissant, comme le remarqua Arnaud à sa poigne solide, quand il lui serra la main. Le personnage plut tout de suite à Arnaud. En peu de mots, il lui apprit ce qu'il attendait de lui pour le lendemain. Le moulin tombait en ruine. Les maçons en avaient refait les murs, mais tout ce qui touchait à la charpenterie et aux mouvements du moulin restait à faire. Déjà, maître Michon travaillait à ce qui serait la grande roue à aubes. Arnaud risqua :

— Si vous le voulez, je pourrais faire le rouet.

— Tu en es vraiment capable ?

— J'en ai fabriqué un avec maître Gachet.

— On verra, on verra.

Arnaud n'insista pas, comprenant que le maître se donnait du temps pour évaluer ses compétences.

S'il passa par la suite de bons moments à apprendre divers trucs du métier, Arnaud n'apprécia pas autant son séjour chez la mère Michèle que chez la mère Boniface. Elle se montrait, tout comme le rouleur, inflexible quant aux règlements et Arnaud ne retrouvait pas l'atmosphère bon enfant qu'il avait tant appréciée à Malicorne. Il ne s'y sentait pas aussi à l'aise et cela d'autant plus que Champenois la Fidélité, son compagnon de chambre, était un taciturne perdu dans son monde, qui ne parlait que quand on le questionnait et n'affichait jamais le moindre sourire.

Son séjour chez les Compagnons, à Fillé, avait d'ailleurs fort mal débuté. Le premier soir, il fut contraint, un peu contre son gré, d'assister dans la grande salle de l'auberge au jugement d'un des Compagnons pris en flagrant délit de vol. Pour la circonstance, tous les Compagnons présents avaient apporté leur canne. Le voleur fut conduit au milieu de la salle sur ordre du premier compagnon. Sans plus tarder, celui-ci commença son boniment :

— Compagnon Renaud le Languedoc, tu es reconnu coupable du vol de cinquante francs appartenant à Gontran le Savoyard ici présent. Qu'as-tu à dire pour ta défense ?

L'accusé n'ouvrit pas la bouche. Il ne tenta pas de se disculper.

— Qui ne dit mot consent, reprit le premier compagnon. Ton comportement déshonore notre fraternité.

— Demande pardon à Dieu et aux hommes, si jamais tu as à cœur d'obtenir le pardon de ta faute, fit entendre une voix grave sortie du milieu des hommes réunis en cercle autour de l'accusé.

Le voleur, tête basse, resta coi.

— Tu veux garder le silence, libre à toi, reprit le premier compagnon, mais au moins, jure de ne jamais te vanter d'avoir appartenu à notre société.

Voyant que l'accusé ne voulait rien entendre, le premier compagnon monta le ton :

— Devrons-nous te faire avouer par la force ce que tu ne veux pas admettre de bon gré ?

Les Compagnons levèrent tous leur canne en même temps. La menace exerça son effet, car aussitôt l'accusé prononça distinctement :

— Je le jure !

— Nous ne serons malheureusement pas à tes côtés pour voir si tu tiens ta promesse, continua le premier compagnon. Si nous nous fions à ta conduite antérieure, il nous est permis d'en douter.

Sur ce, la mère Michèle apporta du vin. Chaque compagnon présent s'en fit servir un verre. Ils burent ensemble une première gorgée et firent le vœu que tous les fripons soient bannis de ce monde. Après une deuxième lampée, ils lancèrent en chœur leurs malédictions contre les escrocs de toutes espèces. Ils burent une troisième fois avant de s'exclamer :

— Que maudit soit celui que l'on peut qualifier de voleur !

Ils s'indignèrent de nouveau après une quatrième gorgée en s'écriant :

— Les fripons, les escrocs et les voleurs n'ont pas de place parmi nous ! Qu'ils en soient bannis !

Entre chacune de leurs imprécations, deux des Compagnons s'étaient approchés de l'accusé et lui avaient fait avaler de force le contenu de sa gourde d'eau. À la troisième tentative, son estomac lui interdisant une nouvelle gorgée, un des Compagnons lui lança l'eau à la figure, après quoi il brisa sa gourde sur le sol. On apporta ensuite sa canne, qui subit le même sort. Ses couleurs furent jetées au feu. Le rouleur s'approcha de lui. Le tirant par la main, il le fit défiler devant chacun des Compagnons, qui lui administrèrent, un après l'autre, un léger soufflet sur la joue. Le rouleur lui fit faire un second tour. À l'aide d'une canne qui passait d'une main dans l'autre, on le poussa dans le dos vers la porte. Le premier compagnon ouvrit. Du bout de son pied, le rouleur le poussa dehors.

Arnaud fut vivement impressionné par cette cérémonie à laquelle il assistait pour la première fois. C'était pour lui le premier soir passé en compagnie de ses nouveaux camarades. Le premier compagnon oublia de souligner sa présence. Ce n'est que le lendemain soir, au souper, que les autres apprirent qu'ils avaient parmi eux un nouvel aspirant du nom d'Arnaud le Rétais.

Chapitre 21

Le passeur

À vrai dire, cette année à Fillé n'aurait pas été particulièrement marquante pour Arnaud s'il n'y avait pas eu le passeur. Comme il se l'était promis, dès le premier jour de son arrivée, il ne manqua pas une occasion d'aller causer avec lui. Cet homme était un admirable conteur, au fait des moindres potins du coin. Arnaud lui plaisait. Il ne tarda pas à lui parler confidentiellement.

— Un batelier, dit-il, est aussi bien ou même mieux informé qu'un meunier.

— Comment ça ?

— C'est tout simple. Ceux et celles que je passe parlent tout le temps ou se taisent obstinément. Par là, dans les deux cas, ils tentent d'exorciser leur peur de l'eau. Ceux qui causent essaient d'oublier en s'étourdissant de paroles. Ceux qui se taisent fuient en eux-mêmes, espérant trouver là matière à leurs réflexions et oublier qu'ils sont sur l'eau. Les premiers, en parlant, nous renseignent sur tout ce qui se passe aux environs. Nous apprenons les naissances, les mariages, les morts, et les derniers incidents de partout aux alentours.

Ce fut ainsi qu'après s'être longuement questionné sur ce qu'il s'apprêtait à faire, Arnaud se retrouva, un soir de novembre, au moulin, en compagnie du passeur.

— Tout peut arriver au cours de cette nuit noire, lui dit-il. Je te fais confiance. Les gabelous comptent sur moi pour leur livrer les faux-sauniers.

— Qui sont les gabelous ? questionna Arnaud.

— Ce sont les percepteurs d'impôt sur le sel.

— Et les faux-sauniers ?

— Ceux qui passent le sel en contrebande.

— Et alors ?

— Je participe moi-même à la contrebande. Je te donnerai une part sur mes revenus, promit-il à Arnaud.

Pour lors, tapi derrière le moulin, Arnaud attendait patiemment dans l'ombre l'arrivée des gabelous. Il devait signaler leur présence au passeur dès qu'il les entendrait venir. Mais, précisément, c'était en raison du bruit de la Sarthe qu'il s'inquiétait. Entendrait-il les gabelous venir malgré le ronflement de l'eau sur la grande roue du moulin et les vrombissements du vent dans les arbres, le long de la rivière ? Aussi tendait-il une oreille attentive aux bruits de la nuit. C'était un mélange de sons hétéroclites. Outre ceux de la grande roue du moulin et du vent dans les arbres, il y avait les vacarmes des grenouilles et les aboiements des chiens mêlés aux bêlements de quelques chèvres rêveuses.

Arnaud, que toute injustice indignait, n'admettait pas que l'on paie une taxe plus élevée sur le sel selon qu'on habitait telle ou telle province de France. Il compatissait avec les faux-sauniers contraints de risquer l'exil afin de fournir les gens en sel à des prix abordables. Le passeur lui avait bien décrit la situation :

— Il n'y a pas pire injustice que celle de la gabelle.

— Pourquoi donc ?

— Explique-moi pourquoi certaines provinces de France en sont exemptes alors que d'autres doivent payer des impôts exorbitants pour une denrée aussi indispensable que le sel ? Quelle viande pouvons-nous conserver sans sel ? Pourquoi alors les gens de l'Artois, de l'Aunis, du Béarn, de la Flandre et de la Bretagne ne paient pas d'impôt sur le sel ?

— Ils en sont vraiment exempts ?

— Eh oui ! Tout comme ceux du Poitou et d'autres provinces aussi loin de la mer que l'Auvergne et le Limousin. Il paraît qu'ils ont acheté une exemption à perpétuité. Et comment y sont-ils parvenus ?

— Oui, comment en effet ?

— En graissant la patte à quelques amis du roi. Ôte également de la liste ceux qui habitent les régions où l'on trouve des salines, comme la Lorraine, l'Alsace, la Provence et le Roussillon. Que reste-t-il pour payer la gabelle ?

— Je l'ignore.

— La Normandie, la Champagne, la Picardie, le Maine, l'Anjou, la Bourgogne et quelques autres.

— Je vois !

— Pourquoi devons-nous payer la grande gabelle alors que les autres ne paient rien ou encore si peu que point ? Écoute bien ! Sais-tu quel prix tu paies le sel selon que tu demeures de ce côté-ci de la Vilaine ou de l'autre ?

Arnaud haussa les épaules pour marquer son ignorance.

— Tu dois payer ton sel douze sols la livre alors que sur l'autre rive tu n'as qu'à en débourser un seul !

— C'est du vol ! s'exclama Arnaud, indigné.

— Je ne te le fais pas dire. Tu comprendras alors pourquoi je ne porte pas les gabelous dans mon cœur, ces collecteurs d'un impôt si injuste.

Arnaud mesurait bien cette injustice, mais il ne voyait pas comment s'y prendre pour l'éviter. Le passeur se chargea de le lui apprendre.

— Une loi injuste fait spontanément naître des moyens de la contourner. Les faux-sauniers prennent un risque. S'ils sont pris sur le fait, c'est la galère ou l'exil assurés. Les gabelous sont constamment aux aguets. Ils tentent par tous les moyens d'arrêter les contrebandiers.

Arnaud en avait assez entendu, la gabelle était un impôt injuste, il lui fallait trouver le moyen d'aider ceux qui devaient le payer. Comme compagnon, il devait tout faire pour que règne la justice. Aussi promit-il spontanément au passeur de lui venir en aide afin de faire échouer les recherches des gabelous.

— Toutes les semaines, lui confia le passeur, des hommes apportent du sel en contrebande. Ils prennent de gros risques, car ce n'est pas facile de dérober au regard un minot de sel sur une barque ou dans une charrette. J'ai dû les prévenir maintes fois que des gabelous les attendaient sur l'autre rive de la Sarthe. Ils n'interrompent jamais pour autant leur traversée, ce qui les rendrait suspects aux yeux des gabelous. Après tant d'efforts pour le rendre à destination, je les ai vus maintes fois jeter par-dessus bord le sel qu'ils comptaient revendre à bas prix.

En cette première nuit de guet, Arnaud n'eut pas à intervenir.

— Les gabelous devaient être ailleurs, l'informa le passeur. Pourrai-je compter sur toi la semaine prochaine ?

— Je suis partant, promit Arnaud, mais il ne faudrait pas que le rouleur ou le premier compagnon apprennent que si je suis au moulin à cette heure, ce n'est pas, comme je le leur fais croire, pour travailler au chef-d'œuvre qui me vaudra le rang de compagnon reçu.

❖

Le lundi soir, pendant quatre semaines de suite, il fut à son poste. Une fois seulement, au moyen d'un feu qu'il alluma sur la rive, il signala la présence des gabelous. Mais cet échange avec le passeur avait fait naître en lui l'idée de venir en aide aux faux-sauniers d'une façon plus efficace. Il se rappela sa conversation avec le conducteur de la patache qui l'avait mené jusqu'à Malicorne. Ce dernier lui avait révélé un secret qui ne lui était jamais sorti de la tête, celui du banc trafiqué permettant de camoufler argent et autres objets de valeur dans son couvercle. Pouvait-on trouver cachette plus astucieuse que celle-là ? Mais il s'agissait d'argent ou de menus objets. Il fallait utiliser la même astuce, ou quelque chose de similaire, en créant un mécanisme approprié permettant de faire disparaître des objets plus gros et plus lourds. Arnaud travailla longtemps à perfectionner le tout. Il confectionna une série d'engrenages dont il se servit pour lever, sans qu'il n'y paraisse, des charges de plus en plus lourdes. Non seulement il se servit de son invention pour les charrettes, mais il l'étendit même aux barques qui offraient de plus grands espaces à de telles cachettes. Croyant prendre sur le fait en ouvrant le banc, les gabelous déclenchaient le mécanisme faisant disparaître les marchandises compromettantes.

La première fois où deux faux-sauniers acceptèrent de tenter l'expérience sous les yeux des gabelous, ils choisirent une nuit où, en raison de l'absence de lune, ils étaient certains de les voir se pointer. Arnaud les rassura :

— Vous ne risquez rien, les gabelous en seront pour leurs frais, car jamais au grand jamais ils ne mettront la main sur le sel.

— Tu es sûr de ce que tu racontes ? Si nous nous faisons prendre, nous sommes mûrs pour les galères.

— Ils ne vous prendront jamais. La cachette sous le banc des charrettes est trop astucieuse pour leurs esprits obtus. Voyez !

Il leur fit la démonstration. Le couvercle du banc se levait tout seul et, du même coup, un faux fond faisait disparaître de leur vue les minots de sel qu'on y avait déposés. Le bac du passeur fut muni d'un mécanisme similaire.

— Désormais, dit-il, aucun minot de sel ne se perdra dans la rivière.

Chapitre 22

Compagnon reçu

Maître Michon, tout en travaillant à la réfection du moulin, trouva le temps d'apprendre à Arnaud comment fabriquer une fusée. De la sorte, il maîtrisait maintenant les connaissances nécessaires à la réalisation de deux pièces maîtresses des mouvements d'un moulin. Sauf les mois, au milieu de l'hiver, où il dut se réfugier à l'auberge des Compagnons sans pouvoir en sortir parce que le pays était menacé par la peste, il travailla régulièrement au moulin. Avec minutie, chaque fois qu'il le pouvait, il taillait les pièces miniatures qu'il voulait utiliser pour constituer le chef-d'œuvre dont il avait dessiné le plan.

Autant il avait aimé son séjour à Malicorne, autant ces mois passés à Fillé lui parurent longs. Il recevait à l'occasion un mot de maître Jehan lui faisant part des dernières nouvelles. Maman Ruth avait été malade et maître Jehan, ouvertement impliqué dans toutes les activités des huguenots, avait reçu des menaces de mort de la part de catholiques nouvellement établis à La Rochelle.

Quand, au bout de quatorze mois, le moulin remis entièrement à neuf fut en mesure de moudre, Arnaud alla trouver le rouleur pour lui faire part de son désir de poursuivre son Tour de France.

— Tu me laisses un jour ou deux, dit le rouleur, le temps de me faire idée sur quel maître saurait le mieux t'apprendre.

Deux jours plus tard, le rouleur avait sa réponse.

— Le maître Tourangeau à Neuville-sur-Sarthe, pays de Loire, enseigne bien. Des moulins, par là, ont grand besoin, paraît-il, d'être réparés.

Arnaud tira de sa ceinture son laissez-passer. Il y fit imprimer au bas le sceau prouvant son séjour à Fillé. Le lendemain, les Compagnons l'accompagnèrent jusqu'aux limites de la ville. Il reprit vaillamment la route en direction du Mans, où il comptait être vers l'heure du midi. Sans perdre de temps, il espérait bien se retrouver à Neuville en fin d'après-midi.

Il parcourut d'un pas résolu les neuf lieues le séparant de Neuville. La route était aussi belle que le temps. Il aimait ce coin de pays fait de petites collines très boisées, entrecoupées de champs entourés de haies nombreuses. Comme il arrivait aux abords de Neuville, il tomba en admiration devant un château. Un vieil homme venait d'en sortir et le précédait sur le chemin du bourg. Il accéléra le pas pour le rejoindre afin de lui demander le nom de ce château.

— Veuillez, messire, pardonner mon ignorance, mais j'aimerais connaître le nom du château dont vous venez.

— La Triboulière, jeune homme. Mais la fête d'aujourd'hui ne se célèbre pas là.

— Il y a fête aujourd'hui ?

— Depuis des siècles en ce pays, tous les 16 septembre, il y a procession en l'honneur de saint Pavace.

— Saint Pavace ?

— Tu ignores qui est ce saint ? Remarque que je ne le sais pas plus que toi. Mais ce qui compte, c'est qu'il y a fête au monastère des bénédictins et qu'un bon repas est servi après vêpres.

— Tous ceux qui se joignent à la procession peuvent-ils espérer s'y rassasier ?

— Suis-moi, jeune homme, et tu verras que saint Pavace récompense bien ceux qui l'honorent.

Ce fut ainsi qu'Arnaud traversa Neuville en queue de procession et put, après vêpres, s'empiffrer de fromage, d'agneau et de bon vin. Il arriva entre chien et loup à l'auberge des Compagnons. Quand il entra, la mère Catherine le dévisagea avec l'air de se demander d'où il pouvait sortir. Arnaud avait les traits tirés et le bon vin l'avait rendu guilleret. Il calma les soupçons de l'hôtesse en lui présentant son laissez-passer.

— À ce que je vois, Arnaud le Rétais, nous n'aurons pas besoin de t'offrir à manger. Ce qu'il te faut avant tout c'est un bon lit.

Elle appela aussitôt le rouleur.

— Case-nous ce nouveau quelque part. Il y a bien des chambres de libres. Trouve-lui en une où il pourra dormir en paix. Demain nous verrons ce qu'il y aura de mieux pour lui. Les charpentiers de moulin se font rares et maître Tourangeau se fait vieux. Il sera d'autant plus heureux d'avoir de l'aide.

Le lendemain, le rouleur, un grand roux à moustache, indiqua à Arnaud la direction du château de Monthéard.

— Par là, dit-il, tu verras un moulin à eau. Tu devrais y trouver maître Tourangeau. Il saura te dire où tu pourras lui être utile.

Arnaud salua les quatre Compagnons présents à l'auberge et, sans plus tarder, fila vers le moulin. Quel ne fut pas son étonnement de se retrouver en présence du vieillard qu'il avait suivi la veille ! En le voyant se poindre, l'homme partit d'un petit rire qui se termina par un hoquet.

— Le monde, hic ! est petit…

Arnaud acquiesça non sans laisser paraître son étonnement.

— À qui le dites-vous !

— Qui m'eût dit, hic ! hier que je te retrouverais, hic ! aujourd'hui.

Arnaud lui présenta son laissez-passer.

— Ah ça ! hic ! Un jeune homme en voie, hic ! de devenir charpentier de moulin.

— Bientôt compagnon reçu, l'informa Arnaud.

— Hic! J'aurai du travail, hic! pour toi.

Arnaud se tut afin de donner une chance au vieil homme de se débarrasser de son hoquet. Il le vit s'emparer d'une bouteille et la porter à son nez. Il respira à grands coups puis but d'un trait un verre d'eau.

— Voilà, dit-il, c'est comme ça qu'on vient à bout d'un hoquet.

Curieux, Arnaud s'informa:

— Qu'y a-t-il dans cette bouteille?

— Sens toi-même!

— De l'huile de lavande, fit Arnaud, incrédule.

— Je ne sais pas si le miracle vient de l'eau ou de la lavande, reprit le vieil homme, mais ça marche chaque fois. Mais revenons à nos moutons ou encore mieux à nos chevrons, puisque à quelques pas d'ici le moulin de la Touche, au ruisseau du Cul dans la Sarthe, a besoin de réparations à deux chevrons. Jeune homme, tu commenceras par ça.

— Le ruisseau du Cul… reprit Arnaud. Quel curieux nom!

— C'est le sien et nous n'y pouvons rien.

❖

Arnaud fit preuve de dextérité, car, en deux jours, sous l'œil attentif du vieux maître, il parvint à remédier à la situation.

—Je vois que tu as bien appris, dit le vieil homme. Voyons si tu t'en tireras aussi bien avec le moulin du château.

Quand Arnaud découvrit dans quel état se trouvaient les mouvements de ce moulin à eau, il se mit à douter de pouvoir le réparer.

—Jeune homme, lui dit le Tourangeau, un vieux maître peut t'apprendre tout ce que tu ignores encore. C'est ce à quoi je servirai.

❖

Arnaud travaillait depuis une semaine à restaurer la grande roue, travail qu'il était amplement en mesure de faire, quand, un matin que le maître avait été appelé au château, il entendit des rires suivis de l'arrivée soudaine de deux demoiselles bien résolues à le regarder travailler.

Concentré sur son ouvrage, Arnaud ne se rendit pas compte qu'elles s'étaient approchées de lui sans bruit. Soudain, l'une d'elle lui appliqua les deux mains sur les yeux. Il sursauta. Les jeunes femmes pouffèrent, toutes fières de leur audace. Il les regarda sans animosité. Ce fut alors seulement qu'il remarqua comme elles étaient belles.

—Qui êtes-vous? demanda-t-il.

—Hélène et Marie, répondit celle qui semblait l'aînée.

—Mais encore?

— Hélène et Marie Richer de Monthéard, précisa la plus jeune.

— Les futures châtelaines ? s'enquit Arnaud.

— Tout juste ! Beau jeune homme que voilà, comment t'appelle-t-on ?

— Arnaud le Rétais.

— Arnaud le Rétais, reprit l'aînée, tu arrêteras bien quelques minutes pour manger. Si tu veux assister à une scène que tu n'oublieras jamais, rends-toi au bord de la rivière après midi. La journée est belle, il faut en profiter.

Dérogeant à ses habitudes, Arnaud quitta le moulin un peu avant une heure. Il se dirigea tout bonnement au bord de la rivière. Dans l'anse qui jouxtait le moulin, il aperçut les deux demoiselles en tenue d'Ève, occupées à se laver. Il retourna vivement vers le moulin, mais non sans entendre les ricanements de ces deux donzelles, heureuses de l'avoir piégé.

Au cours des jours suivants, il s'attendait bien à les voir se pointer de nouveau, mais ne les revit plus. Témoin de la scène, alors qu'il s'amenait au moulin, le vieux Tourangeau avait mis ordre à la situation.

— Y a des points sur les i qu'il faut savoir mettre à temps, dit-il en rejoignant Arnaud.

— Des points sur les i ?

— Les deux demoiselles, jeune homme. Elles sont jeunes, d'un autre monde que le nôtre et trop belles pour être abîmées. Elles sont comme le beau bois dont tu te sers pour ton chef-d'œuvre.

— Mon chef-d'œuvre ?

— L'aurais-tu oublié ? Un charretier a laissé pour toi à l'auberge des Compagnons les pièces sur lesquelles tu travaillais quand tu as quitté Fillé. Il est grand temps que tu t'y remettes. Tu devras être compagnon reçu en quittant Neuville.

❖

L'année entière qu'Arnaud passa à Neuville l'enchanta. Le vieux maître lui apprit à fabriquer une lanterne et un bluteau. Il le conseilla tout au long du travail accompli pour la réalisation de son chef-d'œuvre. « À ta place, disait-il souvent, je ferais ceci plutôt que cela », ou encore : « Ne serait-ce pas mieux d'essayer le truc suivant ? »

Obéissant, Arnaud s'exécutait et les résultats s'avéraient chaque fois meilleurs. Ce vieux maître Tourangeau qui aimait "la belle ouvrage" marqua profondément la vie d'Arnaud.

❖

Au terme de cette année à Neuville, son chef-d'œuvre complété, Arnaud demanda à graduer parmi les Compagnons reçus.

Ils n'étaient qu'une dizaine, y inclus le premier compagnon, le rouleur et la mère, à assister à la cérémonie que lui valut cette reconnaissance. Son chef-d'œuvre avait été placé au milieu de la salle. Ils l'avaient tous examiné avec minutie quand le premier compagnon l'invita à s'approcher.

— Arnaud le Rétais, tu désires passer au grade de compagnon reçu. Tu comptes sur le chef-d'œuvre que tu nous présentes pour te permettre cet accès. Le mérites-tu ?

— Ce n'est pas à moi d'en juger, dit humblement Arnaud. La décision est entre vos mains, mais je sais qu'elle sera bonne et juste.

— En quoi ton chef-d'œuvre peut-il nous être utile ?

— Je me suis efforcé qu'il soit à la fois un modèle de belle ouvrage à montrer aux apprentis et futurs Compagnons, et aussi utile à chacun de nous.

Les Compagnons présents murmurèrent. Ils ne semblaient pas du même avis qu'Arnaud. Le rouleur intervint :

— Utile en quoi ? À ce que je vois, ce ne sont là que de bons engrenages.

— Mais des engrenages dont la puissance peut éviter de disperser ses forces inutilement.

— Comment ?

— Voyez, dit Arnaud.

Il déposa un gros bloc de bois près du modèle. En actionnant les engrenages, une palette en sortit soudain qui poussa le bloc de bois jusqu'au bord de la table.

— Placé verticalement, continua Arnaud, ces engrenages peuvent, avec autant de facilité, soulever de forts poids. L'idée m'en est venue des machines à catapulter les pierres. Sauf qu'ici, le travail se fait au ralenti, ce qui permet de manipuler les charges délicatement et avec précision.

— Arnaud le Rétais, enchaîna le premier compagnon, président de la réunion, tu as parlé de "belle ouvrage". Laisse-moi te raconter une histoire. Trois charpentiers travaillaient ensemble sur un chantier, quand un homme passant par là leur posa à chacun la même question : "Que fais-tu là ?" Il obtint trois réponses différentes. Le premier dit : "Je travaille le bois", le second répondit : "Je gagne ma vie", et le troisième affirma : "Je construis un manoir." Peux-tu me dire lequel des trois était un compagnon ?

Arnaud répondit sans hésiter :

— Le troisième.

— Pourquoi donc ?

— Parce que ce qui l'intéressait, c'était la gloire du métier, l'ouvrage bien fait en son entier, le manoir.

— Ta réponse t'honore, Arnaud le Rétais. Nous nous sommes penchés sur ton cas. Nous avons pris information auprès de ceux avec qui tu as travaillé avant ton séjour parmi nous. Tu ne le sais peut-être pas, mais nous avons même en main la lettre de recommandation que t'avait remise ton premier maître. Il se permettait une suggestion pour ton nom de compagnon, suggestion que nous avons retenue. L'heure est venue, et nous sommes unanimement d'accord à te recevoir parmi nous comme compagnon reçu.

Approche-toi ! Arnaud le Rétais, tu seras désormais connu parmi nous sous le nom de Rétais le Courage, parce qu'il t'a fallu du courage, après les épreuves subies lors du siège de La Rochelle, pour te retrouver parmi nous et continuer à chercher en tout temps la perfection qui doit nous animer dans notre travail.

Arnaud tendit sa canne. Sur le pommeau, à l'aide d'un fer chaud, le rouleur grava le blason des Compagnons charpentiers du Devoir. On lui remit un deuxième ruban de couleur bleu, encore plus éclatant que le premier, sur lequel était imprimé le blason aux armes des Compagnons charpentiers. Enfin, sa gourde fut ornée des mêmes armes. Le rouleur prit la parole à son tour pour l'inviter à chanter.

Ce fut d'une voix de fausset qui fit sourire ses camarades qu'Arnaud entonna un chant à la gloire de leur société. Les autres enchaînèrent par quelques autres refrains et la mère apporta le vin. Tous s'assirent pour le repas traditionnel qui se prolongea tard dans la nuit. Le lendemain matin, Arnaud trouva sur la table, devant sa place, une tête de veau.

— Qu'est-ce que cela signifie ? demanda-t-il.

Le premier compagnon le regarda, incrédule.

— Tu ignores la signification de cette coutume ?

— Je l'ignore, dit Arnaud.

— Te voilà compagnon. Par cette tête de veau, nous te signifions que tu dois quitter les lieux afin de donner la chance à un autre compagnon de se trouver de l'ouvrage.

❖

Son Tour de France dura encore trois ans, jusqu'à ce qu'il soit reconnu comme compagnon accompli. Il reprit ensuite le chemin de Ré.

Chapitre 23

Le pasteur Duprac

Île de Ré, mars 1640

L'homme, tout de noir vêtu, ressemblait à un épouvantail. Il prit place à la table. Sa figure pâle s'animait chaque fois qu'un nouvel arrivant pénétrait dans l'auberge. Il se tenait sur ses gardes, comme un oiseau prêt à quitter la branche où il venait de se percher. Il était assis de façon à voir la porte sans être vu lui-même : il attendait quelqu'un. Quand Arnaud entra, il se leva et lui adressa un signe discret. Tous deux s'assirent dans l'ombre à une table placée derrière un renflement du mur.

— Alors ! dit l'homme. Tu voulais me voir ?

— Depuis des mois, pour tout vous dire. J'ignore pourquoi, mais la tête de maître Jehan a été mise à prix. Maintenant c'est trop tard, ils l'ont emprisonné.

— Malgré toutes les belles promesses du roi, tous ceux qui, comme nous, pratiquent la foi de Calvin mettent leur vie en danger. C'est la voie que nous avons choisie, puisse Dieu nous venir en aide.

— Que me conseillez-vous pour maître Jehan ?

— Raconte d'abord !

— Il y avait à peine dix jours que j'étais revenu chez moi, après mon Tour de France. Les gendarmes sont arrivés à cheval et ont entouré la maison. Ils nous ont sommés de sortir. Maître Jehan nous a ordonné, à maman Ruth et à moi, de gagner la cachette prévue en pareille circonstance. Je croyais qu'il allait nous y rejoindre, mais il est sorti et s'est livré aux gendarmes qui ont fouillé la maison de fond en comble sans trouver notre refuge. Comme des voisins me l'ont appris par la suite, ils l'ont emmené enchaîné à La Rochelle.

— Maintenant qu'ils ont emprisonné maître Jehan, que comptes-tu faire ?

Arnaud réfléchit un moment pendant qu'il observait le vieillard attentif à sa réponse. « Il est sec comme une vieille croûte. Les os lui craquent au moindre geste. Il a l'air vieux comme le monde », pensa Arnaud. Au lieu de répondre simplement à la question, il s'écria :

— Regardez-vous, messire Duprac ! Vous n'avez plus que la peau et les os à force de fuir. Nous ne pouvons plus continuer à nous cacher comme des taupes. Aussi bien que je m'appelle Arnaud Perré, je leur ferai payer leur insolence. Ce sont des menteurs, des lâches et des fanatiques de la pire espèce. Désormais, je serai armé.

Il montra au pasteur un pistolet et un coutelas.

— Je n'aurai de cesse que le jour où maître Jehan sera libre ! ajouta-t-il.

— Tu cours à ton malheur, mon fils, et tu feras le nôtre ! La seule façon que nous ayons de leur tenir tête, c'est la clandestinité. Ils sont trop nombreux.

— Tant qu'ils ne nous savent pas huguenots, ils agissent correctement à notre égard. Je suis passé pour un catholique tout le temps que j'ai travaillé comme compagnon. S'ils avaient appris mon allégeance, d'amis ils seraient devenus des ennemis. Maître Jehan n'a commis aucun crime, il n'a fait que son devoir de charité en accueillant un des nôtres que cette bande de fanatiques poursuivait.

— Pour son malheur, quelqu'un l'a trahi.

— Je me souviens encore, quand j'étais enfant, grand-mère Jahel nous mettait en garde contre ces misérables dont la haine n'a d'égal que l'étroitesse d'esprit. Pourquoi ont-ils de nouveau attisé les flammes contre nous ?

— Une paix relative règne au royaume de France. Certains ne sont heureux que lorsqu'ils ont quelqu'un à combattre. Pour le moment, à défaut d'autres proies, ils nous ont choisis, nous les huguenots. Nous sommes une cible rêvée, à portée de la main. Crois-moi, mieux vaut les éviter que les affronter !

— Mais au prix de notre liberté… protesta Arnaud. Moi, ma liberté passe avant tout.

— Tu peux choisir la voie de la violence, mais à mon avis, ce n'est pas la bonne. La violence mène à la violence. Renonce à tes desseins vengeurs. Mets plutôt ta confiance en Dieu. Lui seul sait ce qui est bon pour nous.

Le pasteur se leva en s'appuyant des deux mains sur la table.

— Pour maître Jehan, tu n'as pas à t'inquiéter, je vais m'occuper moi-même de sa libération.

— Comment espérez-vous y parvenir ?

— C'est mon secret. Contente-toi d'avoir confiance en Dieu et de te tenir prêt à accueillir ton maître.

Le vieil homme quitta les lieux sans se retourner. Arnaud attendit un moment avant de sortir à son tour. Il regagna le port où il comptait bien trouver une barque en partance pour l'île de Ré. Il revoyait dans son esprit tout le chemin qu'il avait parcouru depuis la fin du siège de La Rochelle. Il avait accompli pendant trois ans son apprentissage et, durant six ans, son Tour de France de compagnon charpentier. Depuis quelques jours à peine, il avait regagné l'île de Ré, mais pour y apprendre que la tête de maître Jehan était mise à prix. Et voilà que depuis deux semaines maintenant, maître Jehan croupissait quelque part dans un cachot de La Rochelle. Arnaud avait contacté tous les huguenots qu'il croyait être en mesure de lui venir en aide. Sa rencontre avec le pasteur Duprac marquait l'aboutissement de toutes ses démarches. Il ne pouvait plus désormais que se raccrocher aux promesses du vieil homme.

❖

Un mois après sa rencontre avec le pasteur, alors qu'il commençait à désespérer, un bon midi, il vit maître Jehan regagner la maison.

— Comment avez-vous été libéré ? demanda-t-il.

— Je l'ignore moi-même, dit maître Jehan. Je croupissais en prison quand ce matin, au lever, un garde est venu me chercher et a ouvert sans plus de précision les portes de mon cachot. Je l'ai suivi. Il m'a mené dehors et a dit : "Tu es libre, chien d'huguenot !" Je n'ai pas attendu mon reste. Et me voilà.

Chapitre 24

Un voyage imprévu

Arnaud était convaincu que le pasteur Duprac avait obtenu la libération de maître Jehan en se livrant lui-même. Désireux d'en avoir le cœur net, il résolut d'aller lui-même aux nouvelles à La Rochelle. Le plus sûr moyen de connaître la réponse à sa question consistait à participer, malgré tous les risques inhérents à pareille démarche, à la réunion secrète de ses frères croyants. Maître Jehan n'avait pas manqué de prévenir Arnaud des dangers qu'il courrait en accomplissant cette démarche.

— Tu risques l'emprisonnement à ton tour si jamais on te prend en ces lieux.

— Je ne l'ignore pas, mais je veux savoir ce qu'est devenu le pasteur Duprac.

— On pourrait écrire.

— C'est trop dangereux. De vive voix, ce n'est pas pareil et, après tout, qui me connaît à La Rochelle ? Avec mes habits de menuisier, je passerai aussi inaperçu qu'un poisson dans un banc de poissons. Qui pourra penser que je me rends à une réunion secrète ?

— Un dimanche, avec tes habits de menuisier, tu attireras plus l'attention sur toi qu'un loup au milieu des agneaux. Si tu veux passer inaperçu, crois-moi, vas-y avec tes habits du dimanche comme un bon catholique qui se rend à la messe.

Maître Jehan n'était pas arrivé à convaincre Arnaud d'éviter ce risque. Tôt le dimanche matin, il quitta l'île de Ré pour le port de La Rochelle.

Il lui fallait d'abord apprendre où se réunissaient leurs frères, qui sauraient le renseigner sur le sort du pasteur Duprac. Il ne mit guère de temps, dès que le vaisseau fut à l'ancre, pour se rendre là où dix années auparavant il avait été si bien accueilli. Rien ne semblait avoir changé autour de cette grande demeure. Le vieil homme qui le reçut avait l'air d'un épouvantail. Sa perruque aurait largement eu besoin d'une cure de jouvence.

Arnaud lui dit :

— Il me faut sans faute voir la duchesse.

— La duchesse ? Quelle duchesse ?

— La duchesse de Rohan ! Qui d'autre ?

— D'où sors-tu, jeune homme ? La duchesse est morte depuis près de dix ans. Que lui voulais-tu ?

— La remercier de m'avoir sauvé la vie lors du siège.

— Tu étais là, lors du siège ?

L'homme se retourna, regarda d'un côté puis de l'autre puis, baissant la voix, murmura :

— Serais-tu un de nos frères huguenots ?

Arnaud hésita avant de répondre.

— J'en suis.

— Qu'est-ce qui t'amène à La Rochelle ?

— Je veux remercier le pasteur Duprac pour un service rendu.

— Suis-moi, dit le vieil homme.

Il l'introduisit dans une pièce où se trouvaient papier, encre et plume d'oie. Le vieil homme lui dit :

— Attends-moi ici.

Arnaud examina la pièce, se rappelant sa visite à la duchesse au temps de la famine. Il tomba en admiration devant des portraits accrochés aux murs. Il chercha des Rohan parmi eux. Il n'en vit aucun. À ce moment le vieil homme revint, accompagné d'un bossu.

— Tu cherches à voir le pasteur Duprac, dit le bossu, mais qui es-tu au juste ?

— Arnaud Perré, charpentier de moulin.

— As-tu fait ton Tour de France ?

— Je l'ai fait et je suis compagnon.

— Puis-je savoir quelle est cette urgence qui te fait te précipiter ici ?

Arnaud le lui expliqua. Le bossu s'assit et écrivit une lettre de recommandation qu'il remit à Arnaud.

— Présente-toi avec cette lettre au conseiller du nom de Gaucher, qui saura certainement te renseigner sur le pasteur ou encore sur la façon de savoir où il se trouve.

Ce fut ainsi qu'Arnaud apprit, de la bouche même de ce Gaucher, le lieu où se tiendrait la réunion secrète du lendemain, la façon de s'y rendre et le mot de passe pour y être accueilli. Satisfait des résultats de sa quête, il flâna un long moment dans le port, plein d'admiration pour ces marins qui, à bord des vaisseaux, comme celui présentement amarré, affrontaient sans crainte les mers. Mine de rien, il repéra non loin du port la maison où devait, le lendemain, se tenir la réunion. Prudemment, il monta le scénario qu'il suivrait pour s'y rendre, parcourut l'itinéraire projeté, se mit bien dans la tête le plan de ces lieux qu'il connaissait pour les avoir tant arpentés durant le siège de la ville, puis alla trouver une bonne nuit de sommeil à l'auberge Au Bol d'Or, où il avait mangé la première fois qu'il avait mis les pieds à La Rochelle.

Quelle ne fut pas sa surprise, le lendemain, de se lever dans une ville brumeuse où il pouvait à peine entrevoir les maisons à quelques pieds de distance. « Ça va favoriser mon plan », se dit-il comme il mordait dans un morceau de pain trempé dans un grand bol de lait chaud.

À l'heure dite, il n'eut aucune difficulté à se faufiler dans les rues. Il déclina le mot de passe – « Un frère ! » – quand, après avoir frappé à la porte de la maison, une voix grave fit entendre de l'intérieur un retentissant « Qui va là ? »

Il eut alors droit à une fouille en règle. On le conduisit ensuite dans une vaste pièce à chaque extrémité de laquelle s'ouvrait une porte basse. Il n'eut guère à attendre parce que tout autour de cette salle étaient assises une douzaine de personnes dont aucune ne lui était connue. Soudain un homme entra et tous les frères se levèrent. Après avoir prié ensemble, tous s'assirent pendant que le chef les questionnait sur leur présence en ce lieu, non sans les avoir au préalable mis en garde :

— Si jamais les gendarmes se présentent, dit-il, il y a deux issues à cette demeure. À chacun de choisir celle qui lui paraîtra la plus appropriée à sa survie, et à la grâce de Dieu. Si nous avons le droit de pratiquer notre culte au temple, il nous est formellement interdit de nous réunir de la sorte. Nous sommes ici à nos risques et périls.

Arnaud demanda :

— J'aimerais savoir où se trouve le pasteur Duprac ?

— Quel besoin si pressant de le savoir te tenaille ?

— J'ai des remerciements à lui faire, dit-il. Je lui dois la libération de maître Jehan.

— Attends la fin de notre rencontre et viens me voir, je t'informerai de son sort.

Arnaud attendit patiemment que le débat touche à sa fin, mais il n'eut jamais de réponse à son interrogation, car à la suite de coups contre la porte, les frères se ruèrent vers les issues pour disparaître aussitôt dans la brume de la rue. Peu familier avec pareille débandade, Arnaud se retrouva à son tour dehors avec deux gendarmes à ses trousses. Il descendit la rue, les talons aux fesses, pour aboutir dans le port. Les gendarmes gagnaient du terrain, il pensait ne jamais s'en tirer quand il se souvint du vaisseau amarré non loin de là. Il fila à toutes jambes le long du quai. À hauteur du vaisseau, il aperçut une passerelle tendue entre le quai et le navire. Il n'hésita pas un instant à la prendre. Comme il arrivait sur le pont, deux matelots retirèrent la passerelle avant que les gendarmes ne l'empruntent à leur tour.

— Bienvenue à bord, jeune homme ! se moquèrent les matelots.

— Tu as une façon très singulière de t'engager, lui dit l'un d'eux.

— Allez-vous faire foutre, gendarmes de mon cul ! cria celui qui était leur chef. Je suis capitaine et je n'ai que faire de vos cervelles de pourceau, vous ne viendrez pas salir mon navire.

À cette voix qu'il venait de reconnaître, le sang d'Arnaud ne fit qu'un tour. C'était celle de son ami Abel qui, reconnaissant son ami, arbora une expression incrédule ! Après les premiers moments de réjouissance, Abel passa à un sujet beaucoup plus sérieux.

— Te voilà prisonnier sur mon navire.

— Prisonnier ?

— Tu as bien entendu. Il t'est impossible de revenir en arrière.

— Je n'ai qu'à profiter de la nuit pour regagner le port.

— Comment feras-tu ?

— Il y a bien une barque à bord dont je pourrais me servir ? Un de tes matelots pourrait m'accompagner et la ramener.

— Tu n'aurais pas sitôt mis le pied à terre que tu serais arrêté.

— Les gendarmes ne sont pas si dégourdis que ça.

— Quand il y a une prime à toucher, ils le sont. Tu n'es pas le premier qui s'embarque à la dernière minute sur mon vaisseau. Chaque fois que l'un d'eux a tenté de regagner la berge, il a été pris. Les gendarmes qui t'ont couru après n'attendent qu'une chose pour te cueillir : que tu tentes de descendre. Crois-moi, ils n'ont que ça à faire. Le navire est présentement surveillé par deux paires d'yeux avides, sinon plus. Tu es monté à bord juste au moment où nous allions retirer la passerelle. Nous appareillons aujourd'hui pour la Nouvelle-France.

Arnaud ne parlait plus. Dans sa tête défilaient tous les moyens qu'il pouvait imaginer pour regagner la terre ferme.

— Une fois sorti du port, tu pourrais mettre une barque à l'eau afin que je puisse regagner la côte.

— Je pourrais, mais je ne le ferai pas, car, à mon retour, je serais questionné sur cette manœuvre au risque même de ne plus pouvoir fréquenter le port de La Rochelle. Désolé, mon vieux, tu es dû pour un petit voyage en Nouvelle-France. Dans un mois, nous y serons, dans trois nous serons de retour. Nous aurons bien assez long pour reprendre le temps perdu.

Les dernières paroles d'Abel semblèrent faire leur chemin, car Arnaud se calma, soudainement résigné.

— Va, dit-il, pour la Nouvelle-France. Il faudra tout de même que je fasse savoir à maître Jehan et maman Ruth où je suis.

— Rien de plus facile. En passant les tours, avant de prendre le large, nous lancerons à mon agent le sac des dernières missives.

❖

Cinq semaines plus tard, *L'Oranger* jetait l'ancre devant Québec. Le voyage s'était fait dans les meilleures conditions possibles. À Québec, Arnaud était considéré comme un matelot de *L'Oranger*. Il avait ses entrées dans les auberges fréquentées par les marins. Abel ne le lâchait pas d'une semelle. Il le conduisit dans Québec à tous les endroits qui pouvaient intéresser un visiteur. Il se rendit en sa compagnie à Beauport, où il lui présenta le seigneur Giffard. Pendant ce temps, on avait déchargé le navire de ses marchandises et on le chargeait à présent de peaux de castor.

À causer à gauche et à droite, Arnaud apprit un peu ce qu'était la vie des gens en ce pays. Mais quand sonna le moment du retour vers La Rochelle, il était de nouveau à bord du vaisseau.

Chapitre 25

Nouveau départ

Dès son retour en France, il se rendit à l'île de Ré donner signe de vie à maître Jehan et maman Ruth. Ce fut pour apprendre que maman Ruth était morte d'une maladie aussi subite que mystérieuse, durant l'été. Quant à maître Jehan, il était parti exercer son métier de charpentier du côté de Marennes, où Arnaud se rendit aussitôt. Il y passa trois jours en compagnie de maître Jehan, qu'il trouva terriblement vieilli. Comme il n'y avait pas de travail pour lui dans la région, Arnaud choisit de se rendre en Normandie, là où Guillaume, un de ses amis compagnons, le réquisitionna pour la fabrication des mouvements d'un moulin.

Il travaillait paisiblement à son moulin quand la Normandie entière se souleva.

— Pas encore pour une question de sel? s'indigna Arnaud. J'ai risqué l'exil en Anjou pour venir en aide aux faux-sauniers et voilà que ça recommence.

— Tu devras t'y faire, fit remarquer Guillaume. Ça semble être repris pour de bon. Nos gouvernants ont décidé de supprimer le quart-bouillon au Cotentin.

— Le quart-bouillon ?

— Depuis toujours, dans cette région, on fait bouillir du sable salé. Jusqu'à présent, le quart de la production revenait au roi. Ce dernier le taxait pour la revente. Les autres trois quarts étaient vendus sans taxe par les producteurs. Nos fortes têtes gouvernantes ont décidé de soumettre la production entière à la gabelle.

— Avec comme conséquence ?

— Que tout est désormais vendu trois fois plus cher et uniquement dans les greniers à sel du roi. La Normandie entière est désormais sur un pied de guerre.

Arnaud, qui avait vécu le siège de La Rochelle, en avait assez de ces soulèvements à n'en plus finir. Cette révolte populaire, baptisée la révolte des nu-pieds, eut raison de sa patience. « Qu'est-ce qui me retient en ce pays misérable ? se dit-il. Jamais je n'y trouverai la paix. » Au moment où les troubles croissaient partout en Normandie, il termina son travail au moulin de Caumont, fit sa besace, ramassa ses outils et gagna de nouveau la Saintonge. Maître Jehan ne se trouvait plus à Marennes. Malade, il avait regagné Ré, lui apprit-on.

À son arrivée à l'île de Ré, Arnaud trouva maître Jehan à l'agonie. Comme si le vieil homme s'accrochait à la vie en attendant son retour, il mourut dans ses bras peu de temps après. Arnaud était désormais seul dans la vie. Il héritait des biens de maître Jehan : la maison et une certaine somme épargnée grâce à un travail acharné. Il avait trop en lui le goût de bouger pour se morfondre à Ré. Il vendit la maison. Ayant goûté au voyage et à la mystérieuse Nouvelle-France, il s'empressa de retourner à La Rochelle. Son ami Abel lui avait dit : « Si jamais, un jour, la Nouvelle-France t'intéresse, tu auras toujours ta place à mon bord. »

Il ne mit guère de temps à apprendre que *L'Orange*r s'apprêtait à partir pour Québec. En flânant sur les quais, il remarqua sur une colonne la requête du sieur Noël Juchereau des Châtelets à l'effet qu'il désirait embaucher un charpentier de moulin pour la Nouvelle-France. Sans plus attendre, il se présenta à l'étude du notaire Jehan Langlois.

— Il paraît que messire des Châtelets est à la recherche d'un charpentier de moulin pour Québec ?

Le notaire fouilla un moment dans ses paperasses.

— En effet, dit-il. J'ai le mandat d'engager pour lui et également pour son frère, Jean Juchereau de Maure, un charpentier de moulin pour une durée de trois ans.

— Je suis leur homme, dit Arnaud d'une voix ferme.

— Que connais-tu de la Nouvelle-France ? demanda vivement le notaire. Ne sais-tu pas que c'est un pays rude où la vie ne tient parfois qu'à un fil ?

— Sauf votre respect, messire, la vie ne tient toujours qu'à un fil, ici ou ailleurs. La Nouvelle-France ne m'est point inconnue puisque j'y étais il y a un an à peine.

— Tu as tes papiers de compétence ?

Arnaud tira de sa ceinture son passeport de compagnon reçu. Après y avoir jeté un coup d'œil, le notaire sortit un parchemin de la pile au milieu de son bureau.

— Le contrat est déjà prêt, dit-il. Il ne reste qu'à y apposer ton nom. Tu veux que je te lise ?

— Je préfère le faire moi-même et au besoin demander les éclaircissements nécessaires, rétorqua Arnaud.

Le notaire lui tendit le manuscrit. Arnaud se plongea dans sa lecture.

Par devant maître Jehan Langlois notaire royal en la ville et gouvernement de La Rochelle et témoins ici-bas nommés fut présent en sa personne...

— Là où il y a un blanc après “fut présent en sa personne”, c'est mon nom que vous mettrez et mes qualités ?

— Le nom et le métier.

— Et les autres blancs seront comblés au fur et à mesure ?

— Il en sera fait ainsi. D'ailleurs, il n'y a pas d'autre blanc, sinon un seul pour indiquer la date d'aujourd'hui, si ce contrat te convient.

Arnaud reprit sa lecture.

Arnaud Perré charpentier de moulin pour lors résidant de La Rochelle, lequel de son bon gré, s'engage à s'embarquer sur le premier navire en partance pour la Nouvelle-France au service du sieur Noël Juchereau des Châtelets afin d'y travailler durant trois ans à son service et à celui de son frère Jean Juchereau de Maure à l'érection d'un moulin en leur seigneurie respective. Il sera logé et nourri et recevra la première année la somme de 100 livres de salaire, la deuxième année celle de 120 livres et la troisième année celle de 150 livres.

Arnaud s'arrêta dans sa lecture.

— Si je comprends bien, dit-il, si je payais moi-même mon passage pour la Nouvelle-France et que je m'y engageais là-bas, je pourrais agir avec beaucoup plus de liberté.

— Vous y seriez à votre compte et à vos conditions, jeune homme. Si vous avez les trente-cinq livres vous permettant de défrayer le coût de votre passage, c'est la meilleure façon de procéder. Libre à vous, une fois rendu sur place, de signer les marchés de construction que vous voudrez.

Arnaud en avait assez entendu. À peine sorti de l'étude du notaire, il fila droit au port à la recherche de son ami Abel. Dix jours plus tard, il partait pour la Nouvelle-France.

TROISIÈME PARTIE

LE PAYS DE NEIGE

Chapitre 26

L'arrivée

La traversée sur *L'Oranger* se fit en moins d'un mois, ce qui constituait un temps record. Outre les passagers, dont plusieurs engagés et les membres d'équipage, il y avait à bord huit femmes. Chaque soir, galamment, Abel en invitait une à manger à sa table. Ces huit femmes attiraient l'attention de tous les mâles à bord, mais elles se tenaient sagement à l'écart et Arnaud, que l'une d'elles intéressait plus particulièrement, en était quitte pour l'admirer de loin. Il ne manqua pas de souligner à Abel son intérêt pour cette jeune femme.

— N'y pense même pas ! La Giraude est la promise d'un bourgeois de Québec. Il la fait venir pour l'épouser.

— D'après ce que tu me dis, ça ne sera pas facile de me dénicher une femme en ce pays.

— C'est la denrée la plus rare en Nouvelle-France. Il y a six hommes à marier pour une seule femme.

À la blague, Abel ajouta :

— Tu pourras toujours te prendre une Sauvagesse !

Serrant les dents pour ne pas rouspéter, Arnaud murmura sans trop de conviction :

— La providence fait bien les choses, elle saura en mettre une sur ma route.

— Une Sauvagesse ? poursuivit Abel en se moquant. Pas une, mais des dizaines.

Arnaud ne répliqua pas, se contentant de regarder son ami d'un air de dépit en secouant la tête.

❖

Par une belle journée de la mi-mai, le navire jeta l'ancre en face du petit bourg de Québec. La nature se montrait dans ses plus beaux atours. Tout était vert, du vert tendre des feuilles naissantes. Arnaud fut l'un des premiers à sauter dans une des barques qui ramenaient des passagers au quai. Dès qu'il toucherait terre, il lui faudrait s'enquérir auprès d'un notaire ou d'un garde-note s'il n'y avait pas quelque part un moulin à construire. Son avenir en Nouvelle-France en dépendait.

Il avisa tout de suite un marchand qui, visiblement, se montrait impatient de connaître le sort des marchandises qu'il avait commandées.

— Dites, l'ami ! Sauriez-vous m'indiquer dans cette foule un notaire ?

— Jeune homme, tu vois comme moi le grand à gargamelle de dinde, tout là-bas au bas du quai ?

— Oui-da !

— Derrière lui, le gros avec un chapeau de castor ?
— Oui !
— Eh bien ! C'est maître Audouart.
Arnaud le remercia et se dirigea vers le notaire. Dans son dos, il entendit l'homme fredonner un air qu'il n'avait jamais entendu :

Un grand chapeau,
un p'tit chapeau d'castor, tribord,
un p'tit chapeau, un grand chapeau d'castor, babord.

Quand Arnaud le rejoignit, maître Audouart était en pleine conversation avec un petit homme qu'on eût facilement pris pour un nain. Il les laissa deviser un moment, tout en ne perdant pas de vue les manœuvres des maîtres de barque qui ramenaient déjà, les uns des marchandises, les autres des passagers. Il vit un homme se précipiter quand descendirent d'une barque les huit femmes qui avaient fait la traversée. L'homme n'avait d'yeux que pour la plus belle d'entre elles, la Giraude, à qui il tendit la main pour l'aider à descendre. Arnaud poussa un long soupir. « Son futur mari, pensa-t-il. Abel avait raison de me dire de ne rien espérer d'elle. »
Le petit homme ayant terminé son baratin, Arnaud put enfin s'adresser au notaire. Il se présenta :
— On me dit que vous êtes maître Audouart. Je suis Arnaud Perré, maître charpentier de moulin.
À peine Arnaud avait-il terminé sa phrase que le notaire esquissa un large sourire.

— Ce sont les jésuites qui vont être heureux ! Un maître charpentier de moulin sur nos rives s'avère aussi rare qu'un éléphant dans nos bois. Bienvenue à Québec, Arnaud Perré ! Venez que je vous présente au révérend père Vimont, supérieur des jésuites. Je suis persuadé qu'il dira que c'est le ciel qui vous envoie, après tous les malheurs qui viennent de s'abattre sur nous.

— De quels malheurs parlez-vous ?

— Notre église a passé au feu avec tous les registres, de même que la chapelle de monsieur le gouverneur et la maison des bons pères jésuites. En plus, le premier du mois, deux de leurs serviteurs se sont noyés dans la rivière. Le canot est un excellent mais dangereux moyen de transport.

Arnaud suivit le notaire qui, se frayant un chemin parmi les gens rassemblés autour du quai, parvint à rejoindre un homme mince et sec en soutane, tout heureux d'accueillir quatre femmes débarquées de *L'Oranger*.

— Comme on me l'a dit, ce sont des religieuses, expliqua Arnaud.

— En effet, deux dames hospitalières et deux ursulines. Les unes soignent les malades, les autres enseignent. Mais dis donc, jeune homme, d'où vient que tu ne saches pas reconnaître des bonnes sœurs puisqu'on a dû t'informer de leur statut ?

Devant le silence d'Arnaud, le notaire reprit :

— Ne serais-tu pas par hasard d'allégeance huguenote ? Si tel est le cas, si tu tiens à demeurer en ce pays et surtout si tu espères être embauché par les jésuites, tu devras bien vite abjurer cette foi.

Arnaud persista dans son silence. Le notaire venait d'ailleurs de héler le jésuite.

— Mon père ? Voilà au moins une bonne nouvelle, après tous les malheurs qui nous sont tombés dessus.

— Dites au plus tôt, maître Audouart ! Dieu sait que nous avons besoin par les temps qui courent d'entendre enfin quelque propos pouvant nous redonner de l'élan.

— Ce jeune homme est maître charpentier de moulin.

— Dieu soit loué en ses bontés ! Bienvenue parmi nous ! Notre seigneurie de Notre-Dame-des-Anges a grand besoin d'un moulin à vent. Saurez-vous nous en construire un ?

— Je ne demande pas mieux, monsieur. Mon métier l'exige et j'ai comme tout le monde grand besoin de travail pour vivre.

— Si maître Audouart en a le temps et veut bien nous préparer un marché de construction de moulin digne de ce nom, vous pourrez venir demain à notre nouvelle maison en sa compagnie. Nous y signerons le contrat qui vous permettra de ne plus vous creuser la tête pour votre pain quotidien pendant au moins l'année qui vient.

Le notaire dit à Arnaud :

— Demain midi, je te veux à mon étude. Nous irons formuler et officialiser le marché en question. Mais quelque chose me turlupine. Si je veux bien dormir ce soir, j'ai besoin de savoir. Quand on s'adresse à un révérend père, on ne lui dit pas monsieur comme tu l'as fait, il y a deux minutes à peine. On lui dit "mon père". Je te le demande de nouveau. Es-tu un huguenot?

Arnaud n'eut d'autre choix que d'avouer.

— Demain, avant tout, dit le notaire, j'informerai le père Vimont de ton état. Il saura bien te conseiller ce qu'il te faut faire pour demeurer en Nouvelle-France. Mais en attendant, où comptes-tu coucher ce soir?

— Je l'ignore! Vous saurez bien me le dire.

— L'auberge de la mère Adam, que tu trouveras à deux pas d'ici, devrait pouvoir t'accueillir.

Arnaud se pencha pour récupérer le sac qu'il portait depuis son arrivée et qu'il avait déposé sur le sol.

— Ce n'est pas tout ce que tu as, tout de même? s'étonna le notaire.

— Non point! Mon coffre avec mes hardes et mes outils se trouve encore sur le navire.

— À la bonne heure, jeune homme. À demain! Et surtout n'oublie pas: la vérité est à mes yeux la meilleure conseillère.

Le notaire retourna vers le quai, pendant qu'Arnaud s'informait auprès d'un passant où se trouvait l'auberge de la dame Adam. L'homme l'y conduisit. Le lendemain, à l'heure dite, Arnaud se retrouvait devant l'étude du notaire Audouart. En route, il avait croisé sur son chemin nulle autre que la Giraude, se dirigeant d'un bon pas vers le marché. Elle le salua d'un air insolent en haussant les épaules. « Elle n'est que belle en dehors, pensa Arnaud. En dedans, ça ne semble pas tourner rond. »

❖

Le notaire Audouart tenait en main son coffret d'écriture et un large morceau de parchemin : de quoi rédiger le contrat. Le père Vimont les attendait, visiblement heureux de les voir arriver, et les fit passer dans la pièce qui lui servait de bureau.

— J'ai moi aussi une bonne nouvelle concernant le moulin, leur lança-t-il d'entrée de jeu. *L'Oranger* nous a apporté les moulanges que nous avions commandées en France par ce même navire, il y a huit mois. Il n'y a donc plus d'obstacle à la confection du moulin. Avant tout, jeune homme, insista-t-il, montrez-moi le document prouvant votre compétence.

Arnaud lui tendit son certificat de compagnon reçu. Le supérieur des jésuites le lut et il allait enjoindre au notaire de rédiger le contrat quand ce dernier intervint :

— Notre jeune ami doit vous avouer quelque chose.

— Quoi donc ?

Sans broncher, Arnaud s'empressa de dire :

— Je suis catholique de naissance, mais huguenot d'adoption.

— Ah, bon ! fit le jésuite sans démontrer d'émotion. Il faudra abjurer.

— Il faudra ce qu'il faudra, approuva Arnaud, alors qu'en son for intérieur il se disait qu'il n'abjurerait que pour la forme.

À l'invitation du religieux, le notaire s'assit et se mit en frais de rédiger le marché de construction du moulin de Notre-Dame-des-Anges. Il le lisait au fur et à mesure et, du regard, le jésuite interrogeait sans cesse Arnaud afin de savoir si les diverses clauses lui convenaient. Pas une seule fois ce dernier n'interrompit le notaire.

Par devant Guillaume Audouart, notaire et tabellion à Québec, pays de la Nouvelle-France, y demeurant, et témoins soussignés furent présents en leur personne le RP Barthélemy Vimont supérieur des jésuites en ce pays d'une part et d'autre part Arnaud Perré, maître charpentier de moulin, lesquels de leur bon gré et volonté ont passé le marché qui suit, c'est à savoir que ledit Arnaud Perré s'engage à construire et ériger pour la Saint-Michel venant 1641, un moulin à vent à tour de pierre de la même matière, manière, hauteur, circonférence et couverture que celui du feu le sieur Hébert sur sa terre de la haute ville de Québec. Pour ce faire, ledit charpentier s'engage à fournir deux poutres de cèdre longues de seize pieds et de douze à treize pouces en vif arrête ; deux bouts de cèdre longs de six pieds et de douze pouces en vif arrête ; huit poteaux de frêne de douze pieds et de douze pouces en vif arrête ; quatre poutres de frêne de quinze pieds de long et de neuf à dix pouces ; deux bouts de frêne de sept pieds de long et de sept pouces en vif arrête; deux cents pieds de frêne de huit pouces en carré; un arbre de dix-huit pieds de long, de vingt-deux pouces en carré par un bout, et de douze à l'autre; une guibre de quarante-cinq pieds de long et de douze pouces à quinze d'un bout et de l'autre à huit pouces; deux vergues de quarante-huit pieds de long, de neuf pouces par le milieu et de dix pouces par les bouts; huit courbes de merisier de sept pieds et demi de long et de sept pouces de large; douze courbes de frêne de trois pieds de long et de quatre à six pouces de grosseur, le tout bien et dûment équarri et dolé en vif arrête au jugement d'experts. Le tout sera rendu et élevé à l'emplacement désigné par avance à la Vacherie en la seigneurie de Notre-Dame-des-Anges, moyennant la somme de 600 livres que le RP Vimont au nom des jésuites, possesseurs de la seigneurie Notre-Dame-des-Anges, s'engage à verser audit Perré, moitié à la Noël prochaine et autre moitié à la Saint-Michel.

Ce marché fait et passé en la maison des jésuites de Québec en début d'après-midi ce vendredi 29 mai de l'an de grâce mil six cent quarante en les présences de messire Antoine Dubreuil, marchand de Québec y résidant, et de messire Auguste Raimbault, marchand de La Rochelle de passage en ce pays, témoins soussignés qui avec les parties et nous notaire ont signé, lecture faite.

Antoine Dubreuil *Auguste Raimbault*
Arnaud Perré *Barthélemy Vimont, jésuite*
Guillaume Audouart, notaire

❖

Dès le lendemain, Arnaud se transportait à Notre-Dame-des-Anges et, sans plus tarder, se mettait au travail. Un mois plus tard, après quelques séances de catéchisme de la part du père Vimont, il fut contraint d'abjurer solennellement la foi de Calvin devant quelques témoins réunis pour la circonstance à la chapelle des ursulines de Québec. Parmi les personnes présentes se trouvait nul autre que son ami Abel dont le vaisseau appareillait pour la France le lendemain. Ils passèrent la soirée ensemble à se rappeler La Rochelle, devant quelques bonnes bouteilles de vin. À Abel qui lui demandait:

— Qu'est-ce que ça te fait d'être redevenu catholique?

Arnaud, un sourire en coin, avoua:

— Ce que parfois les lèvres sont contraintes de dire, le cœur ne l'approuve pas.

❖

En août, il évita la maladie dont furent atteints la plupart des natifs du pays. Une vingtaine en moururent, plus d'une centaine furent hospitalisés. «C'est donc, se dit-il, que j'ai une santé de fer.»

Il ne vit pas les mois d'hiver, occupé qu'il était à fabriquer tous les mouvements du moulin: lanterne, fuseau, rouet. Sa seule distraction, au milieu de janvier, il la dut à une invitation du père Vimont.

— Arnaud, vous travaillez ferme et c'est tout à votre honneur, mais peut-être trouveriez-vous plaisir à assister à la représentation que fait donner notre gouverneur en l'honneur du dauphin de France.

— Je n'ai jamais assisté à d'autres représentations que celles des Compagnons. Puisque vous m'invitez, pourquoi n'irais-je pas ?

Il revint émerveillé de cette soirée menée par le sieur Martial Piraube, secrétaire du gouverneur, où participaient des truchements qui parlaient algonquin, huron et iroquois.

De tout l'hiver, il n'eut d'autre raison de se réjouir que d'une visite en particulier, celle du père Le Jeune, qui avait longtemps été supérieur des jésuites et s'apprêtait à retourner en France. De passage à Notre-Dame-des-Anges, le père s'arrêta à l'atelier d'Arnaud s'enquérir des progrès réalisés dans la confection des diverses pièces du moulin.

— C'est mon premier hiver en ce pays de neige, lui dit Arnaud, mais je le passe bien au chaud, entouré de ce qui au printemps, dès les neiges fondues, deviendra le moulin à vent de Notre-Dame-des-Anges.

— Nous n'avons qu'à nous louer de vos services, l'assura le jésuite. Le père Vimont ne me dit que du bien de vous. Il n'y a pas encore beaucoup de travail pour un charpentier comme vous en ce pays, mais peut-être serez-vous appelé l'an prochain ou dans deux ans à faire valoir vos talents du côté du Mont-Réal. Des âmes charitables de France se proposent d'y fonder une mission avant longtemps. Ils parlent d'appeler l'endroit Ville-Marie en l'honneur de la mère de Notre Seigneur et Maître Jésus.

— Au-delà du Mont-Réal, questionna Arnaud, sait-on ce qu'il y a ?

— Nous le savons quelque peu par le sieur Nicolet et nos missionnaires, qui se sont rendus jusque chez les Hurons. J'y fus, étant plus jeune. Le sieur Nicolet m'a même assuré que lors de son plus long périple, s'il eût poussé plus avant pendant trois jours sur le fleuve qui se trouve au nord du Nouvel Mexique, il aurait trouvé la mer qui, à cet endroit, paraît-il, entre au Japon et en Chine.

Arnaud garda un bon souvenir de son entretien avec cet homme instruit qui lui semblait si attentif aux autres.

❖

À la date prévue, au bout d'un an de travail intense, le moulin était prêt. Le jour de l'inauguration, ce fut une fête de voir les grandes ailes actionnées par le vent se mettre à tourner comme si le cœur du moulin commençait à battre. Arnaud se planta devant son œuvre et dit :

— C'est vraiment de la belle ouvrage. Les Compagnons en seraient fiers.

❖

Son travail l'avait longtemps tenu enfermé sur place. Il se rendit à Québec, à l'auberge de la mère Adam, afin d'y célébrer ce premier succès. Comme il y pénétrait, il s'étonna de voir tout le monde regroupé autour d'une grande femme dont le discours attira aussitôt son attention puisqu'il y était question de la Giraude.

— La Giraude, ils vont certainement la retrouver et la juger.

— Reprends ça depuis le début, lui enjoignit un homme d'un certain âge qui, la main ouverte en paravent derrière l'oreille, tentait vainement de saisir ce qu'elle racontait.

Tout près de lui et d'une voix puissante, un homme résuma l'histoire en quelques mots.

— Gertrude nous dit que la Giraude s'est enfuie de chez elle.

— Pourquoi donc ?

— Parce que son bourgeois la battait.

— Où est-ce qu'elle est ?

— Où voulez-vous qu'elle soit, son père, au paradis ?

Gertrude reprit où elle avait laissé :

— On pense qu'elle peut être partie avec des complices par en bas, avec idée de monter dans le premier vaisseau en partance pour la France. D'aucuns disent que certains capitaines la feraient monter volontiers à bord pour avoir une chance ensuite de la monter à leur tour ! Elle a de quoi faire damner les plus grands saints.

— Oh là là ! Oh là là ! clama un des hommes assis tout près de la Gertrude. Qu'est-ce qui va lui pendre au bout du nez si jamais on les ramène à Québec ! Oh là là !

— Ne crains rien, Jalibert, les gendarmes sont déjà à sa recherche. La sentence sera à la mesure de la faute. On ne peut pas quitter le pays sans l'autorisation du gouverneur. C'est folie de leur part d'agir de la sorte.

— Il fallait que la Giraude en ait assez de son bourgeois, fit remarquer un autre. Il la battait comme galette, paraît-il.

— Elle n'avait que ce qu'elle méritait, se permit la Gertrude. C'est une effrontée sans vergogne.

Arnaud ne se mêla pas à la conversation. Il repassait tout simplement dans son esprit les quelques occasions qu'il avait eues de voir de près la Giraude, et chaque fois il s'était demandé si cette femme avait toute sa raison.

Deux semaines plus tard, quand les gendarmes la retrouvèrent cachée chez une amie, tout Québec était aux aguets. Le procès fut suivi de près. La sentence du gouverneur souleva de longues discussions. Les uns approuvaient, d'autres réprouvaient, mais tout le monde avait son opinion et ne manquait pas de la partager. Il y avait de quoi. Qui aurait eu idée de laisser cette femme libre après ce qu'elle avait fait ? Ce fut pourtant ce que fit le gouverneur et ce fut assez pour que de méchantes langues laissent entendre :

— Si on se fie à toutes les occasions que nous avons de la croiser dans la rue, il faut croire qu'elle est mieux dehors que dans sa maison.

— N'empêche, ajoutèrent certaines âmes charitables, que cette pauvre femme a beaucoup de mérite de vivre avec son bourgeois. Et, de toute façon, avec l'enfant qu'elle porte, elle ne pourrait pas aller très loin.

Arnaud, que tous ces bavardages laissaient indifférent, en conclut qu'en ce pays de la Nouvelle-France, la moindre incartade faisait couler plus de salive que les pires frasques en France.

Chapitre 27

Confrérie et travail

Ayant été contraint d'abjurer la foi de Calvin, Arnaud ne tarda pas à être contacté par les autres charpentiers intéressés à le voir joindre les rangs de leur confrérie. Il fut invité une première fois à s'unir à eux pour la procession de la Fête-Dieu. Chaque corps de métier – maçon, charpentier, menuisier, boulanger, taillandier, serrurier, cordonnier, tonnelier, cloutier et charron – s'y trouvait représenté et on se bouscula rondement à savoir qui ouvrirait la procession. Les menuisiers voulaient devancer les maçons, qui reléguaient les charpentiers au dernier rang. Les serruriers se disaient plus importants que les boulangers, cependant que les charrons se voulaient supérieurs aux cordonniers qui, eux, aspiraient à être devant les taillandiers et les tonneliers. Quant aux cloutiers, d'aucuns prétendaient qu'ils n'avaient pas leur place dans une telle procession. Tout faillit être annulé. Seul un tirage au sort parvint à calmer les esprits.

Pour ne pas se mettre à dos les autres artisans et hommes de métier, Arnaud accepta de faire partie de la Confrérie de Sainte-Anne, qui regroupait menuisiers et charpentiers. Ils avaient l'habitude de se retrouver pour partager un repas le jour anniversaire de leur sainte patronne. Arnaud, que tout cela ennuyait au plus haut point, se fit quelque peu tirer l'oreille pour être de la fête.

— Tu viendras ? le supplia son bon ami Mathieu Courval. Tu verras, nous y passons du bon temps.

Arnaud répondit du bout des lèvres :

— J'y serai.

Il y fut, mais pour être témoin de la pire querelle à laquelle il lui avait été donné d'assister jusque-là. Les menuisiers célébraient donc chaque année l'anniversaire de leur patronne, la bonne sainte Anne. Cette année-là, comme chaque année, les festivités commencèrent à l'église par une messe solennelle où tous louèrent avec beaucoup de plaisir les vertus de la sainte. Cette célébration, apprit Arnaud, leur donnait droit à un jour de congé. Que pouvaient-ils faire de leur journée libre ? Ils l'entraînèrent chez un des charpentiers pour un repas bien arrosé. Les hymnes à sainte Anne se transformèrent rapidement en chansons de plus en plus grivoises. Le vin aidant, les chants se changèrent en rires et en hurlements jusqu'au moment où, en plein repas, pour on ne sait quelle fredaine ou quelle parole assassine, Jean Lebel, un menuisier, s'en prit à Marc Lefort, un charpentier de gros œuvres.

— Tu peux bien ne t'en tenir qu'aux gros œuvres, avec tes gros bras et ton faux cul.

— Faux cul toi-même avec tes miniatures, tu n'es qu'un fouille au train !

— Je vais t'en faire, une fouille au train, espèce de peau de vache !

Le ton avait monté si vite que personne ne réagit d'abord, ce qui donna le temps au charpentier de changer de registre afin d'inclure tous les menuisiers présents.

— Bande de crétins ! Vous êtes de ceux qui me nuisent, menuisiers de mon cul !

Du coup, ils ne furent pas moins de trois à lui sauter dessus. Les charpentiers tout près de lui s'interposèrent et furent reçus à coups de poing. D'autres injures fusaient de ci, de là : fripon, canaille, bâtard, pestiféré, enflure vérolée, renégat, butor !

Arnaud, qui se tenait loin de l'échauffourée et des bouteilles qui volaient, ne savait où donner de la tête. L'organisateur de la fête hurlait ; Lefort saignait du nez pendant que Lebel gisait sous la table. S'emparant d'un bâton, Arnaud en donna un si violent coup sur la table que les belligérants en restèrent saisis. Il en profita pour les traiter de faux frères :

— Vous appelez ça une fête ! hurla-t-il. Regardez-vous ! Vous n'avez pas honte ? Ne me parlez plus jamais de vos fêtes de butors ! Vous me dégoûtez, bande de canailles constipées !

Sans plus attendre, indigné, il passa la porte. Il mit du temps à se remettre de ce malencontreux événement. Il se sentait tout à coup bien loin de ses années de compagnonnage. Il regagna la chambre qu'il occupait à l'auberge depuis la fin de ses travaux chez les jésuites. Il désespérait de pouvoir de nouveau s'adonner à son travail quand, à la fin de l'été, il fut abordé par le sieur Noël Juchereau des Châtelets dont le moulin du ruisseau Saint-Denis nécessitait quelques réparations. Ce fut en travaillant à ce moulin qu'il se fit vraiment ses premiers amis en Nouvelle-France.

❖

Le moulin du ruisseau Saint-Denis, à Sillery, était construit dans un site idyllique, en bordure du fleuve. Il recevait son eau du haut de la falaise avec tant de puissance que la grande roue s'en était trouvée endommagée. Dès qu'il fut au moulin, en compagnie du sieur Juchereau, sans hésiter, Arnaud déclara :

— Je vous réparerai la grande roue, mais dans quelques mois ce sera à recommencer.

— Pourquoi donc ?

— Parce qu'en certaine période de l'année, comme au printemps par exemple, le débit de l'eau est trop puissant.

— Tu as sans doute raison, admit le sieur Juchereau, puisque précisément elle a commencé à se briser ce printemps. Que conseilles-tu alors de faire ?

— Une retenue au bas du ruisseau. Ça permettra de contrôler le débit. Je ne comprends pas que personne n'y ait pensé avant.

Le sieur Juchereau hocha la tête et répondit :

— C'est que les charpentiers de moulin se font rares sur nos rives. Ceux qui ont construit celui-ci ont fait de leur mieux, mais ce n'était pas leur métier. Voilà qui explique l'oubli de ce détail majeur. En vérité, rien ne remplace un homme de métier.

Arnaud se sentit flatté par les propos du sieur Juchereau, qui ajouta aussitôt :

— Quand serais-tu prêt à commencer les réparations ?

— Tout de suite. Je suis libre, mais auparavant je veux voir de plus près.

Il s'approcha de la grande roue qu'il examina pendant un long moment.

— Il va falloir la démonter, dit-il. Il n'y a rien d'autre à faire. Je pourrai ensuite la remettre à neuf. Qui fournira le bois ?

— Je le ferai, assura le sieur Juchereau. Pour ce travail, je t'offre cent livres.

— Ça me va, dit Arnaud.

— Dans ce cas, c'est entendu. Il n'est point nécessaire de passer devant notaire. Je n'ai qu'une parole.

Il tendit la main à Arnaud. Le contrat fut ainsi scellé. Arnaud s'installa aussitôt au moulin. Il n'y était pas seul, puisque Guillaume Letang et Jacques Bruneau, deux des serviteurs du sieur Juchereau, y habitaient.

Ils vivaient tous deux depuis déjà quelques années en Nouvelle-France. Letang y était arrivé depuis cinq ans et Bruneau, depuis quatre. Letang était un joyeux luron à la langue bien pendue qui, chaque soir, avait quelque chose de nouveau à raconter. Pour sa part, Bruneau ne déplaçait pas trop d'air, mais avait une façon bien à lui d'occuper l'espace quand il décidait de prendre la parole, car il s'exprimait en vers avec une facilité déconcertante.

En leur compagnie, Arnaud apprit à rire de nouveau, à admirer la nature, à aimer la vie. Un soir, Guillaume Letang rappela un événement survenu à bord du navire qui le menait en Nouvelle-France.

— Elle était belle comme un cœur, commença-t-il.

— Qui ça ?

— Une jeune fille venant avec sa mère en ce pays. Je l'ai aimée en la voyant. Elle souriait tout le temps et sa mère la couvait comme une poule, ses poussins. Il y avait bien moyen de lui dire deux mots, mais jamais plus, car elle se faisait aussitôt rappeler à l'ordre : "On ne parle pas aux étrangers." Après un mois sur ce navire, je ne me considérais plus comme un étranger pour elle. Je lui parlais tous les jours, lui chantais quelques ballades de mon répertoire. Elle appréciait ma présence. Sa mère se faisait moins contrôlante. Bref! Tout me disait qu'une fois à Québec, j'aurais peut-être la chance de l'épouser. Mais voilà, la vie est ainsi faite qu'il ne faut jamais compter sur elle. Deux semaines avant de toucher le port, la maladie s'est répandue sur le navire. En quelques jours, les corps d'une dizaine de passagers furent jetés en pâture aux poissons. La mère et la fille y passèrent. Je ne me suis jamais consolé de cette perte. Depuis, j'ai beau ouvrir les yeux et être présent à l'arrivée de chaque navire, jamais une telle jeune fille n'en descend et quand, pour notre bonheur, un vaisseau nous en amène quelques-unes, elles sont déjà toutes promises. Est-ce que je me marierai un jour ?

Cette réflexion de son ami troubla profondément Arnaud. Il se rappela les paroles d'Abel : « Tu n'auras qu'à épouser une Sauvagesse. » Ne s'était-il pas piégé lui-même en venant en Nouvelle-France ? Lui aussi désespérait de pouvoir se marier un jour…

Chapitre 28

La rencontre

Quand il eut fini de réparer la roue au moulin du ruisseau Saint-Denis, Arnaud n'eut pas à attendre longtemps un autre contrat. Sa réputation était désormais bien établie. Le sieur Robert Giffard, seigneur de Beauport, le réquisitionna pour l'érection d'un moulin à eau dans sa seigneurie. Le sieur Giffard était un apothicaire de renom qui travaillait à l'hôpital de Québec et trouvait tout de même le moyen de bien développer sa seigneurie. On le considérait comme un homme de bien et Arnaud en fut témoin quand, le jour du Jeudi saint, il fut convoqué au manoir en compagnie de tous les serviteurs de ce seigneur.

Arnaud avait toujours de la difficulté à se faire aux exigences de la foi catholique. Il pestait entre autres contre le fait qu'il faille jeûner à tout bout de champ. «Nous travaillons dur toute la journée, rouspétait-il, pourquoi faudrait-il s'empêcher de manger ?»

Ce matin du Jeudi saint, madame Giffard, entourée de ses filles, le reçut avec sa bienveillance coutumière.

Elle avait la réputation d'être une sainte femme, toujours préoccupée du bien-être de chacun.

Des chaises avaient été disposées tout autour de la grande salle du manoir. Madame Giffard les invita à y prendre place. Puis, deux de ses filles apportèrent un grand plat d'eau qu'elles déposèrent au pied d'un des serviteurs. Ils furent tous invités à se déchausser. Monsieur Giffard entra et, humblement, pour rappeler le geste de Jésus-Christ envers ses apôtres, il se mit à laver les pieds de chacun de ses serviteurs. Quand son tour arriva, Arnaud dut subir cette épreuve qu'il jugeait humiliante sans laisser paraître le moindre signe d'émotion.

Pendant toute cette cérémonie, il ne quitta pas des yeux les filles du seigneur Giffard, toutes déjà promises à des jeunes hommes de leur qualité. «Aurai-je un jour le bonheur de tenir une jeune femme dans mes bras?», se demanda-t-il en quittant le manoir.

À quelques jours de là, le seigneur Giffard, qui venait fréquemment constater les progrès réalisés dans la construction du moulin, demanda à Arnaud:

—Ne te chargerais-tu pas d'une commission pour moi à Québec?

—Volontiers!

—Tu as du métier. Tu sauras bien me trouver au magasin du roi les outils de charpentier que voici.

Il lui remit une liste qu'Arnaud parcourut des yeux avant de dire:

— Comptez sur moi, je vous rapporterai ce qu'il y a de mieux.

❖

Ce fut avec un vif plaisir que de bon matin, par une journée de printemps d'une douceur peu commune en ce pays de froid, il gagna Québec. Il fit le trajet à pied par le chemin de la Canardière, heureux de pouvoir se libérer quelques heures du travail qui le tenait trop souvent cloîtré.

Il se hâtait vers le magasin du roi. Comme il passait rue Sous-le-Fort, une fenêtre s'entrouvrit au deuxième étage d'une maison bourgeoise et il fut en partie aspergé par le contenu d'un pot de chambre. Du coup lui remonta en mémoire une scène semblable de son enfance. Cette fois, il n'allait pas laisser passer sans rien faire. Il décida d'aller river son clou à l'imbécile qui l'avait arrosé. Il sauta la clôture, fit le tour de la maison, entra par la porte arrière déverrouillée et grimpa à l'étage par l'échelle de secours. Rendu là-haut, il s'immobilisa puis frappa bruyamment à la première porte aperçue. Il n'eut d'abord aucune réponse. Puis, il entendit qu'on venait. L'homme qui ouvrit riait à s'en étouffer. Arnaud l'attrapa par le chignon du cou et il s'apprêtait à lui faire passer un mauvais quart d'heure quand une voix féminine se fit entendre :

— Lâchez-le, vous ne voyez pas qu'il n'a pas toute sa tête ?

Arnaud obtempéra, non sans dire :

— Je m'apprêtais à la lui faire partir.

Sortie de l'ombre, la jeune femme s'était avancée.

— Allons, père, dit-elle, vous vous conduisez comme un enfant.

L'homme, le visage défait, s'en alla tête basse, tel un gamin qui vient d'être grondé. Ce fut à ce moment que la jeune femme, passant dans le rayon de clarté provenant de l'unique fenêtre de la pièce, subjugua Arnaud par sa beauté à couper le souffle.

— Faites excuse, dit-elle. Un jour, il nous fera pendre. Mais suivez-moi qu'au moins je répare en partie les dégâts.

Arnaud ne se fit pas prier. Il espérait vivement pouvoir admirer la belle de plus près. L'apparition de cette demoiselle lui avait fait oublier d'un coup l'incident du pot de chambre. Quand elle le fit pénétrer dans un boudoir, en le priant de lui remettre sa chemise, il s'exécuta en la dévorant des yeux. Elle revint avec une chemise de soie qu'elle lui tendit en disant :

— Mettez-la, le temps que la vôtre, que je fais tremper et ferai sécher, soit prête, et revenez la chercher en fin d'après-midi.

Arnaud, qui ne pouvait plus la quitter des yeux, n'en croyait pas sa chance.

— Puis-je, mademoiselle, avoir l'honneur de connaître votre nom ?

— Agathe Meunier, monsieur, et vous êtes ?

— Arnaud Perré, maître charpentier de moulin.

— C'est donc à vous que nous devons nos bonnes farines ? dit-elle d'un air mi-sérieux, mi-moqueur.

— En partie seulement, car si le moulin peut moudre grâce à mon travail, c'est le meunier qui en tire les bonnes moutures.

Elle se mit à rire. Arnaud sentit fondre son cœur. Se pouvait-il qu'une si belle créature vive dans cette rue où il était passé maintes fois sans qu'il en soupçonnât l'existence ? S'il s'était écouté, il ne l'aurait pas quittée, mais il lui fallait travailler, et déjà cet incident l'avait mis en retard. La regardant droit dans les yeux en laissant bien paraître les sentiments qui l'animaient, il dit :

— Veuillez m'excuser, mademoiselle, mais un travail urgent m'attend. Je repasserai chercher mon bien vers les cinq heures.

— Et vous souperez avec nous. Nous vous devons bien ça.

Arnaud s'apprêtait à refuser cette aimable invitation.

— Tsss ! Tsss ! dit-elle. Je vous vois venir avec vos gros sabots. C'est moi qui invite et je compte sur votre présence à notre table ce soir. Nous aurons l'occasion de faire meilleure connaissance. Vous comprendrez, au contact de mon père, que ce qu'il a fait tout à l'heure n'est pas le résultat d'une méchanceté mais bien d'une étourderie de sa part. Je suis certaine que vous saurez comprendre et pardonner.

Arnaud retourna à Beauport après avoir réservé pour le seigneur Giffard les outils demandés. Il eut l'esprit ailleurs tout le reste de la journée, si bien que le vieux Caddé, son compagnon de travail, finit par perdre patience :

— Tant qu'à tout gâter, va donc te reposer ! lui lança-t-il, à bout de patience.

Arnaud joua les innocents.

— Il y a des jours comme ça. La journée commence sur un mauvais pied, puis retrouve sa bonne voie jusqu'à ce que tout se mette à aller de travers de nouveau.

— Surtout quand on a quelqu'un en tête, remarqua le vieux charpentier d'un air moqueur.

❖

À cinq heures pile, il se trouvait rue Sous-le-Fort et, cette fois, il entra par la porte principale. La jeune hôtesse le reçut avec le même sourire qui, le matin, lui avait enlevé tous ses moyens et qui eut tôt fait de produire sur lui le même effet. De la cuisine venaient des odeurs qui ouvraient l'appétit, mais celui d'Arnaud était déjà comblé par la présence de la jeune femme.

— Père, dit-elle, venez saluer monsieur Perré.

Ce négociant, qui avait autrefois fait fortune, surgit brusquement, les mains pointées comme des griffes et rugissant comme un ours. Il s'arrêta aussi subitement qu'il était apparu et se mit à rire bêtement comme il l'avait fait le matin. Il était évident qu'il n'avait pas toute sa raison.

— N'ayez crainte, s'empressa de dire la jeune femme, sa maladie le pousse à de telles étrangetés. On ne sait vraiment pas ce que l'avenir nous réserve. Il agit de la sorte depuis la mort de ma mère, il y a un an.

— Vous m'en voyez désolé, dit Arnaud sincèrement peiné.

Le négociant s'était assis dans une berçante et se balançait vivement sans se préoccuper d'eux.

— Père, le ramena à l'ordre sa fille, il va vous arriver malheur comme chaque fois que vous exagérez de la sorte.

Il la regarda d'un air perdu et cessa aussitôt son manège.

— Monsicur Perré, dit-elle, nous allons passer à table. Nous aurons plus tard l'occasion de causer, quand la servante s'occupera de mon père et le préparera pour la nuit. Tant qu'il est là, vous verrez, aucune conversation sérieuse n'est possible. Mais avant que je l'oublie, voici votre chemise. Vous pourrez l'enfiler, le temps que j'aille à la cuisine prévenir Madeleine de servir le souper.

Ils mangèrent en silence, car chaque fois qu'ils tentaient de parler, le négociant se mettait à rire bruyamment. Il les épiait et dès que l'un ou l'autre tentait de placer un mot, il reprenait son manège. Quand enfin, après le dessert, ils purent bavarder en tête-à-tête, Arnaud apprit que la jeune femme ne quittait pratiquement pas la maison, occupée à surveiller son père de près afin d'éviter qu'il ne commette une bêtise impardonnable.

— Nous avions de nombreux amis, dit-elle. Il les a tous chassés les uns après les autres par ses facéties. Je ne vois pour ainsi dire personne. Voilà pourquoi votre arrivée ce matin m'est apparue comme un signe du destin. Le fait que vous ayez accepté si gentiment mon invitation à souper est venu renforcer mes convictions. Il faut écouter les voix de la providence. Ce qui nous arrive n'est jamais gratuit. Encore faut-il être assez éveillé pour le reconnaître. J'ose espérer que cette visite de votre part sera suivie par beaucoup d'autres.

Arnaud n'en demandait pas tant. Il était encore sous le choc. Il se pinçait presque afin de s'assurer qu'il était bien éveillé. Il avait devant lui la jeune femme à laquelle il rêvait depuis des années. Et voilà qu'elle l'invitait tout simplement et sans condition à revenir.

— Loin de moi l'idée de m'imposer, mademoiselle, mais puisque vous m'offrez si cordialement de profiter de nouveau de votre compagnie, je ne manquerai certes pas de le faire.

— Est-ce que samedi vous conviendrait?

— Chaque soir que vous le souhaiterez. Je vous avouerai sans détour que votre présence m'est plus qu'agréable et je dirai comme vous que le destin fait parfois vraiment bien les choses. Pour moi, ce jour est à marquer d'une pierre blanche.

Sa remarque la fit sourire, ce qui augmenta son trouble. En quittant cette maison, il se sentit envahi d'un bonheur comme il n'en avait pas connu depuis son enfance.

Chapitre 29

Fréquentations et mariage

Le samedi suivant, il arriva chez elle en lui apportant une sculpture qu'il avait jadis réalisée dans un cep de vigne. Elle représentait une jeune fille, panier sous le bras, occupée à cueillir des raisins. Tout au long des années, il l'avait précieusement conservée dans son coffre avec l'idée de l'offrir à celle avec qui il ferait sa vie. Quand il la lui remit, il vit se peindre une très vive émotion sur le visage de la jeune femme, qui semblait saisir toute la signification de son geste.

— Cette sculpture me suit, dit-il, depuis la première année où, simple compagnon charpentier, j'ai fait mon Tour de France. J'étais en Anjou. En apercevant ce cep qu'on venait de couper, je m'en suis emparé. J'y voyais déjà la forme que j'allais lui donner.

Elle s'approcha de lui et, soutenant son regard, dit:

— À partir de tout de suite, appelle-moi Agathe.

— J'ai hâte, murmura-t-il, d'entendre ta belle voix me dire Arnaud.

Ils sursautèrent tous les deux. Le négociant venait d'apparaître au milieu du hall, portant sur la tête un chapeau à plumes et dans la main une canne qu'il tenait comme une épée avec laquelle il combattait un ennemi invisible.

— Par les grands et les petits saints, je vous aurai, mes pourceaux, aussi vrai que saint Georges a vaincu le dragon !

Il allait s'en prendre à une potiche quand Agathe lui dit d'une voix douce :

— Allons, père, vous avez si bien combattu que vos ennemis ont tous pris la fuite.

— Tu en es sûre ? Pourtant je croyais…

Il enleva son chapeau et repartit par où il était venu.

— Ne t'offusque surtout pas, Arnaud, de ses malencontreuses interruptions. Songe plutôt qu'il est à l'origine de notre rencontre.

Elle ne manqua pas d'apercevoir la lueur de plaisir dans les yeux d'Arnaud.

❖

La vie du charpentier avait été toute bouleversée par cette rencontre inespérée. Le seigneur Giffard ne manqua pas de s'en rendre compte.

— Que t'arrive-t-il, mon charpentier ? Il me semble te voir moins attentif à ton travail.

Arnaud ne fit pas de détour pour lui avouer la vérité :

— Il y a quelqu'un dans ma vie.

— Vraiment ? Dans ce cas, je peux te pardonner tes distractions. J'avais bien remarqué que Québec t'attirait de plus en plus. J'aurais dû y penser. Il n'y a pas que la foi qui transporte les montagnes, l'amour en fait bien autant.

❖

Trois mois après cette rencontre, au moment où Arnaud terminait ses travaux au moulin du sieur Giffard, Agathe et lui décidèrent de se marier. Arnaud choisit comme témoins le seigneur Giffard et le sieur Noël Juchereau des Châtelets. Puisque Agathe ne tenait pas à ce que la cérémonie se tienne à Québec, ils demandèrent au sieur Giffard si le mariage pouvait avoir lieu dans son manoir de Beauport. Le seigneur accepta avec un vif plaisir.

Mais avant la noce, ils se devaient de passer un contrat de mariage devant notaire. Pourquoi un contrat de mariage ? Tout le monde le leur avait conseillé.

— Ce contrat, leur assura le sieur des Châtelets, tient lieu de testament. Vous savez sans doute qu'il n'y a ici que les célibataires qui peuvent faire un testament.

— Vraiment ? s'étonna Arnaud.

— Absolument ! De toute façon, tu n'auras pas à en faire, ton contrat de mariage assure ta succession.

— À quoi m'oblige-t-il ?

— Ah ! Tu n'auras qu'à le demander au notaire.

Ils se présentèrent quelques jours plus tard chez maître Guillaume Audouart. Arnaud était toujours impressionné de se retrouver dans l'étude d'un notaire. Il y avait partout des piles de documents, sur son bureau, sur toutes les chaises et dans tous les recoins de la pièce. Le notaire releva son nez du contrat qu'il rédigeait et les invita à s'asseoir :

— Prenez place, j'en ai juste pour un petit moment, histoire de ne pas perdre le fil de mes idées.

Mais où prendre place ? Il n'y avait pas une seule chaise épargnée par les liasses de papier et Arnaud n'osait pas en libérer une. Au bout d'une minute, le notaire déposa ses lunettes sur son secrétaire. Il s'avisa alors qu'Arnaud et Agathe étaient toujours debout.

— Pardonnez le désordre ! Pardonnez ! dit-il en débarrassant deux chaises de leur chargement. Je suis à revoir tous les contrats passés depuis l'arrivée de Samuel de Champlain en ce pays, et Dieu seul sait à quel point il était temps de mettre de l'ordre dans toute cette paperasse. Quel bon vent vous amène ?

— Nous désirons contracter mariage.

— Ah, misérables ! dit-il, le plus sérieusement du monde. Vous allez faire la pire erreur de votre vie.

Devant l'air ahuri d'Arnaud et d'Agathe, il se mit à rire d'un gros rire qui le secouait comme un pommier dont on veut faire tomber les fruits. Pour se faire pardonner, il ajouta :

— Vous aurez compris, mes amis, que je suis bien heureux pour vous. Allons, je divague parfois comme ça, ce qui me permet de revenir sur terre après des heures dans les concessions, les obligations, les quittances et les marchés. Eh bien ! Vous désirez vous marier ? Vous faites bien. Dans un pays comme celui-ci, il ne fait pas bon d'être seul, car on ne sait que faire des bêtises.

Arnaud n'avait pu placer un mot. Il risqua :

— Nous comptons sur vous pour le contrat de mariage.

— Contrat de mariage, contrat de mariage…

Le notaire répétait la même phrase tout en cherchant parmi les liasses. Il finit par mettre la main sur un grand feuillet parcheminé dont il lut l'intitulé.

— Voilà, c'est bien ça.

Il s'assit à son secrétaire, saisit une plume d'oie, la trempa dans un encrier d'argent devant lui et demanda :

— Vos noms et qualités ?

Arnaud parla le premier :

— Arnaud Perré, maître charpentier de moulin.

Comme s'il revenait sur terre, le notaire dit :

— Arnaud Perré ? Mais je vous connais, jeune homme ! N'avez-vous pas, il y a déjà un an ou deux, contracté devant moi pour un moulin ?

— En effet, pour le moulin des jésuites.

— Ah voilà ! Et vous êtes le fils de qui ?

— D'Arnaud Perré.

— Ah, ça ! Vous portez le même prénom que votre père. Et votre mère se nomme ?

— Se nommait, reprit Arnaud, Rachel Madry. Mes parents sont tous les deux morts.

— Donc fils majeur de défunt et défunte… Vous êtes bien majeur ? Vous avez plus de vingt-cinq ans ?

Arnaud acquiesça.

— Fils majeur de défunt Arnaud Perré et de défunte Rachel Madry. De quel endroit ?

— De Marennes.

— De Marennes, répéta le notaire. Marennes, c'est bien en Saintonge ?

— En effet !

« De Marennes en Saintonge », inscrivit le notaire.

— Et vous, mademoiselle ? Vous êtes… ?

— Agathe Meunier, fille mineure de Charles Meunier et de feue Jeanne Bibaud.

— De quel endroit ?

— D'Angers.

Le notaire s'appliqua à écrire les renseignements communiqués par Agathe.

— Et voilà, dit-il, le contrat de mariage est prêt. Il ne restera plus qu'à y ajouter les noms de vos invités et des témoins, et le tour sera joué.

Intrigué, Arnaud demanda :

— Comment ce contrat peut-il être prêt ?

— Ils sont tous faits pareils. Je les rédige d'avance en laissant les blancs pour inscrire les noms des futurs et ceux de leurs invités.

— Ça ne nous dit pas ce qu'il y a dedans.

— Dedans ? Ah ! Fort bien, je vous explique vos obligations en deux mots. C'est tout simple : il y a la dot, le douaire et le préciput. La dot, vous le savez, est ce qu'apporte la future au mariage. Mademoiselle, vous avez bien une dot ?

— Je suis fille unique et j'apporte en dot tout ce que j'ai, de même que la maison de mon père dont je suis l'unique héritière.

— Eh bien ! Pour une dot, c'est une belle dot ! J'inscrirai le tout au contrat, voyez : juste là où j'ai laissé des blancs, montra-t-il sur le parchemin qu'il avait en main. Quant au douaire, c'est ce que le futur donne en priorité à sa future.

S'adressant à Arnaud, il demanda :

— Vous vous contenterez du douaire habituel, je présume ?

— Qui est de ?

— Trois cents livres.

— Ça me va, dit Arnaud.

— Ces trois cents livres seront prises en priorité sur vos biens par votre veuve si vous mourez avant elle, vous comprenez ?

— Fort bien. Et le préciput ?

— Le préciput ? Attendez un moment !

Dans les espaces laissés en blanc à cet effet, le notaire inscrivit tout de suite trois cents livres.

— Le préciput, expliqua-t-il, c'est la part qui vous reviendra à vous advenant que votre épouse meure avant vous, ou bien à elle si vous mourez le premier.

C'est une somme à prendre en priorité sur les biens avant inventaire. Vous désirez un préciput de… ?

Arnaud consulta Agathe.

— Trois cents, ça te va ?

Elle acquiesça.

— De la même valeur que le douaire, dit Arnaud.

— Une valeur de trois cents livres à prendre sur le plus clair des biens avant partage, dit le notaire. Vous avez bien compris ?

— Nous comprenons, dit Arnaud.

— Eh bien alors, ce sera tout, ajouta le notaire. Il faudra m'aviser quand et où vous désirez réunir vos invités pour finaliser le contrat.

— Nous vous le ferons savoir bientôt, promit Arnaud, dans un jour ou deux.

Deux jours plus tard, en présence du seigneur Robert Giffard, de Noël Juchereau des Châtelets, de Zacharie Cloutier, Jean Guyon, Noël Langlois, François Bélanger et quelques autres habitants de Beauport, Arnaud et Agathe signaient leur contrat de mariage au manoir du seigneur Giffard.

Une semaine passa et l'abbé Jean Lesueur, missionnaire des côtes de Beauport et de Beaupré, présida au mariage dans la chapelle du manoir en présence du seigneur Giffard et de sa famille, de Noël Juchereau, sieur des Châtelets, et de nombreux habitants de la côte de Beauport, dont ceux qui étaient présents au contrat de mariage, ainsi que les amis d'Arnaud : Guillaume Letang et Jacques Bruneau. La célébration fut suivie d'un repas de noces copieux pendant lequel, à la demande générale, Bruneau y alla de ce poème improvisé qui les enchanta et les mit tous en joie :

À l'ami Arnaud, de son métier
De moulins maître charpentier,
Et à celle qu'il appelle sa mie,
Je souhaite sans compromis
Que sous leur toit se trouvent,
Sans que pour autant ils les couvent,
Des enfants sages, souhait étrange,
Aussi beaux que des anges.
Et si jamais, pour une raison
Qui échappe à l'imagination,
Maître Arnaud ne peut les faire,
Qu'il sache que pour lui plaire,
Et je le lui dis bien en face,
Je m'offre, s'il n'est pas jaloux,
Il me semble que ça me serait doux,
De les faire bonnement à sa place.

Chapitre 30

Un autre moulin

Arnaud avait mal dormi une bonne partie de la nuit, puis un sommeil lourd l'avait saisi. Il se réveilla en sursaut alors que le soleil entrant par la fenêtre lui caressait les pieds. À ses côtés, Agathe dormait toujours, les mains posées sur son ventre. «Ma foi, pensa Arnaud, il me semble qu'elle grossit... Serait-elle en famille ?»

Comme si Agathe lisait dans ses pensées, elle dit en même temps qu'elle entrouvrait les yeux:

—J'ai bien hâte de porter un enfant de toi. Pourvu que je le mène à bon terme.

— Tais-toi, ma mie, la reprit Arnaud. Dire ce que tu dis là porte malheur.

Ils étaient à peine levés qu'on cognait à la porte. Arnaud ouvrit. Il crut reconnaître l'homme qui se tenait devant lui, mais après l'avoir examiné de nouveau, il se rendit compte qu'il le voyait pour la première fois.

— C'est étonnant, dit-il. En vous apercevant, j'ai cru vous connaître, mais je me trompais.

— Quand tu sauras mon nom, dit l'arrivant, tu feras le lien. Je suis Jean Juchereau de Maure, le frère de Noël que tu connais bien pour avoir réparé son moulin. C'est lui qui m'a dit où tu crèches. Je viens d'arriver en ce pays. De l'autre côté du Cap-Rouge, sur les terres de ma seigneurie de Maure, je me fais construire un manoir et aussi, pour moi et mes censitaires, un moulin à eau.

— Je vois, dit Arnaud. Vous comptez sans doute sur moi pour vous le faire ? Vous tombez en bon temps puisque je n'ai point d'autre contrat pour l'instant.

— Dans ce cas, jeune homme, nous nous rencontrerons à midi à ma seigneurie.

— Entendu, dit Arnaud, j'y serai.

Le sieur Juchereau le salua d'un coup de chapeau.

— Mes hommages à votre épouse, ajouta-t-il en sortant.

— Eh bien ! Tu as entendu ? s'écria Arnaud.

Agathe se montra.

— Le ciel nous gâte, dit-elle. Un autre contrat, n'est-ce pas ce que tu espérais le plus ?

❖

Arnaud ne tarda pas à se mettre en route. En se rendant pour la première fois en ce lieu superbe, il apprit de la bouche même du notaire Badeau, venu spécialement rédiger le contrat de construction du moulin, que non loin du Cap-Rouge se trouvait un endroit célèbre.

— Pourquoi donc ? s'enquit-il.

— Parce que c'est précisément là, il y a maintenant plus de cent ans, que messire Jacques Cartier, comme il le raconte dans ses voyages, a passé l'hiver 1535. Il a bien failli d'ailleurs y laisser sa peau, comme plus de la moitié de son équipage décimé par le scorbut. S'il s'en est tiré, c'est sans doute en partie parce qu'il avait fait le vœu, s'il revoyait la France, de faire un pèlerinage à la Vierge noire de Rocamadour, mais surtout, je le crois bien, parce que les Sauvages lui enseignèrent un remède contre la maladie dont il était atteint.

— Vraiment ? fit Arnaud, étonné. Il y avait déjà des Français ici il y a cent ans ?

— Et qui, sans la maladie, auraient bien pu y établir une colonie. Il ne faut pas oublier que le sieur de Roberval y est presque parvenu.

Ce fut donc non loin de là, sur les bords de la rivière aux Roches, qu'Arnaud passa les mois suivants, occupé à ériger un des plus beaux moulins à farine actionné par l'eau jamais vu sur les bords du Saint-Laurent. Tout au cours de ce travail, il demeurait sur place pendant qu'Agathe, sa jeune épouse, continuait à s'occuper courageusement de son père à Québec. Arnaud passait avec elle ses samedis soirs et ses dimanches.

❖

Un jour d'octobre, alors qu'il allait examiner la grande roue avant de la mettre en marche, il vit au loin, à la surface de l'eau, une tache blanche où la retenue rejetait son eau par la dalle menant à la grande roue. Le débit de l'eau était faible.

— Quelque chose obstrue la dalle ! cria-t-il à Jean Jeannot, son apprenti. Irais-tu voir ?

— J'y cours, maître !

Deux minutes plus tard, son apprenti revenait, blême comme la mort.

— Qu'y a-t-il ? Tu me sembles effrayé.

— C'est que... bégaya-t-il, il y a ...

Trop ému par ce qu'il venait de voir, il ne put rien expliquer. Arnaud alla se rendre compte lui-même. Le goulot de la dalle était bouché par le corps d'une femme dont les longs cheveux flottaient au gré du courant. Sur le visage de la morte se lisait encore une terreur extrême. Arnaud revint au moulin. Il se munit d'un cordage dont il entoura le corps de la noyée, qu'il attacha à un des poteaux de la dalle. S'en retournant au moulin, il envoya son apprenti chercher le sieur Juchereau.

Informé du drame, le seigneur réagit rapidement. Il expédia Guillaume Boivin, un de ses serviteurs, quérir le praticien à Québec et faire prévenir le gouverneur. Lui-même se rendit au moulin en compagnie de son serviteur Louis Martin. Tous deux, aidés d'Arnaud, retirèrent de l'eau le corps de la noyée et le déposèrent sur la berge.

— Qui est-ce ? demanda le seigneur.

— Une inconnue pour moi, fit Arnaud.

— Pour moi itou, assura le serviteur.

— Ce n'est pas la marée qui aura porté le corps jusqu'ici, assura le sieur Juchereau, sinon il ne se serait pas trouvé de ce côté de la retenue. Le corps est arrivé par la rivière. Il y a quelqu'un qui habite au-delà ?

— Il faut que ce soit quelqu'un de par en haut, du côté de Québec, assura le serviteur. Personne n'habite en amont de la rivière.

Quelques heures plus tard, Guillaume Boivin revenait de Québec, accompagné du docteur Delisle. Ce dernier examina aussitôt la noyée et rédigea un rapport dont la teneur était la suivante :

Moi, Augustin Delisle, chirurgien en ce pays de Nouvelle-France, ayant été appelé au-delà du Cap-Rouge, afin de visiter le corps d'une femme de près de trente ans, trouvée noyée à la retenue du moulin de la seigneurie de l'endroit, après avoir dûment visité le corps, il m'est apparu qu'en raison d'ecchymoses majeures au cou, elle ne serait pas morte noyée, mais bien étranglée après avoir été battue comme en témoignent de multiples bleus, tant sur les bras, le dos que les jambes, et violée si tant est qu'elle eût encore gardé ses fleurs jusque-là.

Voyant qu'il s'agit là du fruit d'un crime, j'ai donné ordre que le corps soit porté incontinent à Québec pour être examiné le cas échéant par un autre chirurgien et remis en main du gouverneur afin de procéder en cette affaire.

Fait, ce 21 août de l'an de grâce 1643, à la seigneurie de Maure, en présence de messire Jean Juchereau de Maure, seigneur de ce lieu, et d'Arnaud Perré, maître charpentier de moulin, qui ont signé avec moi lecture faite comme à ce enquis suivant l'ordonnance.

Jean Juchereau de Maure *Arnaud Perré*
Augustin Delisle, chirurgien

Chapitre 31

Crime et châtiment

Le gouverneur ne tarda pas à faire enquête, par l'intermédiaire du procureur, le sieur De Bellefeuille. Comme il arrive souvent, ce dernier n'avait guère la faveur des gens, comme tous ceux qui ont autorité et peuvent mettre le nez dans leurs affaires. Mais ce crime odieux secouait profondément le peuple et la nouvelle s'en répandit comme une traînée de poudre. Cependant, personne ne semblait connaître la défunte.

Désireux de repasser les moindres détails de l'affaire, le procureur fit venir Arnaud et le sieur Juchereau pour qu'ils expliquent de nouveau toutes les circonstances entourant la découverte du corps de la jeune femme. L'enquête piétinait et le procureur désespérait de faire la lumière sur ce crime, quand, en compagnie d'Arnaud, le seigneur Juchereau revint le trouver et dit :

— Un homme, surnommé Le Puant, et qui porte fort bien son nom parce qu'il empeste vraiment, s'est arrêté à la seigneurie à midi en compagnie d'un dénommé Le Pelé. Je leur ai demandé ce qui les amenait. Ils ont répondu qu'ils étaient mandatés par le gouverneur pour chercher des emplacements où il y aurait des minéraux le long du fleuve.

Le procureur dit aussitôt :

— C'est bien la première fois que j'entends parler d'un pareil mandat.

— Ils m'ont demandé si nous avions trouvé des minéraux sur ma seigneurie. Comme je leur disais que non, ils ont insisté pour en chercher le long de la grève. Je les ai autorisés à le faire. C'est alors qu'Arnaud, que voici, m'est venu voir au manoir.

— Et pourquoi donc ?

Arnaud intervint :

— Parce qu'hier, au lendemain de la découverte du corps de la femme, j'ai trouvé ceci dans l'herbe, non loin de la retenue du moulin, et je me suis dit : si ce couteau appartient au meurtrier, il y a de fortes chances qu'il revienne pour tenter de le retrouver.

Arnaud déposa le couteau sur le bureau du procureur, qui l'examina aussitôt et dit :

— Vous avez remarqué les lettres LP gravées sur le manche ?

Le sieur Juchereau enchaîna :

— Voilà précisément ce qui nous amène : « LP » pour Le Puant ou pour Le Pelé. Ce couteau appartient à l'un des deux. Voilà pourquoi ils ont insisté pour faire des recherches sur la grève et autour du moulin.

— Il faut mettre le grappin au plus tôt sur ces hommes, dit le procureur. Je vais compter sur vous pour m'aider à les identifier.

Peu de temps après la visite d'Arnaud et du seigneur Juchereau, un homme prétendant s'appeler Gilles Lebon se présenta chez le procureur pour déclarer qu'il avait souvenance d'avoir vu la noyée quelques mois auparavant quitter Québec pour les Trois-Rivières.

C'était un bon début et le procureur, mené par deux avironneurs, partit aussitôt en canot avec idée d'enquêter aux Trois-Rivières. Il eut cependant la bonne idée de faire halte en route à la seigneurie du sieur de Maure afin de se faire mieux décrire les hommes qui s'y étaient arrêtés. Devant le portrait qu'en dressèrent Arnaud et le seigneur Juchereau, le procureur en déduisit que ce prétendu Gilles Lebon n'était autre que le nommé Le Puant. Il retourna à Québec en compagnie de ses deux informateurs pour qu'ils tentent éventuellement de le retrouver.

Le Puant, de son vrai nom Jean Baron, avait sciemment expédié le procureur aux Trois-Rivières pour mieux prendre le large avec son complice. Le soir même, Arnaud, qui se trouvait sur le quai en face de Québec, vit deux hommes monter dans un canot à la brunante. Il crut reconnaître en l'un d'eux Le Puant. Au même moment, un homme, qui dit à Arnaud s'appeler Julien Plante, échouait son canot sur la rive. Arnaud l'informa aussitôt de ce qui se tramait.

Il réussit à le convaincre de se mettre avec lui en chasse des fugitifs. Sans perdre de temps, ils remirent l'embarcation à l'eau et, se laissant porter par la marée dans la direction qu'avaient prise les deux hommes, ils ramèrent avec force. La lueur de la lune aidant, ils ne mirent guère de temps à les rejoindre, puis, s'en éloignant suffisamment pour éviter qu'Arnaud soit reconnu, ils les dépassèrent et Julien Plante leur lança au passage :

— Belle soirée pour voyager !

Il n'eut pour toute réponse qu'un grognement, mais il ajouta aussitôt afin d'endormir leur méfiance :

— Bon voyage et bonne pêche !

Ils se hâtèrent d'atteindre la côte de Beauport en présumant que les deux hommes la longeraient s'ils désiraient s'éloigner au plus tôt de Québec. S'arrêtant au manoir du seigneur Giffard, ils lui firent part de leurs soupçons. Dans un deuxième canot, le seigneur expédia aussitôt avec Arnaud et Julien deux de ses serviteurs bien armés, leur donnant ordre d'arrêter les fuyards.

— S'ils ont la conscience tranquille, affirma le maître apothicaire, ils ne résisteront pas et nous n'aurons qu'à nous excuser de les avoir soupçonnés, sinon ils devront rendre compte de leurs actes.

Arrêtés au bout du fusil, puis reconduits à Québec en pleine nuit, les deux hommes protestèrent de leur innocence. Le lendemain, le procureur les interrogea séparément avec toute l'habileté qu'on lui connaissait. Il n'eut guère de difficultés à les amener à se contredire. Il mit Le Puant dans l'embarras en lui disant :

— Jeanne Dubois, ça te dit quelque chose ?

— Que non !

— Tu m'as pourtant dit la connaître, il y a deux jours à peine.

— Vous parlez de la noyée ?

— Tiens, la mémoire te revient ?

— Si c'est d'elle, il s'agit de la Marie Bois.

— Eh bien ! D'où tiens-tu ce nom ?

— Sur le vaisseau, en venant ici, c'est ainsi qu'on l'appelait.

— Elle s'est en allée aux Trois-Rivières ?

— Oui !

— Comment expliques-tu qu'on l'ait retrouvée morte à la seigneurie de Maure ?

— Je ne sais.

— Moi je sais. Tu l'as enlevée avec Le Pelé, il y a quelques jours à peine.

— C'est faux !

— Que faisais-tu alors aux Trois-Rivières ?

— J'ai jamais mis les pieds là.

— Ce n'est pourtant pas ce que Le Pelé m'a dit.

— Il ment.

— Pourquoi m'as-tu révélé qu'elle venait des Trois-Rivières ?

— Je savais qu'elle y était.

— Ah, bon ! Tu savais qu'elle y était et tu n'y as jamais mis les pieds. Comment pouvais-tu être si certain qu'elle s'y trouvait ?

— Euh ! Parce que…

— Parce que quoi ?

— ...

— Ton silence devient de plus en plus éloquent. Inutile de nier. Je sais que tu l'as enlevée en compagnie de Le Pelé. Il a tout avoué.

Anéanti, Le Puant ne répondit plus à aucune question du procureur.

— C'est bon, dit ce dernier, nous trouverons bien le moyen de te faire avouer, que ce soit par la question ou autrement...

Le procureur avait berné Le Puant puisqu'il n'avait pas encore rencontré Le Pelé. Il procéda de la même manière avec ce dernier, qui était un homme rustre, habile de ses mains, mais pas trop éveillé.

— N'es-tu pas des Trois-Rivières ?

— J'en suis !

— Comment se fait-il que tu filais de nuit vers le bas du fleuve ?

— J'allais à la pêche.

— Avec Le Puant ?

— Avec lui.

— Où l'as-tu rencontré ?

— À Québec.

— Ne serait-ce pas plutôt lui qui t'a rencontré aux Trois-Rivières ?

— Aux Trois-Rivières ?

— Où vous avez enlevé la servante Jeanne Dubois. Que faisait-elle avec vous ?

— Rien, je ne la connais.

— Ce n'est pourtant pas ce que m'a raconté Le Puant.

— Il ment.

— Tout comme toi d'ailleurs, puisque vous avez enlevé la Dubois, vous l'avez violée et étranglée.

— Lui peut-être, pas moi.

Le procureur ne manqua pas de tirer à lui l'hameçon qu'il venait de lancer.

— Comment as-tu appris qu'il aurait violé et étranglé la Dubois ?

— Je ne le sais. Vous le dites, pas moi.

— Pourquoi alors en accuses-tu Le Puant si tu n'es au courant de rien ?

La réponse de Le Pelé mit du temps à venir. Il cherchait un moyen de se tirer de ce mauvais pas.

— Je n'ai pas dit qu'il avait violé et étranglé.

— Non, mais tu prétends que ce serait lui qui l'a fait et pas toi, parce que tu étais son complice quand c'est arrivé. Lequel de vous deux l'a étranglée ?

Le Pelé se mordit les lèvres un long moment avant de répondre faiblement.

— Lui.

Le procureur en avait assez entendu. Il les accusa formellement du meurtre de Jeanne Dubois. Comme ils avaient droit à un procès, dès le lendemain, ils comparurent. Ne pouvant présenter de témoins, le procureur décida, afin de les faire avouer leur crime publiquement, de les faire passer à la question. Ce fut alors seulement qu'il se souvint que la colonie ne comptait pas de bourreau dans sa population.

❖

Arnaud profita de son séjour à Québec pour passer du temps avec Agathe.

— Sais-tu, dit Arnaud, ce que j'ai lu, bien affiché sur la porte de l'église?

— Quoi donc?

— Le procureur cherche un homme qui accepterait de devenir bourreau. Il a même demandé au geôlier s'il ne voulait pas tenir ce rôle.

— Le geôlier n'a sans doute pas voulu?

— Il s'est indigné et a dit au procureur: "Pour qui me prenez-vous? Jamais je ne me transformerai en bourreau. Qui est assez pleutre pour se charger de passer les autres à la question et de les exécuter?" Le procureur, paraît-il, l'a regardé d'un air indigné. "Détrompe-toi, lui a-t-il dit, il faut au contraire avoir du courage pour le faire." Tu ne sais pas ce que le geôlier lui a répliqué? "Dans ce cas, pourquoi ne le faites-vous pas vous-même?" Le procureur était furieux, mais pour ne rien précipiter et se donner une chance de contraindre les accusés à avouer, il a envoyé un messager qui, tambour battant, annonçait que le procureur cherchait un homme prêt à remplir la charge de bourreau. J'ai entendu ce que disait le tambour.

— Que disait-il?

—“Oyez ! Oyez ! Brave gens. Notre procureur est à la recherche d’un homme prêt à remplir l’office indispensable de bourreau avec tous les avantages rattachés à la charge : point d’impôt, le droit de toucher les hardes qui se portent sous la ceinture et d’autres biens des condamnés, quatre livres pour donner la question et fustiger, trois livres pour obtenir amende honorable, autant pour percer la langue des médisants ou couper le poing des voleurs, pas moins de huit livres pour pendre ou brûler et vingt-cinq livres bien sonnées pour rompre un criminel, sans compter un droit de saisie sur tous les cochons errants.”

—Remplir cette tâche, dit Agathe, procure plusieurs avantages…

—C’est pour ça, ajouta Arnaud, que j’ai décidé de devenir bourreau.

À ces mots, Agathe pâlit et faillit s’évanouir. Arnaud se précipita et la retint dans ses bras. Il s’empressa aussitôt de lui dire :

—Voyons, ma mie, je disais ça en taquinerie. Je doute fort que malgré ses avantages, quelqu’un accepte de remplir ce rôle. C’est une tâche si sordide.

Agathe reprit peu à peu ses couleurs. Arnaud avait raison, car, au bout de deux jours, personne ne s’était présenté. Se sentant complètement démuni et ne voulant pas être contraint de relâcher les accusés, le procureur les avisa qu’ils seraient condamnés aux galères à vie. Peu de temps après, Le Pelé demanda à parler au procureur. Il lui dit :

— Messire, plaise à votre seigneurie que je sois le bourreau.

Quelque peu pris au dépourvu, le procureur demanda l'avis du gouverneur qui, sans hésiter, répondit :

— Si cet homme, peu importe le crime qu'il a commis, veut devenir l'exécuteur de la justice, pourquoi l'en empêcherions-nous ?

Dès le lendemain, après s'être longuement fait expliquer comment s'appliquaient la question et les brodequins, Le Pelé se chargea de faire subir le supplice à son comparse Le Puant, qui finit par avouer s'être bel et bien rendu aux Trois-Rivières afin d'enlever Jeanne Dubois dont il voulait faire sa femme. Le procureur voulut en savoir plus long. Maintenant qu'il était devenu le bourreau, Le Pelé était assuré de n'être pas poursuivi. Il raconta qu'ils avaient emmené Jeanne Dubois à Québec en canot. En route, ils s'étaient arrêtés près de la seigneurie de Maure pour passer la nuit. La femme s'étant mise à hurler, Le Puant l'avait fait taire en lui couvrant la bouche et lui serrant le cou si fortement qu'elle en était morte. Il s'était alors jeté sur elle pour la prendre pendant qu'elle était encore chaude.

En entendant de tels aveux, le procureur indigné, qui agissait également comme juge, déclara :

— Le crime commis par cet homme est si abominable que je le condamne à être roué pour être ensuite exposé trois jours à la roue sur la place publique.

Il fallut expliquer en long et en large à Le Pelé, le nouveau bourreau, en quoi consistait la peine de la roue.

— Tu dois d'abord faire dresser sur la place du marché un échafaud sur lequel tu attacheras à plat une croix de Saint-André. Tu sais au moins ce qu'est une croix de Saint-André ?

— Non pas !

— Qu'à cela ne tienne, le charpentier préparera l'échafaud et la croix de Saint-André sur laquelle il fera les entailles nécessaires et appropriées où tu attacheras les bras et les jambes de ton… du meurtrier. Tu me suis ?

— Oui-da !

— Une fois qu'il sera bien attaché, tu prendras une barre de fer et en onze coups, pas un de plus, pas un de moins, deux coups à chaque bras et à chaque jambe et trois coups à la poitrine, tu lui casseras les membres. Ainsi rompu, tu le porteras et l'attacheras à une roue de charrette préparée à cette fin, de la manière suivante : les jambes passées entre les barreaux de telle sorte que tu puisses attacher ses talons derrière sa tête. Tu prendras soin de le bien lier aux jantes de la roue et tu le laisseras exposé ainsi pendant trois jours, la face vers le ciel à la vue de tous les passants. Si tu mènes tout cela à bonne fin, tu auras droit à trente livres, sans compter vingt de plus pour l'échafaud et la roue, qui te resteront pour d'autres exécutions.

Comme la majorité des gens de la ville, Arnaud eut la curiosité d'assister à l'exécution. Agathe ne sortit pas de la maison. Arnaud se borna à lui mentionner avoir entendu dire que Le Puant avait eu ce qu'il méritait.

Chapitre 32

Épreuves et espérances

Au temps des fêtes, Agathe lui apprit la nouvelle qu'ils espéraient depuis si longtemps : elle attendait un enfant. Il en fut si heureux qu'il se mit tout de suite à fabriquer avec grand soin le plus beau ber qu'on pût imaginer.

— Vous en voulez, de la belle ouvrage ? promit-il. Vous en aurez.

Les quatre coins du ber s'ornaient d'une quenouille torsadée et les côtés, comme les deux bouts, étaient couverts d'une splendide rosace de merisier en bois naturel lustré à la cire d'abeille.

Quand Agathe arriva au terme de sa grossesse, le travail d'Arnaud à la seigneurie de Maure tirait à sa fin. Mandée à la maison, la sage-femme constata non sans peine que la délivrance ne se faisait pas bien. Après des heures de travail, la jeune femme expulsa un enfant mort-né. Cette épreuve, Arnaud et Agathe la subirent douloureusement.

— La providence, dit-il, n'a pas voulu que survive ce fils que nous aurions certainement chéri. Nous n'aurons pas d'autres choix que de recommencer.

Agathe, qui reprenait peu à peu ses forces, était du même avis.

— Souhaitons, dit-elle, que cette fois la chance soit de notre côté.

Peu de temps après la perte de son enfant, la jeune mère eut à subir une autre dure épreuve en trouvant son père pendu dans sa chambre. Ce fut pour elle un très grand choc, mais également, en un sens, une délivrance. Tout Québec fut commotionné par l'annonce de la nouvelle. Le curé refusa d'enterrer en sol chrétien un homme qui s'était enlevé la vie. On eut beau lui répéter que, depuis deux ans, ce pauvre homme n'avait plus toute sa raison, rien n'y fit.

De leur côté, les autorités civiles intervinrent pour rappeler qu'il était défendu par la loi de commettre un crime contre soi-même. Ils firent mettre des scellés à la porte de la maison du défunt avec l'intention, le lendemain, en guise d'exemple, de traîner le corps sur des claies à travers les rues de Québec

Indigné d'apprendre ce qui se tramait au sujet de son beau-père, sans perdre de temps, Arnaud alla informer ceux qui, lui semblait-il, seraient le mieux en mesure d'intervenir en sa faveur. Il alla trouver à Beauport le seigneur Giffard. Ce dernier s'était pris d'affection pour Arnaud et Agathe depuis leur mariage à son manoir et il se montra aussitôt ouvert à l'idée de leur venir en aide.

Tôt le lendemain, accompagné des deux frères Juchereau et de l'abbé Lesueur, le seigneur Giffard se présenta chez le gouverneur, qui fut si ébranlé par les arguments de son interlocuteur qu'il accepta son offre de faire inhumer le corps au cimetière de Beauport. L'abbé Lesueur accepta de bénir la dépouille.

Courageusement, Agathe surmonta cette nouvelle épreuve et se montra heureuse d'apprendre de la bouche d'Arnaud qu'il venait de se voir concéder une terre au bord de la rivière Cap-Rouge.

—J'y ferai construire une maison, promit Arnaud, et nous irons nous y reposer en fuyant l'air étouffant de la ville lors des plus fortes chaleurs de l'été.

—Ton travail ne pourra jamais te permettre de faire valoir cette terre, fit judicieusement remarquer Agathe.

—Non pas, mais je la louerai à mon voisin qui saura bien en tirer le meilleur parti.

—Qui est ce voisin dont tu parles ? Je le connais ?

—Je ne crois pas. Il s'agit d'André Durand. Il est venu de France avec femme et enfants. Son aîné agit comme passeur de la rivière Cap-Rouge. Sa terre porte déjà des fruits. Il a plusieurs bouches à nourrir et il s'est dit intéressé à faire valoir notre bien. Je la lui louerai contre les minots de blé qui nous vaudront la farine et le pain d'une année. J'achèterai une vache qui vêlera. Nous aurons droit à la moitié des escrois.

— Que veux-tu dire par “la moitié des escrois” ? C’est bien la première fois que j’entends ce mot.

— La moitié des escrois, ma mie, signifie la moitié des excroissances ou des fruits. Dans le cas d’une vache, la moitié de tout le lait qu’elle donnera et des veaux qui naîtront d’elle sera à nous.

❖

À quelques jours de là, le père Vimont se pointa chez Arnaud.

— Je ne serai pas long, dit-il. Ta réputation dépasse déjà les frontières de notre ville. Je suis là pour te transmettre une demande que monsieur de Maisonneuve, le fondateur de Ville-Marie, m’a formulée à ton intention. Mais d’abord, as-tu du travail pour les mois à venir ?

— Non pas ! Il se construit peu de moulins en ce pays.

— À la bonne heure ! Monsieur de Maisonneuve cherche un maître charpentier de moulin pour celui qu’il veut faire ériger près du fort du Mont-Réal. Serais-tu prêt à t’y rendre pour les mois à venir ?

— Ah ça, oui, mais à une condition.

— Laquelle donc ?

— Que je puisse y emmener ma mie. Je me languis loin d’elle. Le métier de charpentier de moulin est un beau métier, mais il nous oblige constamment à nous éloigner de ceux que nous aimons.

—Je ne crois pas que monsieur de Maisonneuve aura objection à ce que tu te rendes travailler à son moulin en amenant ton épouse.

— C'est bien tant mieux, car autrement, il devra se trouver un autre maître charpentier de moulin et sous notre ciel, il y en a peu.

Chapitre 33

Divers événements et un décès

Soucieux du salut des indigènes, le très pieux Jérôme Le Royer de la Dauversière avait expédié en Nouvelle-France Paul Chomedey de Maisonneuve avec un groupe de colons afin de construire Ville-Marie. Arrivés à Québec à l'automne 1641, le sieur de Maisonneuve et son groupe s'établirent à Ville-Marie en 1642. Il y avait maintenant quatre années que les premiers arrivants s'y étaient fixés. Leurs demeures s'élevaient tout autour du fort. Ils réclamaient à juste titre un moulin à farine. Répondant à l'invitation du sieur de Maisonneuve, Arnaud se rendit au printemps à Ville-Marie afin de se faire sur place une idée du travail qui l'attendait. Il était surtout désireux de connaître l'emplacement où le moulin devait s'élever.

Son séjour à Ville-Marie se limita à une semaine. Satisfait de l'emplacement choisi pour ce moulin à vent, il se permit toutefois de formuler un commentaire au sieur de Maisonneuve :

— Il est bien inutile de construire un moulin tant qu'on n'est pas certain de pouvoir y mettre des moulanges. Les meules ont-elles été commandées ?

— Pas à ce que je sache.

— Dans ce cas, on ne peut guère espérer les avoir avant l'année prochaine ou même dans deux ans. Il est bien inutile que j'aille plus avant. Sans doute pourrai-je travailler à un autre moulin en attendant.

❖

À peine Arnaud était-il de retour à Québec que le sieur Juchereau de Maure vint le trouver, se plaignant de ce que les engrenages de son moulin s'étaient tout à coup brisés. Arnaud alla examiner le tout et découvrit qu'on avait saboté son ouvrage. Un bâton, il en était certain, avait été mis dans les engrenages alors que le moulin était en marche, ce qui avait causé de grands dommages aux alluchons et rendu le moulin inutilisable. Pendant trois semaines, Arnaud travailla à tout rétablir.

Il finissait à peine de réparer le moulin de la seigneurie de Maure que le même phénomène se produisit à celui de Beauport.

— Quelqu'un en veut à mon ouvrage, constata-t-il.

— Qu'est-ce qui te permet d'affirmer cela ? lui demanda le seigneur Giffard.

— Les engrenages de votre moulin ont été brisés de la même manière que ceux du moulin du sieur

Juchereau. Je ne répondrais pas des autres moulins que j'ai construits. Ce n'est pas mon travail qui est en cause. Quelqu'un s'évertue à vouloir discréditer ce que je fais. Pourtant, je ne me connais pas d'ennemi…

Arnaud se rendit directement au moulin du ruisseau Saint-Denis prévenir de la menace qui pesait sur ce moulin :

— Deux des moulins que j'ai construits ont subi le même genre d'avaries.

— Vraiment ?

— Quelqu'un a glissé intentionnellement un bâton entre les engrenages pour en briser les alluchons. J'ai travaillé à ce moulin. Le malfaiteur risque fort de tenter le coup ici.

— Un homme averti en vaut deux, l'assura le meunier. Nous aurons l'œil ouvert.

Quelques jours plus tard, Arnaud apprit qu'un nommé Jolicœur, qui se prétendait charpentier de moulin, avait été arrêté alors qu'il s'apprêtait à saboter le moulin du ruisseau Saint-Denis.

— Qu'a-t-il dit pour sa défense ?

— Il espérait de la sorte obtenir de l'ouvrage. Mal lui en a pris. Il est en prison en attendant de s'embarquer sur le premier navire qui repassera en France.

❖

Le moulin de Beauport étant réparé, Arnaud revint à Québec où il fut aussitôt réquisitionné pour construire un moulin à vent sur le Cap-aux-Diamants. L'endroit, très exposé au vent, se prêtait admirablement à ce projet, mais une des exigences pour sa réalisation ne plaisait guère à Arnaud. Le moulin devait être entièrement de bois et monté sur un pivot de telle sorte qu'on puisse le tourner tout entier dans la direction des vents dominants.

— Êtes-vous certain, messire Fleuricourt, que c'est une bonne idée de construire un moulin de bois sur pivot ?

— Là d'où je viens, les moulins sont ainsi faits et produisent fort bien.

— Là d'où vous venez, quelle sorte d'hiver avez-vous ?

— Comme un peu partout dans notre bonne France, de la pluie, des bourrasques, du temps gris…

Arnaud l'interrompit vivement :

— Des tempêtes de neige, de la poudrerie, des bancs de neige ?

— Que non !

— Voilà le hic ! Un moulin de la sorte saura-t-il résister aux tempêtes ?

— Pourquoi pas ?

— Permettez-moi d'en douter !

Malgré les réticences d'Arnaud, il fut décidé que le moulin serait ainsi construit. Il y consacra tout près d'une année. Comme le moulin sur lequel il travaillait s'érigeait à Québec, il se retrouvait pour son plus grand plaisir tous les soirs auprès de son épouse, encore enceinte, dont la délivrance était prévue pour le printemps. Malheureusement, elle mit de nouveau au monde un enfant qui ne survécut que quelques heures.

❖

Le moulin du Cap-aux-Diamants étant terminé, Arnaud décida, avec la venue de l'été, de passer quelques jours avec Agathe sur leur terre du Cap-Rouge. Il s'y était fait construire une petite maison au bord de la rivière.

— Ma mie, de séjourner là-bas te fera grand bien. Tu pourras te reposer au soleil et reprendre des forces pour nous faire bientôt un autre enfant qui saura bien s'accrocher à la vie.

— Qui sait si le ciel ne veut pas me punir d'avoir si mal surveillé mon père ?

— Allons donc, ma mie, si ceux du ciel prenaient le temps de se préoccuper de tous nos malheurs, ils n'auraient plus une minute pour profiter de leur bonheur. Chasse de ta tête ces nuages noirs. Tu verras, nous finirons bien tous les deux par être entourés d'un cortège d'enfants aussi beaux que leur mère.

— Et aussi bons que leur père, ajouta aussitôt Agathe, les yeux pleins d'eau.

❖

Ils étaient à Cap-Rouge depuis deux semaines quand, un midi, eut lieu une visite qui toucha profondément Arnaud, nulle autre que celle de son ami Abel. En l'apercevant, Arnaud s'écria :

— Dis-moi pas que tu es revenu sur nos rives !

— Comme tu vois, dit Abel. Je n'oublie pas mes amis.

Les deux hommes s'étreignirent longuement.

— Que deviens-tu ?

— Je bourlingue d'un océan à l'autre. Quand ce n'est pas sur la Méditerranée, c'est sur l'Atlantique, l'Adriatique et même le Pacifique. Je vois du pays, j'admire des merveilles et je fais en sorte que mon navire évite ceux des corsaires.

— Comment peux-tu leur échapper ?

— Leurs vaisseaux sont ordinairement beaucoup moins chargés que le mien et se déplacent plus facilement. Je les laisse approcher. Ils ne se méfient pas, se croyant en présence d'un vaisseau sans défense. En dernière minute, quand ils s'apprêtent à l'abordage, je fais ouvrir les sabords, là où j'ai fait camoufler des canons prêts à faire feu. Nous tirons sans avertissement. Les corsaires, ne s'attendant pas à cette supercherie, reçoivent la plupart du temps la décharge sous la ligne de flottaison. Ils tournent de bord s'ils ne sont pas trop touchés ou alors ils vont par le fond. Pourquoi laisserais-je mon navire à de pareils voleurs ?

Arnaud reconnaissait là le rusé Abel. Il passa des heures en sa compagnie, ne manquant pas de boire à leur passé. Avant de repartir, Abel promit à Arnaud de revenir le voir chaque fois qu'il aurait l'occasion de faire halte à Québec.

❖

Leur séjour au Cap-Rouge fut marqué par un autre événement dont ils se souviendraient longtemps. L'après-midi était tout juste entamé. Ils sortaient de table quand ils entendirent des cris du côté de la rivière. C'était un des fils de leur voisin André Durand qui appelait au secours. Arnaud descenditen vitesse sur la berge. Le garçon était en proie à une vive agitation. En tentant de le calmer, Arnaud lui demanda :

— Qu'est-ce qui se passe ?

— Mon père ! Il a chaviré !

À ce moment, Arnaud aperçut au loin le canot renversé qui dérivait vers le fleuve. Il n'y avait rien d'autre à faire que de tâcher de repêcher le corps du malheureux. Arnaud descendit la rivière du côté où elle faisait un dernier méandre avant de se jeter dans le fleuve. À cet endroit, la rivière était à peine large de quinze pieds, et peu profonde, puisqu'elle y déposait des alluvions. Arnaud s'installa précisément là, comptant y voir arriver le corps poussé par le courant. Le canot s'était immobilisé un peu plus haut, retenu par les basses branches d'un saule. Arnaud avait vu juste, car, roulé par la force de l'eau, le corps du malheureux Durand s'échoua sur la berge, non loin du lieu où se tenait Arnaud. Il le tira hors de l'eau, s'assurant qu'il ne soit pas emporté de nouveau, puis il alla chercher de l'aide.

Ce ne fut que plus tard que le fils de Durand, revenu de ses émotions, put convenablement raconter à Arnaud ce qui s'était produit. Le canot dans lequel son père avait pris place était chargé jusqu'au bord de minots de blé, certains plus pesants que d'autres. Cette charge avait rendu l'embarcation instable. En se penchant d'un côté, Durand avait accentué le déséquilibre, et le canot avait versé d'un coup au milieu de la rivière. Comme il ne savait pas nager, il n'avait pas eu le temps de s'accrocher à l'embarcation et avait aussitôt coulé à pic.

Puisqu'il était le père d'une dizaine d'enfants, sa disparition attrista beaucoup de monde. Arnaud et Agathe assistèrent, émus, aux obsèques. Peu de jours après le drame, la veuve Durand, profitant de leur présence au Cap-Rouge, les pria de bien vouloir assister au partage des biens.

—Je ne connais rien dans tout ce galimatias, dit-elle à Arnaud. Si jamais il y avait de la mésentente entre mes enfants, vous, qui les connaissez un peu, pourriez peut-être les raisonner ?

Avant de s'engager, Arnaud s'informa :

—Avez-vous un contrat de mariage ?

—Nous en avons passé un devant le notaire Audouart.

— Dans ce cas, pourquoi vous inquiétez-vous ? Tout est prévu dans ce contrat.

— C'est qu'il faut partager la terre et la maison de moitié entre les enfants, et la terre n'est pas aussi bonne partout.

— Allons ! Le notaire saura bien démêler tout ça.

— J'aimerais bien que vous soyez là quand même, monsieur Perré. Les enfants vous connaissent. Après tout, mon mari s'occupait de votre terre.

Puisque la veuve y faisait allusion, Arnaud profita de l'occasion pour amener cette question sur le tapis.

— Justement, à propos de ma terre, est-ce que votre aîné pourra l'entretenir ?

— Pour sûr, qu'il acceptera ! Ça nous accommode et ça vous accommode itou.

— J'assisterai à l'inventaire et au partage des biens.

— Pourriez-vous nous servir d'expert pour l'évaluation ?

Arnaud se montra hésitant.

— À part les outils, je ne suis guère bon pour estimer les choses, mais je m'informerai avant l'inventaire. Ça me donnera une idée.

Chapitre 34

Inventaire et partage

Quelques jours plus tard, en compagnie de Louis Lévesque, Arnaud se rendit à la maison de la veuve Durand. Ils étaient chargés de préciser la valeur de chaque objet et d'en formuler le prix. Ils commencèrent par le relevé de tout ce qui se trouvait dans la cuisine. Le notaire Bermen les y attendait avec une certaine impatience. À peine eurent-ils mis les pieds dans la maison que, bien installé à la table de la cuisine devant une liasse de papier, la plume d'oie en main et l'encrier tout près, le notaire leur dit vivement:

— Messieurs, nous devons commencer tout de suite si nous ne voulons pas y passer la journée.

— Sauf votre respect, monsieur le notaire, il n'y a pas le feu. Nous y mettrons le temps qu'il faudra, répondit Arnaud. Un inventaire, vous le savez mieux que nous, ne se fait pas les yeux fermés. Il n'y a pas un seul objet de cette maison et des dépendances qui doit nous échapper, pas plus qu'un animal d'ailleurs, ne serait-ce qu'une poule. Il y va du bien de chacun des héritiers.

S'adressant à la veuve Durand, Louis Lévesque dit :

— Montrez-nous ce que vous avez, madame, morceau par morceau.

La veuve se dirigea droit vers l'âtre.

— Une crémaillère, commença ce dernier, qui vaut bien quatre livres. Qu'en penses-tu, Arnaud ?

— Quatre livres, ça me va !

Le notaire se pencha sur ses papiers et se mit à écrire : *une crémaillère, prisée et estimée à la somme de quatre livres, ainsy 4 livres.*

— Une paire de chenets, continua Lévesque.

Arnaud les examina de près.

— Je les mettrais à dix livres, dit-il.

— Va pour dix livres, acquiesça son compagnon.

Le notaire reprit ses écritures. Ils continuèrent cet inventaire tout l'avant-midi, passant chaque morceau de vaisselle un par un et chaque objet qu'il y avait dans la cuisine. Pendant qu'ils étaient tout à leur travail, une poule entra. Arnaud s'exclama :

— D'où sort-elle, celle-là ? Faut-il l'inclure avec ce qui se trouve dans la cuisine ?

Louis Lévesque éclata de rire, mais le notaire pesta :

— Est-ce qu'elle y a fait son nid ?

La veuve, prenant la réflexion du notaire au sérieux, s'écria :

— Jamais de la vie ! Vous voyez ben qu'elle s'est enfuie du poulailler. Pour qui vous nous prenez ?

— Tant que ça ne sera pas une truie, grommela le notaire, qui ne prisait guère l'interruption.

Ils évaluèrent tous les meubles de la maison. Arnaud s'attarda à examiner le bois de lit de merisier dont les pieds étaient fort bien tournés. Il ne put s'empêcher de dire :

— C'est de la belle ouvrage !

Ils en étaient là de leur évaluation quand ils s'arrêtèrent pour dîner. À une heure, ils reprirent leur besogne, s'affairant à évaluer un coffre de bois contenant les habits de la veuve. Elle en possédait si peu, à part son habit de deuil, qu'avec le consentement des enfants présents, on n'en fit même pas l'estimation.

Au cours de l'après-midi, ils s'intéressèrent à tout ce qui se trouvait dans la cave et dans le grenier, et Dieu sait qu'il y avait beaucoup de choses, dont en particulier des minots de blé et, dans une petite armoire fermée à la clé, la réserve de boisson du défunt. Ils arrêtèrent leur évaluation à l'heure du souper en se donnant rendez-vous tôt le lendemain matin.

❖

Le lendemain, vers les six heures, au moment où une clarté suffisante le leur permit, Arnaud et Louis Lévesque se retrouvèrent à la grange. Ils durent attendre que le notaire puisse, pour écrire, s'installer à son aise sur une botte de foin avec son coffre à écriture, et ils commencèrent leur évaluation de la journée par tout ce que contenait la grange.

La veuve leur dit :

— N'oubliez pas que mon défunt mari était chargé de la traverse et que, par conséquent, vous trouverez au bord de la rivière un canot et aussi une chaloupe biscayenne garnie de ses voiles.

— Merci de nous le rappeler, dit Arnaud.

Ils descendirent au bord de la rivière et estimèrent les embarcations à cent cinquante livres. À leur retour de la grève, ils examinèrent longtemps la maison, la grange, l'étable et le poulailler, qu'ils évaluèrent ensemble à deux cent cinquante livres. Ils n'en avaient pas pour autant terminé, car il leur fallait encore procéder à l'estimation des animaux et des outils, pendant que le notaire, retourné à la maison, s'occupait de mettre de l'ordre dans les papiers afin d'en transcrire le contenu à l'inventaire.

Arnaud se chargea donc de dresser la liste des animaux qu'ils trouvèrent à l'étable et au poulailler. Leur évaluation étant complétée, ils s'affairèrent à déterminer la valeur des outils qu'ils découvrirent sur un établi, dans l'étable. Arnaud s'y connaissait en outils et ne mit guère de temps à en dresser la liste.

— Ce sont des beaux outils qui n'ont guère servi, dit-il à Louis Lévesque. Il y a au moins trois de ces rabots qui feraient mon bonheur, sans compter une varlope.

— Tu n'as qu'à demander à la veuve de te les mettre de côté avant la vente aux enchères, s'il faut qu'il y en ait une.

— Est-ce bien permis d'agir de la sorte ?

— Pourquoi pas ? Pourvu qu'elle en reçoive le prix désiré.

— Il faudra que ça se fasse avec l'accord des enfants, parce que le tuteur et le subrogé tuteur des enfants mineurs ne nous laisseront pas faire.

— Tu n'as qu'à les informer.

— Ils risquent de dire que j'aurai évalué ces outils à moindre prix pour me les procurer.

— Ils n'auront qu'à les faire évaluer par d'autres. De toute façon, il n'est pas dit qu'il y aura vente aux enchères. Tout dépendra si Durand avait beaucoup de dettes.

Quand ils revinrent à la maison, ils s'amusèrent en catimini à se moquer du notaire Bermen, le nez dans ses papiers. Ils eurent la patience d'attendre qu'il s'intéresse à eux avant de lui remettre leur liste.

Le notaire semblait de meilleure humeur que la veille.

❖

Le jour suivant, ils se retrouvaient chez Bermen. Après qu'ils eurent apposé leur signature au bas de l'inventaire, le notaire leur demanda :

— Serez-vous du partage des biens ?

Arnaud répondit que pour sa part, tout dépendrait s'il pourrait se libérer ce jour-là. Quant à Louis Lévesque, il assura qu'il ne pourrait pas s'y trouver, car il partait à Montréal pour plusieurs jours. Arnaud s'informa :

— Y aura-t-il une vente aux enchères ?

— Non pas, car le père Durand n'avait pas de dettes. Au contraire, beaucoup de monde lui devait de l'argent. Il leur faisait traverser la rivière à crédit. Il faudra récupérer toutes les sommes dues, ce qui n'est pas fait.

— J'ai l'intention, dit Arnaud, d'offrir à la veuve de racheter certains outils qui ne servent pas.

— Il faudra attendre après le partage et bien s'assurer de tout ce qui revient à la veuve et ce qui reste aux enfants. Une fois que la veuve aura touché la valeur de sa dot, le douaire et le préciput, ainsi que la moitié de tout ce qui lui revient, les pauvres enfants n'auront guère plus que leur part de terre.

❖

Le surlendemain, tous les enfants Durand et leur mère ayant été convoqués, ils se retrouvèrent à la maison paternelle où s'étaient transportés le notaire Bermen, de même qu'Arnaud, pour servir de témoin en compagnie de Roger Buisson. Le notaire prit la parole pour expliquer aux enfants de quoi tout ceci retournait.

— Nous allons procéder au partage des biens délaissés par votre père. Par son contrat de mariage, votre mère garde la moitié de la maison et la moitié de la terre et des biens. Vous allez vous partager l'autre moitié. Vous êtes en tout dix héritiers. Avec votre accord, votre frère André a décidé de faire valoir la terre paternelle. Il habitera dans la maison avec son épouse et votre mère ainsi que les plus jeunes d'entre vous. Jusque-là tout est clair ?

Les enfants acquiescèrent d'un signe de tête. Le notaire poursuivit :

— La moitié de la terre a été divisée en dix parts égales d'une perche de front sur la rivière Cap-Rouge, sur une demi-lieue de profondeur.

— Pardi ! s'écria un des garçons. Que pouvons-nous faire avec une terre d'une perche de front sur une demi-lieue de profondeur ?

— Rien, sinon la revendre à votre frère André, reprit le notaire.

— Je ne pourrai jamais racheter toutes leurs parts ! protesta ce dernier.

Le notaire le regarda d'un air ahuri.

— Il faudra y mettre le temps, voilà tout, dit-il sur un ton de reproche. Cessez de vous plaindre si vous voulez qu'on en finisse aujourd'hui.

Les enfants se regardaient avec l'air de se demander dans quel pétrin on s'apprêtait à les mettre. Le notaire fut contraint d'approfondir ses explications :

— C'est ainsi que le veut la coutume de Paris valable en ce pays : une moitié à votre mère, l'autre moitié à vous dix. Il faut donc diviser la moitié de la terre en dix, ce qui donne de petites surfaces de front sur une très grande étendue en profondeur.

— Ça pourrait pas être divisé autrement ?

Le notaire s'impatienta :

— Non pas ! C'est l'unique façon de procéder et c'est à prendre ou à laisser. Vous devrez vous entendre entre vous et revendre votre part à votre frère André. Il en va de même pour la maison et les autres bâtiments. Ils ont été évalués à deux cent cinquante livres. Votre mère a droit à cent vingt-cinq livres. Il en reste cent vingt-cinq à diviser en dix, ce qui donne douze livres et demie chacun. Votre frère rachètera vos parts sur la maison et les autres bâtiments à cette somme pour chacun. Compris ?

Cette fois, il n'y eut pas d'autres réactions. Il expédia une des filles chercher un des jeunes enfants de leur voisin les Després, en expliquant qu'on avait besoin de lui pour le tirage au sort des parts de terre. Quand, tout intimidé, l'enfant fut là, le notaire expliqua :

— J'ai divisé la moitié de la terre en dix parts égales à partir de la maison en s'en allant vers le nord, en appelant "a" la première part, "b" la deuxième, "c" la troisième et ainsi de suite. J'ai mis dans un chapeau les noms de chacun de vous. L'enfant va tirer les noms un par un. Le premier ou la première dont le nom sortira du chapeau obtiendra la part "a", le ou la deuxième la part "b", et ainsi de suite.

L'enfant tira un premier nom, celui de Martine. Le deuxième nom fut celui d'André. Aussitôt Martine dit :

— C'est toi qui vas rester à la maison, je vais échanger ma part contre la tienne pour que tu puisses la faire valoir avec le reste de la terre qui appartient à notre mère.

André s'empressa d'accepter. D'un ton bourru, le notaire s'en mêla :

— Vous ferez vos échanges quand le tirage sera terminé.

Les huit autres parts furent attribuées. Le notaire avait terminé son travail et s'apprêtait à s'en aller en compagnie d'Arnaud et de Buisson quand la veuve les interpella :

— Vous prendrez bien un p'tit verre avant de partir !

Arnaud et Buisson ne se firent pas prier, mais le notaire les regarda d'un drôle d'air en disant :

— Je ne touche pas à la boisson, elle ne peut que nous mener en enfer.

Prétextant un rendez-vous pressant, il les laissa à leurs libations. L'assemblée le regarda s'éloigner sur la route, le chapeau de travers sur le crâne.

— Çui-là, dit la veuve, c'est un ours mal léché.

— La preuve, dit Arnaud, que les ours ne sont pas tous dans les forêts !

Cette simple réflexion les fit éclater de rire, chassant du coup la tension de ces moments pénibles.

Chapitre 35

Montréal

Arnaud ne se fit pas prier pour gagner Montréal en compagnie d'Agathe quand le sieur de Maisonneuve le fit aviser que des meules pour un moulin étaient arrivées de France et qu'il urgeait maintenant d'ériger un moulin à vent près du fort.

Après avoir loué leur maison de Québec à une amie d'Agathe, ils s'embarquèrent pour Montréal dans une biscayenne conduite par un vieux capitaine habitué à la pêche en mer, mais qui, avec l'âge, se servait davantage de son embarcation pour le transport de denrées et de personnes, d'un port ou d'un quai à l'autre. En raison des vents contraires, l'équipage mit plus d'une semaine pour se rendre à destination, ce qui plut beaucoup à Agathe, heureuse de voir enfin à quoi ressemblait ce fleuve jusqu'à Ville-Marie.

Hébergés non loin de l'emplacement où devait s'élever le moulin, ils écoulèrent là des moments heureux et paisibles. Arnaud se fit un ami en la personne du charretier Guillaume Lambert, et Agathe trouva le moyen de se faire admettre dans un cercle de femmes montréalaises fort occupées à toutes sortes de bonnes œuvres.

Le charretier Lambert connaissait tous les recoins de Ville-Marie, et également tous les potins. Il était intarissable. Arnaud l'écoutait sans jamais se lasser quand le soir, après le souper, il passait leur raconter les péripéties de sa journée ou encore quelque histoire étonnante qu'il avait vécue ou dont il avait entendu parler. Il était informé de tout et pouvait en jaser des heures durant.

Revenant un jour d'une de ses rencontres avec ses nouvelles amies, Agathe trouva Guillaume Lambert en grande conversation avec Arnaud. Elle ne manqua pas de leur communiquer aussitôt un fait qui semblait particulièrement l'inquiéter.

— Mes amies m'ont dit qu'il faut nous méfier. Il paraît qu'il y a beaucoup de vols par les temps qui courent.

— Des vols, il y en a toujours eu ! s'exclama le charretier. Mais savez-vous qu'on punit les voleurs par la flétrissure ?

— La flétrissure ?

— Le bourreau applique un V sur l'épaule du voleur à l'aide d'un fer chauffé à blanc. C'est une curieuse odeur que celle de la chair brûlée. Autrefois c'était sur la joue ou dans la paume de la main qu'on flétrissait.

— Sur la joue ! dit Agathe en portant instinctivement la main à sa joue droite. C'était donc ça ! Quand j'étais enfant, à Angers, je voyais souvent un homme qui avait la joue marquée d'un V.

— Sur la joue, reprit le charretier, ça ne devait pas être un voleur, mais bien plutôt un violeur. Il y a plusieurs raisons pour appliquer le fer chaud, pas seulement le vol ou le viol. On s'en sert pour les faussaires en les marquant d'un F, et pour les maquerelles de TP, travaux forcés à perpétuité. Pour les déserteurs c'est un D.

Arnaud avait écouté jusque-là sans intervenir. Il dit soudain :

— Du temps que je faisais mon Tour de France, je me suis laissé conter la bien curieuse histoire d'un charretier condamné pour vol de vin. Ce genre d'histoire devrait t'intéresser, Guillaume, puisqu'il s'agit d'un charretier et qu'il fut condamné à être fouetté, les deux mains attachées à l'arrière de sa charrette.

— Il avait dû transporter son vin dans sa voiture, précisa ce dernier. C'était une façon de rappeler au voleur qu'il ne devait plus y déposer d'objets volés.

Arnaud se mit à marcher de long en large dans la pièce tout en poursuivant son récit :

— C'est le bedeau qui avait été chargé de le fouetter.

— Avait-il volé du vin de messe ?

— Il faut le croire. Le bedeau commença donc son travail. Après chaque coup de fouet, le dos du charretier était de plus en plus marqué, mais le condamné semblait avoir un courage à toute épreuve. S'il se raidissait et serrait les dents après chaque coup, il ne laissait entendre aucune plainte. Curieusement, après chaque coup, le bedeau passait les lanières dans sa main gauche qui paraissait en sang. Soudain, un gendarme qui assistait à la scène s'approcha du bedeau et lui asséna un violent coup de canne dans le dos. Le bedeau se retourna vivement, mais non sans recevoir un autre coup, cette fois au bras droit. Le bedeau s'en prit à son assaillant. Les assistants se mirent à hurler des injures à cet homme qui interrompait le spectacle et une jeune fille, prenant le parti du bedeau, sauta en furie sur le gendarme qu'elle renversa. En tombant, il s'assomma sur une pierre. Bref, cette histoire se termina dans le désordre le plus complet et le charretier fut relâché sans autre forme de procès.

— Pourquoi le gendarme s'en était-il pris au bedeau ?

— J'y arrive. En réalité, dans toute cette affaire, c'est lui qui avait raison. Il s'était rendu compte de la supercherie. Le bedeau était un ami du charretier. Ne voulant pas faire souffrir son ami, il s'était muni d'ocre rouge dont il s'était enduit la main gauche. Voilà pourquoi après chaque coup, il passait les lanières du fouet dans sa main pour les enduire d'ocre et faire croire qu'il s'agissait de sang.

Le charretier avait écouté l'histoire avec beaucoup d'attention. Arnaud finissait à peine de parler qu'il fit la réflexion suivante :

— C'est vrai qu'il y a parfois des histoires étonnantes. J'en sais une qui devrait vous intéresser si tant est que vous voulez en entendre parler.

— Bien volontiers, l'assurèrent Agathe et Arnaud.

— Il n'y a pas de cela bien longtemps, commença-t-il, une jeune fille fut pratiquement prise de force par un soldat qui, malgré sa rudesse, finit par la gagner. Mais une fois qu'il l'eut épousée, il se montra de plus en plus mesquin avec elle, la battant pour tout et pour rien. La jeune femme parla de ses malheurs à ses parents, qui décidèrent de lui venir en aide à leur façon. Ils invitèrent leur fille et leur gendre à souper. Dans le plat de viande qu'ils servirent à leur gendre, ils mirent dans la sauce de la mort-aux-rats, de quoi tuer au moins un régiment. Leur gendre passa la nuit chez eux et se réveilla le lendemain en excellente forme.

— Il devait être fait de fer ! s'exclama Arnaud.

— Il faut croire que le poison n'avait pas prise sur lui, car il continua à rudoyer sa jeune femme à tel point qu'elle s'en plaignit encore à ses parents. Cette fois, ils l'invitèrent de nouveau à souper, mais s'y prirent différemment pour le faire disparaître. Ils l'attirèrent à l'étable sous un prétexte quelconque et l'assommèrent bel et bien à coups de hache.

— Oh ! dit Agathe. Ça n'a pas de bon sens !

— Mais c'est pourtant ce qu'ils firent. S'assurant que leur gendre était bien passé de vie à trépas, ils traînèrent le corps jusqu'à la rivière où ils le jetèrent sans cérémonie.

— Les misérables ! gronda Arnaud.

— Mais un voisin avait été témoin de la scène et il en prévint les autorités. Arrêtés, ils furent condamnés à mort et pendus, si bien que la jeune fille perdit en quelques jours son mari, son père et sa mère.

— C'est tout ce qu'elle méritait, conclut Arnaud.

— Elle pouvait se compter chanceuse de ne pas avoir été condamnée elle-même à mort pour complicité, ajouta Guillaume.

La soirée était passablement avancée, Guillaume les quitta et revint ainsi presque chaque soir leur tenir compagnie. Toutefois, Arnaud en avait pratiquement terminé avec la construction du moulin à vent et ce fut presque à regret qu'il quitta Ville-Marie pour Québec, y laissant un réel ami que l'éloignement ne lui permit plus de revoir.

Chapitre 36

Le Farinier

Il y avait maintenant dix ans qu'Arnaud était au pays. Appelé à travailler un peu partout, il avait de la difficulté à se faire des amis et, au bout de quelques mois, quand son travail était terminé, il devait quitter ses nouvelles connaissances pour repartir ailleurs. C'était ce qu'il déplorait le plus du métier qu'il avait choisi. Pourtant, au nouveau chantier qui l'attendait – des réparations importantes au moulin du Cap-aux-Diamants, que l'hiver avait passablement maltraité – une surprise l'attendait : le meunier Mathurin Bibaud dit Le Farinier était toujours sur place. C'était un homme bedonnant, rond de partout, mais qui riait tout le temps et s'amusait de tout. Arnaud s'en fit bien vite un ami qui ne cessait de lui en apprendre de toutes sortes sur les meuniers.

Un jour, Arnaud entreprit de le taquiner en lui récitant des dictons plus ou moins aimables concernant les meuniers.

— On dit de vous que vous êtes malhonnêtes. Ainsi n'entend-on pas souvent le dicton suivant : "Quatre-vingt-dix-neuf pigeons et un meunier font cent voleurs."

— Il suffit, répondit son ami, qu'un seul de nous se fasse prendre la main dans le sac pour que nous soyons tous mis dedans. Tu sais ce qui attend un meunier accusé de vol de grain ou de farine ?

— Quoi donc ?

— La peine de mort, rien de moins. Un meunier voleur est pendu haut et court à une aile de son moulin. Je l'ai vu en France, mais fort heureusement pas encore en ce pays. Parlant de dictons, tu ne m'apprendras pas ceux qui courent sur notre dos, je les connais tous. Tu veux que je t'en dise ?

— Certainement, dit Arnaud, je pourrai te les répéter quand tu n'auras pas le goût de rire.

— Dans ce cas, tu ne m'en répéteras pas souvent. Pour ton édification, en voici donc quelques-uns : "Vous pouvez toujours changer de meunier mais point de voleur." "Chien de boucher, cochon de meunier et servante de curé, trois choses mauvaises à garder." "Femme sans vice, curé sans caprice et meunier fidèle, c'est trois miracles du ciel." "Il est heureux pour les meuniers que les minots ne sachent parler." "Il n'y a rien de plus menteur que le fléau à la balance du meunier."

— Mais dis-moi, mon ami, qu'est-ce qui vous vaut tant de suspicion ?

— Tu ne sais vraiment pas ? La jalousie et l'envie. Car il n'y a pas que du mauvais dans ce qu'on nous attribue.

— Ah ! Je cherche vraiment. Il y a du bon chez un meunier ?

Sa réflexion fit s'esclaffer son ami, dont la panse se mit à balancer au rythme de ses rires.

— Écoute celui-là, dit-il, un jour peut-être auras-tu besoin de t'en souvenir. Ce jour-là, tu viendras voir ton ami Mathurin. "Si ton affaire est embrouillée, laisse à Dieu et au meunier le soin de l'arranger." Mets ça dans ta pipe, mon Arnaud, et ne manque pas de la fumer en pensant à moi. Mais puisque nous parlons de meuniers, connais-tu l'histoire du meunier et de son jumeau le fermier ?

— Non pas.

— Ouvre bien tes oreilles que je te la raconte. Le roi de France, il y a de cela fort longtemps, passait à la ferme d'un de ses sujets qui ne payait pas ses redevances à Sa Majesté. Ne se doutant pas en présence de qui il était, au roi qui lui demandait comment ça allait, le fermier répondit que ça ne pouvait aller mieux, qu'il était fort heureux. Le roi lui dit : "Comment, mon ami, peux-tu être heureux ? Tu ne paies pas ce que tu dois à ton roi, or je suis ton roi. Mais je ne suis pas sans cœur, je veux bien te pardonner si tu parviens à répondre correctement demain matin, quand je serai chez toi, aux trois questions que voici : combien je vaux, combien la lune pèse et à quoi je pense. Si tu ne réponds pas correctement à une seule de ces questions tu seras pendu."

«Voilà le fermier triste et découragé, assuré d'être pendu le lendemain. Ne sachant plus à quels saints se vouer, il décide d'aller raconter sa mésaventure à son frère jumeau, meunier au moulin voisin. En le voyant arriver, son frère lui dit: "Qu'est-ce qui ne va pas?" "Tout! Demain matin, je serai pendu." "Pendu? Pourquoi donc?" "Parce que je ne saurai jamais répondre aux trois questions que le roi va me poser."

«Son frère, s'étant informé de quelles questions il s'agissait, dit spontanément: "Demain, je vais prendre ta place. Après tout, nous nous ressemblons comme deux gouttes d'eau."

«Son frère ne demandait pas mieux que de lui céder sa place. Le lendemain matin, le roi se présente à la maison du fermier. "Peux-tu répondre à mes questions?" demande-t-il. "Certainement, Votre Majesté. Il n'y a rien de plus facile. D'abord, vous ne valez que vingt-neuf deniers." "Comment cela? dit le roi, indigné. Je vaux bien plus que ça." "Non messire, vous ne valez certainement pas plus que Notre Seigneur Jésus-Christ qui a été vendu pour trente deniers." "Pour ça, dit le roi, c'est très juste. Mais dis-moi, alors: combien pèse la lune?" "La lune pèse une livre", répond le meunier. "D'où sors-tu cette réponse? s'insurge le roi. Veux-tu te moquer de moi?" "Loin de moi l'idée de me moquer de Votre Majesté, sire, mais la lune a quatre quarts, ce qui fait une livre."

« Pris au dépourvu, le roi, certain de le confondre, demande : "Dis-moi à quoi je pense en ce moment." "Vous pensez, Votre Majesté, vous adresser à un fermier. Mais c'est à son frère jumeau, le meunier du moulin voisin, que vous parlez."

«Sur ce, le fermier sortit de sa cachette et le roi n'eut d'autre choix que de lui accorder son pardon. »

— Quand c'est un meunier qui raconte cette histoire, fit remarquer Arnaud, il se prête le beau rôle. Le frère de ce fermier aurait tout aussi bien pu être un charpentier de moulin.

— Pourquoi pas ? répondit le meunier. Après tout, ils ne sont peut-être pas tous aussi sots qu'on le dit.

La réaction d'Arnaud déclencha le bon rire du meunier qui, après son excès d'hilarité, devint tout à coup des plus sérieux.

— Tu ne sais pas ce qui me trotte dans la tête, ces jours-ci ?

— Quoi donc ?

— La mort.

— Allons, dit Arnaud, ton humeur change soudainement comme parfois le temps au beau milieu d'une journée d'été.

— Oui, ça me tracasse, et sais-tu ce que j'ai résolu ?

— Non, mais je sens que tu vas me le dire.

— Je vais acheter l'emplacement de ma tombe à l'église.

— L'emplacement de ta tombe ? On vend donc de tels emplacements ?

— Certainement ! Si tu veux être enterré dans l'église, tu le peux, à condition d'y louer un banc.

— Pourquoi donc ?

— Pour pouvoir être enseveli dessous.

❖

L'après-midi même, accompagné d'Arnaud qui retournait coucher chez lui, le meunier Mathurin Bibaud dit Le Farinier se présenta au presbytère de Québec afin d'acheter l'emplacement de son tombeau. Ils furent reçus par un prêtre quelque peu grognon que leur venue semblait déranger.

— Que puis-je pour vous ? leur dit-il d'un ton pressé.

— Je voudrais acheter l'emplacement de ma tombe dans l'église.

— Ce n'est pas la meilleure heure pour le faire.

— Parfois, dit le meunier, la mort n'attend pas.

— Avez-vous au moins un banc dans l'église ?

Le meunier répondit vivement :

— Certainement, sinon je ne serais pas ici.

Le prêtre prit la clé de l'église et, s'emparant d'une perche marquée, il les invita à le suivre. Le meunier lui indiqua où se trouvait son banc, du côté de l'épître, non loin de la muraille.

— Étendez-vous par terre que je vous mesure, dit le prêtre.

Le meunier obéit. Le prêtre prit ses mesures.

— Cinq pieds et un pouce sur deux pieds. Voilà ! Retenez ces mensurations que je les reporte au registre.

Ils le suivirent au presbytère où le prêtre tira d'une armoire un registre à reliure noire. Se mouillant l'index, il commença à tourner vivement les pages du volume, puis, se ravisant, il demanda :

— Vous me dites votre nom ?

— Mathurin Bibaud.

Il se mit en frais de lire les inscriptions dans les marges jusqu'à ce qu'il tombe sur le nom du meunier. Il fit ensuite un petit calcul et demanda la somme de quatre-vingts livres, que Mathurin tira d'une bourse de cuir et qu'il lui remit. Se saisissant d'une plume, le prêtre écrivit : *Par la présente, je certifie que le dénommé Mathurin Bibaud, meunier de son métier, mesurant cinq pieds et un pouce sur deux pieds de largeur…*

— Allons donc ! dit Mathurin. Je mesure plus que deux pieds de large !

— Bien sûr, dit l'abbé, mais nous n'ensevelissons pas nos morts couchés sur le dos, mais bien sur le côté pour conserver plus d'espace pour d'autres.

— Même sur le côté, reprit le meunier, je fais plus que deux pieds.

Conciliant, l'abbé dit :

— Je vous l'accorde, aussi je marquerai deux pieds et trois pouces, mais ça vous coûtera cinq sols de plus.

Le prêtre poursuivit son écriture. Il commença par corriger les mensurations du meunier et ajouta ensuite : *A acheté l'emplacement de sa sépulture dans l'église de Québec, la cinquième du côté de l'épître tout contre la muraille. Il a versé à cette fin la somme de 80 livres et 5 sols tournois et il s'engage afin de conserver son droit sur cet emplacement de verser annuellement à la même date la somme de 8 livres.*

Quand il eut fini son écriture, le prêtre tendit la main :

— Vous me devez cinq sols, n'oubliez pas.

Le meunier fouilla dans ses goussets et lui remit cinq pièces d'un sol.

— Me voilà soulagé, dit Mathurin à Arnaud en sortant du presbytère.

— Parce que tu sais où tu seras inhumé ?

— Je n'aurai plus à y penser.

— Tout de même, quatre-vingts livres, tu ne trouves pas que c'est beaucoup payer ?

— Si c'était pour toi, je ne dis pas, le taquina son ami, mais pas pour un homme aussi important que moi.

❖

Deux jours plus tard, alors qu'affairé à son travail au moulin, Arnaud s'arrêtait pour dîner, il vit se pointer son ami Mathurin.

— Arnaud, cher ami, je ne t'ai pas conté la fois où j'ai été accusé d'avoir fait tourner mon moulin un jour interdit. Il est vrai que j'aurais été tenté bien des fois de le faire, surtout quand il n'y avait pas eu de vent depuis des jours, mais que veux-tu, comme tu le sais, nous ne pouvons faire tourner notre moulin les dimanches et les jours de fête, et Dieu sait qu'il y en a.

— À qui le dis-tu !

— Cinquante-deux dimanches et vingt-huit fêtes d'obligation, ça fait en tout et pour tout quatre-vingts jours par année que le moulin ne peut tourner.

— Et qu'on ne peut travailler, ajouta Arnaud.

— Toujours est-il qu'un beau dimanche, on m'accuse d'avoir fait tourner mon moulin pendant les vêpres. Sais-tu ce qui m'a sauvé ?

— Quoi donc ?

— J'étais en train de boire à l'auberge avec deux amis pendant les vêpres. Imagine : s'il avait fallu que ce soit pendant la messe du dimanche, je crois bien que je ne serais pas là pour t'en parler ! Le juge ne me croyant pas, il fallut aller chercher l'aubergiste lui-même pour appuyer mes dires. Quand l'aubergiste eut confirmé le tout, le juge me libéra.

— Tu devais être drôlement soulagé ?

— Si je l'étais, ça ne se dit pas ! Je venais de frôler la mort. Mais je me suis fait regarder de travers pendant des jours.

— Pourquoi donc ?

— Les gens venaient de manquer un spectacle de choix, celui d'un meunier pendu à une des ailes de son moulin.

Chapitre 37

Une terrible nouvelle

Arnaud termina les réparations du moulin et se mit à la recherche d'un autre travail du genre, ou mieux, un contrat de construction pour un nouveau moulin. Un matin qu'il se rendait au marché, le glas sonna à l'église. Il s'informa auprès de quelques passants de l'identité du défunt ou de la défunte. Personne ne le savait, et Arnaud persévéra dans sa quête jusqu'au moment où une femme, au marché, lui affirma avoir entendu dire qu'il s'agissait du meunier du moulin du Cap-aux-Diamants. Arnaud reçut la nouvelle comme un coup de poing. Il ne put s'empêcher de murmurer :

— Il sentait sa mort venir...

— Que dites-vous ? demanda la femme.

— Rien, bredouilla Arnaud, encore sous le choc. Je me parlais à moi-même.

La femme le regarda comme on reluque ceux qu'on soupçonne d'avoir l'esprit dérangé. Il monta tout de suite au moulin, désireux de savoir ce qui avait causé la mort de son ami.

Une fois sur place, il regretta presque d'y être allé. Un scellé était apposé sur le moulin. Avisant l'homme qui se tenait en sentinelle devant la porte, il lui demanda :

— Pourquoi donc le moulin est-il sous scellé ?

— Pardi ! Parce que le meunier y est mort.

— Mon ami Mathurin est mort dans le moulin ?

— Pour ça oui ! On l'a trouvé étouffé et disloqué par le rouet.

Arnaud resta sans voix.

— C'est une horrible mort, poursuivit l'homme. En plus, il faudra qu'un charpentier de moulin vienne déprendre le corps.

— Pourquoi un charpentier de moulin ?

— Pardi ! Parce que seul un charpentier saura sortir le cadavre sans tout briser le mécanisme.

— Je suis charpentier de moulin, dit Arnaud.

— Ah, bon ! Le sieur Langeron sera heureux de vous parler.

— Et moi de même. Où pourrai-je le trouver ?

— Je l'attends d'une minute à l'autre. Il m'a dit qu'il passerait avant midi.

Arnaud alla s'asseoir sur le seuil du moulin. Une petite pluie fine se mit à tomber, rendant l'attente encore plus triste. Fort heureusement, il n'eut guère besoin de patienter, car le sieur Langeron se présenta quelques minutes plus tard en compagnie d'un petit homme dont la démarche parut curieuse à Arnaud. Il marchait sur le bout des pieds, comme pour se donner plus de prestance, et ne cessait de gesticuler. Arnaud alla au-devant d'eux.

— Tiens, Arnaud ! dit le sieur Langeron. Je suis heureux de te voir. Nous te cherchions pour nous tirer d'affaire.

— Je sais ! L'homme que voici m'a informé de cette triste nouvelle.

— Crois-tu pouvoir nous dire comment nous tirer d'affaire ? Ce n'est pas beau à voir. Les mouvements du moulin sont bloqués, il y a du sang partout, nous ne savons pas si nous devons faire avancer ou reculer les engrenages. Faut-il tout briser ou peut-on extraire le corps sans tout démolir ?

— Faut que je voie, dit Arnaud.

— C'était ton ami. Sauras-tu tenir le coup ?

— Je saurai. Depuis mes dix ans, ce n'est pas le premier mort que je vois. J'en ai enterré des dizaines. La mort ne me fait plus peur.

— À la bonne heure. Entrons !

Ils pénétrèrent dans le moulin et laissèrent à leurs yeux le temps de se faire à la pénombre. Arnaud s'approcha et ne put s'empêcher d'avoir un mouvement de recul en apercevant le corps ensanglanté de son ami, pendant de moitié en dehors du rouet. Il prit le temps de se faire une bonne idée de la situation, après quoi il se tourna vers le sieur Langeron.

— Il faudra faire en douceur, dit-il, mais forcer le rouet vers l'avant. En un quart de tour nous pourrons dégager le corps.

Il se fit aider du sieur Langeron et de l'homme de garde. Pendant ce temps, le petit homme, contraint d'aller prendre l'air, avait disparu.

Comme Arnaud l'avait dit, en faisant lentement tourner le rouet, petit à petit le corps tourna sur lui-même et se dégagea d'un coup. Il tomba lentement au sol comme une chiffe molle. Le sieur Langeron sortit et Arnaud l'entendit dire :

— Ange-Albert, rends-toi utile ! Va chercher un brancard. Tu aurais d'ailleurs déjà dû y penser.

Ils attendirent une quinzaine de minutes avant de voir revenir Ange-Albert avec le brancard demandé. Ils le posèrent à terre et firent rouler dessus le corps disloqué du meunier. À quatre, ils le ramenèrent chez le procureur, qui leur fit reproche de ne pas avoir attendu qu'il passe au moulin.

— Nous avons fait ce qu'il y avait à faire, protesta le sieur Langeron. Depuis ce matin, ce pauvre meunier est mort de la plus atroce des façons. Nous aurions apprécié que vous fassiez plus grande diligence.

— On ne peut pas être à trois places à la fois, grogna le procureur. Ce pays va finir par avoir ma peau !

Les hommes firent leur déposition. Des quatre, Arnaud était le plus écouté. Il ne put s'empêcher de dire :

— Il avait acheté l'emplacement de sa tombe à l'église, il y a une semaine à peine.

— On est bien peu de chose, dit tristement le sieur Langeron. Pauvre Mathurin !

Le procureur le regarda curieusement et dit :

— Puisqu'il avait choisi l'emplacement de sa tombe il y a une semaine à peine, se pourrait-il qu'il ait attenté à sa vie ?

Arnaud s'indigna :

— Mathurin, s'occire ? Jamais de la vie ! Il était beaucoup trop bon vivant pour ça.

S'adressant à Arnaud, le sieur Langeron dit :

— Pourrai-je compter sur toi pour réparer les dégâts aux mouvements du moulin ?

— Il le faudra bien, répondit Arnaud. C'est mon métier.

Le sieur Langeron insista :

— Tu devras faire disparaître toute trace de l'accident, sinon pas un seul meunier ne voudra travailler au moulin avant longtemps.

— Je saurai le faire, assura Arnaud.

Chapitre 38

Quand la justice s'en mêle

Les années passaient. Arnaud et Agathe étaient mariés depuis dix ans. Ils désespéraient d'avoir des enfants. C'était leur plus grande peine. Quand Arnaud était appelé à travailler au loin à l'érection d'un moulin, Agathe, seule pendant des mois, souhaitait de tout cœur mettre au monde un enfant qui voudrait enfin s'accrocher à la vie. Une fois de plus, elle en portait un à qui elle ne cessait de répéter: «Tu dois vivre! Tu dois vivre! Ton père et ta mère t'attendent avec impatience. Tu verras, tu seras bien. Nous t'apprendrons tout: à marcher, parler, rire, écrire, compter... Mais pour ce qui est de pleurer, tu l'apprendras bien tout seul.»

Agathe s'encourageait de la sorte en espérant des temps meilleurs. Elle s'était fait quelques amies qu'elle visitait à l'occasion. Au cours d'une de ces visites, elle fut, bien malgré elle, impliquée dans une histoire pour le moins navrante. Toutes les cinq étaient fort occupées à fabriquer une courtepointe. Les langues marchaient tout autant que les doigts et tout allait pour le mieux dans le meilleur des mondes quand elles entendirent des pas dans l'escalier et virent apparaître un homme, la perruque de travers et canne en main. Pointant celle-ci vers Jeanne Serreau, assise près d'Agathe, il s'avança et dit, la voix vibrante d'indignation :

— La Serreau de mes entrailles, tu n'es que la méchante fille de Jacques Serreau, pendu par le cou, et d'Antoine Serreau, ton grand-père, pendu par les pieds, tous deux des assassins et des brigands de grand chemin !

Son intervention sema la consternation. Jeanne paraissait pétrifiée. Seule Élisabeth Dupin réagit. Se munissant d'un balai appuyé dans un coin de la pièce, elle menaça l'intrus en lui disant :

— Hors de ma maison, malotru ! Et que je ne t'y reprenne plus !

Lui assénant un coup de manche à balai, elle le repoussa vers la sortie. Surpris, l'homme recula jusqu'à l'escalier, qu'il ne se fit pas prier de descendre tout en grommelant contre « les putains, les maquerelles et leurs semblables ». Sa visite suscita beaucoup de questions. La pauvre Jeanne était effondrée. Elle sanglotait à faire pitié.

Agathe s'indigna :

— Qu'est-ce qu'il lui a pris ?

— Cet homme est tombé sur la tête ! s'écria Madeleine Lafargue tout en s'efforçant d'apaiser Jeanne.

Les femmes entourèrent leur amie en lui disant de ne pas s'en faire avec cette histoire et qu'elles savaient toutes que son père et son grand-père étaient des hommes honorables.

Leurs bonnes paroles ne firent pas l'effet escompté, car la jeune femme offensée continua de pleurer sans arrêt. Elle finit cependant par se calmer et les autres voulurent avoir des explications.

— Qui est ce goujat ? demanda Élisabeth Dupin. Tu le connais ?

— Oui ! C'est François Corneau.

— Quel grief a-t-il contre toi pour vomir de pareilles insultes ?

— Il prétend que j'empêche son fils de se marier avec ma fille.

— Si le fils est comme le père, tu as raison de t'opposer.

— Tel père, tel fils. Jamais je ne voudrai marier ma fille à ce pourceau.

— Je présume que tout ce qu'il a dit sur ton père et ton grand-père est pure invention, intervint Élisabeth.

— Il ne les connaît ni d'Ève ni d'Adam. Il n'était pas de notre contrée. C'est pure méchanceté de sa part. Si mon homme apprend ce qu'il a dit, il va le tuer. Mon Dieu ! Il ne faut pas qu'il sache.

— Rassure-toi, assura Barbe Galipeau, la seule qui ne fût pas encore intervenue. Nous ne sommes que nous cinq à l'avoir entendu.

Madeleine Lafargue réagit vivement :

— Ça demande tout de même réparation d'honneur. Il faut que Jeanne porte plainte. J'irai volontiers avec elle.

Sans plus tarder, les deux femmes allèrent porter plainte contre Corneau devant le procureur, qui promit de le faire comparaître dès le lendemain. Il expédia Biron, l'huissier de justice, lui porter l'exploit lui intimant l'ordre de se présenter en cour le lendemain matin à neuf heures. Corneau n'était pas chez lui. Biron y retourna quelques heures plus tard et, cette fois, put lui remettre la sommation à comparaître.

Le lendemain, Agathe et ses amies se retrouvaient chez le procureur. Le malotru de la veille avait moins fière allure. Le procureur invita la plaignante à faire part de ses doléances. Calmement, Jeanne Serreau s'avança et parla.

— Cet homme s'est présenté hier chez mon amie Élisabeth Dupin où nous étions réunies et, devant mes amies ici présentes, a proféré des injures atroces et mensongères concernant mon père et mon grand-père. Je demande réparation d'honneur.

Le procureur se fit répéter les propos de l'accusé. Il ne mit guère de temps à se faire un jugement.

— François Corneau, dit-il, qu'avez-vous à dire pour votre défense ?

— Monsieur le juge, vous comprendrez que j'étais en colère parce que cette femme empêche mon fils d'épouser sa fille.

— Est-ce une raison valable pour vous en prendre à l'honneur de deux honnêtes hommes ?

— Sans doute que non !

— Puisque vous admettez votre erreur, eh bien vous devrez, en la présence de la plaignante et de ses amies, et de trois ou quatre autres personnes qu'elles voudront bien mander de les accompagner, reconnaître que témérairement, malicieusement et faussement, vous avez dit que le père et le grand-père de la plaignante avaient été pendus et que vous les avez traités d'assassins et de brigands de grand chemin. Vous demanderez publiquement pardon à celle que vous avez offensée en déclarant que vous la reconnaissez pour une femme de bien et d'honneur, et que son père et son grand-père ne sont pas entachés des accusations que vous avez portées contre eux. De plus, vous devrez, en manière de réparation, verser à la plaignante la somme de dix livres d'amende et autant aux pauvres de l'Hôtel-Dieu de Québec. Enfin, vous serez mis au carcan sur la place publique durant une heure après la messe du dimanche, avec un écriteau attaché sur l'estomac où sera écrit : “Pour calomnie à l'égard du père et du grand-père de Jeanne Serreau.”

Quelques jours plus tard, en présence des amies de Jeanne et de leurs époux, Corneau fit les excuses appropriées, après quoi il fut mis comme prévu au carcan sous les regards et les quolibets des passants.

Arnaud était bien navré qu'Agathe ait été témoin de toute cette affaire. Il mit du temps à lui raconter l'aventure que lui-même avait vécue à la même époque.

— Un jour que j'allais au moulin de Beauport, je marchai malencontreusement dans un tas de souillures devant une maison. Je glissai et m'étalai de tout mon long dans ce qui avait été le contenu d'un pot de chambre. Je me relevai, furieux de ma mésaventure, et me rendit droit à la maison du gouverneur. Deux serviteurs qui se bouchaient le nez voulurent s'interposer en me voyant entrer sans frapper, mais n'osèrent pas mettre la main sur moi tant j'étais dégoûtant. Je profitai de leur hésitation pour me précipiter chez le gouverneur, qui ne put rien faire d'autre que de me recevoir. "Voyez dans quel état je suis ! fulminai-je. Tout cela, monsieur le gouverneur, parce que nous vivons comme des pourceaux."

« Le gouverneur voulut m'apaiser, mais n'osa pas me dire de m'asseoir de peur que je n'abîme à jamais le fauteuil où j'aurais pris place. "Reprenez-vous, mon ami, me dit le gouverneur. Expliquez-moi ce qui vous vaut tant d'indignation."

« Je m'étais quelque peu calmé. Je poursuivis sur un ton plus posé : "Monsieur le gouverneur, nos rues sont des égouts à ciel ouvert. Ne serait-il pas temps que vous appreniez de meilleures manières à vos sujets ?" "Comme quoi, par exemple ?" "À ne pas jeter leurs ordures dans la rue, et leur défécations dans les rigoles, devant leur maison. Notre ville pue la pourriture !

Ne serait-ce pas mieux que tout ce qui est ordure se retrouve derrière les maisons plutôt que devant ?"

«Le gouverneur, qui avait hâte de me voir dehors, dit: "Je vais m'en occuper personnellement." Je m'écriai: "À la bonne heure ! Il était grand temps que ça se fasse. Merci !"»

Arnaud ajouta que dès qu'il eut passé la porte, il entendit le gouverneur ouvrir ses fenêtres. Il gagna ensuite Beauport à pied puis, à la Canardière, bifurqua le long du fleuve et s'y jeta tout habillé. Il se dévêtit ensuite, fit tremper ses vêtements et, après les avoir essorés, les étendit sur des pierres que le soleil chauffait encore. Il attendit patiemment qu'ils sèchent pour s'en revêtir. Après quoi, il alla tout bonnement travailler comme si rien ne s'était passé.

— Tu te souviens, dit-il à Agathe, des nouvelles ordonnances qui furent placardées sur toutes les portes des églises, parmi lesquelles celle-ci : "Il est désormais défendu, sous peine de cinquante livres d'amende, de jeter le contenu des pots de chambre dans la rue, de même que tout autre genre d'ordures" ?

— Je m'en rappelle fort bien, répondit Agathe. Ça m'a remis en mémoire l'épisode qui nous a valu de nous connaître.

Arnaud se mit à rire.

— Heureusement que cette ordonnance n'existait pas encore à l'époque ! Eh bien ! Le roi a fait promulguer deux autres ordonnances concernant l'hygiène publique.

— Lesquelles ?

— L'une d'elles précise qu'à l'avenir les latrines devront se retrouver obligatoirement derrière les maisons.

— Voilà qui est bon.

— L'autre ordonnance fait défense à quiconque de garder des cochons dans leur maison.

— Il n'y a rien de plus raisonnable.

— Mais ce que tu ignores, ma mie, c'est que depuis, plusieurs femmes ont obéi aveuglément à l'ordonnance puisqu'elles ont mis leur mari dehors !

❖

Agathe mena presque à terme l'enfant qu'elle portait, mais une fois de plus, elle donna naissance à un bébé mort-né.

— Un mauvais sort nous a été jeté, mon mari, se plaignit-elle. Jamais je ne pourrai nous faire d'enfant.

— Allons, ma mie ! Il ne faut pas désespérer, l'encouragea Arnaud. Tu sais, j'ai vécu, étant jeune, la pire des souffrances, celle de la faim. C'est au moment où nous pensions le plus que tout était terminé que le soleil est enfin revenu. Si je respire encore aujourd'hui, c'est que je n'ai jamais abandonné. Sans doute voulais-je vivre pour te connaître et faire mon bonheur de ta présence. J'en suis certain, comme je te vois et tu me vois, un jour, tu nous feras un petiot que nous chérirons.

— Puisse le ciel t'entendre, mon bon Arnaud !

Chapitre 39

Des nouvelles de France

Les Iroquois faisaient de plus en plus de victimes du côté de Montréal. La dernière fois qu'il s'y était rendu, Arnaud avait entendu raconter qu'ils s'approchaient effrontément des maisons et qu'ils finiraient par y massacrer tout le monde. Arnaud fut fort heureux de voir paraître cet été-là un navire chargé d'engagés pour Montréal. Comme tout Québec, il était au port quand on signala l'arrivée du vaisseau. Une excellente raison l'y menait. Arnaud avait appris qu'un bon nombre des engagés sur ce navire venaient d'Angers. Il en avait dit un mot à Agathe qui, en apprenant la provenance des passagers du navire, s'était tout de suite mise à espérer recevoir des nouvelles d'une tante qu'elle avait toujours dans cette ville.

— Peut-être aura-t-elle pensé à m'écrire. J'en serais si heureuse ! Je m'ennuie parfois de mon pays d'origine. Il me semble que si ma tante me donnait des nouvelles de temps à autre, ça me rappellerait de bons souvenirs.

Arnaud en fut pour ses frais. Si le *Saint-Nicolas de Nantes* demeura plusieurs jours dans la rade de Québec, aucune lettre destinée à Agathe ne leur fut apportée. Le vaisseau s'échoua par la suite. On le vida de tout son contenu avant de le brûler sur place. Mais voilà qu'un mois plus tard, un jeune homme se présenta chez eux avec une missive qui, disait-il, leur était destinée.

— Comment expliques-tu qu'on ne nous l'ait pas remise quand le vaisseau s'est arrêté à Québec ?

— Regardez l'adresse.

Arnaud lut :

— *À Agathe Meunier, pays de la Nouvelle-France.*

— Le pays est vaste. Celui qui avait charge de cette lettre ne savait pas si Agathe Meunier habitait Québec, Montréal, les Trois-Rivières ou ailleurs.

Curieux, Arnaud demanda :

— Comment donc avez-vous réussi à savoir ?

— Un ami à vous, monsieur Perré.

— Qui donc ?

— Guillaume Lambert.

— Le charretier ? Que devient-il, celui-là ?

— Toujours en bonne santé, et grand raconteur d'histoires.

— Et encore ?

— Il me prie de vous saluer et assure qu'il garde de vous un bon souvenir. Et maintenant, monsieur, permettez-moi de disposer.

Ce curieux jeune homme, dont ils ne surent jamais le nom, disparut comme il était venu. Agathe décacheta vivement la lettre. Sa tante d'Angers ne l'avait pas oubliée.

Chère nièce,

Ma lettre saura-t-elle te trouver dans ce grand pays de neige ? Que deviens-tu ? Ici, plus personne ne s'intéresse à ce que tu peux être devenue. Les gens oublient si facilement ceux qui sont partis. Il me semble pourtant qu'il n'y a pas si longtemps que tu nous as quittés. Si tu revenais, tu ne reconnaîtrais plus la place, tant les choses changent en peu de temps. D'abord, tu chercherais en vain la maison où tu es née parce qu'elle a passé au feu. Ceux qui l'avaient achetée de ton père auraient tous péri si ce n'eût été du chien qui les a réveillés. Ils n'habitent plus par ici et personne n'a rebâti sur les ruines de votre maison.

Notre vieux curé a été remplacé pour un plus jeune et nous n'y avons pas gagné au change. Je ne sais pas si tu te rappelles le maître ciergier et ferronnier dont le magasin s'élevait tout près de chez vous. Il a vendu sa boutique avec tout son contenu. C'est un nommé Charles Rouleau qui l'a achetée. Ça nous a donné l'occasion d'apprendre qu'en plus des cierges, des torches, des chandelles et de la ferronnerie, il fabriquait aussi dans sa boutique des armes à feu, de quoi faire sauter sa maison et toutes les maisons voisines. Si ton père avait su ça, il aurait certainement mal dormi, mais qu'importe aujourd'hui puisqu'il dort à jamais comme beaucoup de vieux que tu as connus et qui sont morts l'un après l'autre pour être aussitôt remplacés par de jeunes enfants qui, le temps de le dire, nous regardent comme si nous étions vieilles comme le monde. Mais c'est un peu ce que nous sommes devenues, tant nos vieux os ne cessent de nous le rappeler.

Tu ne reconnaîtrais certainement plus personne, puisque même la mère Belot, celle qui a aidé ta mère à accoucher de toi, n'est plus de ce monde. Tu n'as sans doute pas oublié la petite Élisabeth Angevin qui vous servait de bonne à tout faire. Elle est maintenant mariée et a deux petites filles adorables. Je la vois presque tous les jours et elle se porte à merveille. C'est une gentille fille, mais, entre nous, elle a marié un misérable qui lui fera la vie dure. Mais à quoi bon te raconter tout ça ? Tu es maintenant si loin que toutes ces histoires doivent t'intéresser autant que le fumier de mouton dans les champs du père Normand.

Tu dois te demander pourquoi j'ai décidé de t'écrire. Sans doute parce que je sens ma mort venir et que je suis la seule qui te reste dans la famille. Je ressentais comme une obligation de te donner des nouvelles afin de te renseigner un peu sur ce dont tu peux encore te souvenir. J'ai l'impression ainsi de faire mon devoir de chrétienne et je dormirai avec la conscience plus tranquille de l'avoir fait. Et c'est également pour te dire que je t'ai légué tous mes biens. Il faudra donc que tu t'occupes de ma succession si tu veux un jour toucher l'argent qui te reviendra de la vente de ma maison et de mes biens. Le notaire Du Moulin te fera assavoir ma fin quand elle sera venue.

J'ai su que beaucoup d'hommes d'ici et des environs partaient pour la Nouvelle-France. Le pieux homme Jérôme Royer de La Dauversière a ramassé beaucoup d'argent depuis quelques années pour fonder une place que tu dois connaître et qui s'appelle Ville-Marie. Ces hommes se sont engagés à se rendre défendre cet endroit contre les Sauvages. J'espère que ma lettre te rejoindra où que tu sois et si jamais tu la reçois, je souhaite vivement que tu me donnes de tes nouvelles. J'habite toujours, si tu te souviens bien, à la même place, rue Saint-Aubin, non loin de la cathédrale Saint-Maurice.

Affectueusement,

Ta vieille tante Andréanne qui, si elle oublie beaucoup de choses, n'a pas oublié sa chère filleule.

Quand Agathe eut terminé sa lecture, elle avait les yeux pleins d'eau. Arnaud ne manqua pas de le remarquer et lui dit :

— Allons, ma mie, à ce que je vois, cette missive t'a un peu secouée. Nous n'oublions jamais le pays qui nous a vus naître. La vie est ainsi faite que parfois elle nous pousse bien loin de ceux que nous aimons.

— Ce n'est rien, c'est juste un coup d'ennui qui sera bien vite passé tant notre vie maintenant est rattachée à ce pays. À quoi bon revenir en arrière ? Il faut regarder vers demain, surtout quand de nouveau une vie nous habite.

— Tu es en famille ? s'exclama Arnaud.

S'approchant d'elle, il la serra dans ses bras.

— Cette fois sera la bonne, dit-il, je le sens comme si je l'avais déjà vécu.

— Puisse le ciel t'entendre, mon mari, et l'enfant que je porte aussi.

Cet automne-là, Agathe profita du dernier navire à quitter Québec pour faire parvenir une longue missive à sa tante Andréanne, lui racontant dans les détails sa vie à Québec, son mariage et la joie qu'elle éprouvait de porter la vie en elle. Quelques mois plus tard, elle accouchait d'un garçon qui, cette fois, prit sa place au soleil. Arnaud était fou de joie. Il commença par courir en prévenir les sieurs Giffard et Juchereau. Il ne manqua pas, au retour, de passer par la seigneurie Notre-Dame-des-Anges afin de s'assurer que tous ceux qu'il y connaissait fussent prévenus de la bonne nouvelle. Il monta jusqu'au Cap-aux-Diamants en informer le meunier. Ne venait-on pas au moulin pour connaître le nouveau de tout un chacun ? Il se calma en se disant qu'en quelques jours à peine, tout le pays serait informé qu'il était le père d'un poupard de sept livres.

❖

Au printemps suivant, par le premier navire à toucher Québec, ils reçurent une lettre du notaire Du Moulin, d'Angers, leur annonçant le décès de la tante Andréanne. Ce dernier précisait ce qu'ils savaient déjà : Agathe en était l'unique héritière. Il demandait des directives sur la façon dont il devait procéder pour liquider les biens. Arnaud dit à Agathe :

— Ma mie, si tu veux réellement toucher toutes les sommes qui te reviennent, il faut t'assurer de quelqu'un de fiable pour s'en occuper. Ce notaire Du Moulin est sans doute un honnête homme, mais nous avons tant vu de successions fondre à vue d'œil avant même d'être conclues qu'il nous faudrait y voir nous-mêmes.

— Mais comment ?

— Pourquoi ne passerais-tu pas en France à cette fin ?

— Moi ! Traverser en France au moment où je viens enfin de mettre au monde un premier enfant ? Jamais de la vie ! Je ne laisserai pas à d'autres le soin de s'occuper de mon fils. Au diable la succession !

Arnaud fut quelque peu étonné de la véhémence avec laquelle Agathe, ordinairement si posée, avait parlé.

— Je suis heureux, ma mie, reprit-il, de t'entendre dire que notre enfant passe avant tout, mais ce n'est certes pas pour autant une raison de laisser tomber l'héritage.

— Qui te dit que ma tante possédait des biens tels qu'il vaille la peine d'en toucher les bénéfices ? Ce notaire pourra tout vendre et n'aura qu'à nous faire parvenir les sommes ainsi recueillies en nous faisant rapport des démarches entreprises pour y parvenir.

— Tu as raison, ma mie, mais je vais m'informer auprès de qui de droit afin de savoir quelle personne fiable retourne en France cette année avec intention de revenir au printemps prochain. Nous la paierons afin de l'inciter à passer en notre nom à Angers pour nous rapporter les fruits de ton héritage.

— Commençons par le commencement. Faisons parvenir une missive à ce notaire afin qu'il procède à la vente.

Arnaud s'assit, prit la plume et se mit aussitôt à écrire.

Chapitre 40

Un héritage et une tromperie

De retour de France à la fin de l'été 1655, Dominique Robert rapporta plusieurs milliers de livres tournois. C'était ce à quoi s'élevait la vente de la maison et des biens ayant appartenu à la tante Andréanne. Agathe et Arnaud touchèrent cet héritage avec un vif plaisir.

— Voilà, dit Arnaud, de quoi nous assurer un bel avenir.

— En autant que tu ne le dépenses pas de façon insensée à la première occasion.

— Pourquoi "de façon insensée"? Serais-je quelqu'un d'irréfléchi?

— Tu es Arnaud Perré, toujours prompt à te lancer tête baissée dans la première aventure qui se présente.

Arnaud la regarda et esquissa un sourire. Elle avait dans le regard cette petite pointe d'espièglerie qui l'avait toujours fasciné et il s'efforçait de ne pas pouffer de rire.

— Qu'ai-je fait au bon Dieu, dit-il, pour avoir épousé une pareille créature? Je devais être vraiment distrait ce jour-là… Mais à bien y penser, c'est peut-être la plus heureuse distraction de ma vie.

Elle s'approcha et l'embrassa.

— Tiens, dit-elle, pour t'empêcher de dire d'autres bêtises. Mais que ferons-nous de cet argent ?

— Il faudra voir. Comme nous n'en avons pas absolument besoin pour l'instant, il constituera notre bas de laine.

Prenant à la lettre les propos d'Arnaud, Agathe ouvrit l'armoire où elle rangeait nappes, draps et hardes diverses. Elle en sortit un bas de laine dans lequel elle glissa l'argent.

— Et maintenant, dit-elle, quelle cachette propose mon cher mari pour cette fortune ?

Arnaud se gratta le crâne un moment.

— Cette armoire pour le moment, mais dans deux jours, à part nous, personne ne saura où le trouver.

— Qu'est-ce qui te vaut cette assurance ?

— Ton mari est un spécialiste de l'escamotage.

Quelques jours plus tard, chaque fois qu'on ouvrait l'armoire, l'argent disparaissait avant qu'on puisse l'apercevoir, logé dans un petit compartiment secret fabriqué à cet effet.

❖

En cette année 1656, Arnaud fut approché par les seigneurs de la côte de Beaupré pour ériger un moulin à eau sur la rivière du Sault-à-la-Puce. Ce fut pendant son séjour en ce lieu qu'il fut mêlé, bien malgré lui, à un des événements les plus étonnants de sa vie.

Il n'était arrivé que depuis trois jours au Sault-à-la-Puce et il logeait dans une petite maison, non loin de l'emplacement du futur moulin, quand, un soir, au moment où il allait se coucher, on frappa à sa porte. Quelque peu étonné qu'on le dérange à pareille heure, il dit :

— Qui va là ?

— Chut ! fit une voix à peine audible. Ouvrez, j'ai besoin d'aide.

Arnaud hésita un moment puis déverrouilla la porte. Un homme entra, portant sur son dos un lourd fardeau qu'il déposa aussitôt par terre, près de l'entrée. Lorsqu'il se redressa, Arnaud put alors juger de la taille de l'homme, qui lui parut démesurée.

— J'allais me coucher, dit-il. En quoi puis-je vous aider ? Mais d'abord qui êtes-vous ?

— Roch Barfleur dit La Fleur de mai.

— Et que me vaut votre visite ?

— Accepteriez-vous de garder pour moi jusqu'à demain ce fardeau que je porte ? Il est fort lourd. Je me rendrai cette nuit jusque chez moi et reviendrai demain avec voiture et cheval pour le récupérer.

— Puis-je savoir de quoi il s'agit ?

— Ma part de la viande d'un orignal tué cet après-midi, non loin d'ici. Je l'ai mise à conserver dans ce sac de cuir. Permettez, pour le distraire des prédateurs à deux pattes, que je le suspende pour la nuit au mur de votre maison.

Intrigué, Arnaud ne savait trop quoi dire ni penser. Il n'eut pas le loisir de réfléchir plus longtemps, car l'homme lui demanda :

— Auriez-vous un marteau ainsi qu'un ou mieux deux bons clous ?

— Je ne suis ici que depuis trois jours, expliqua Arnaud, mais des clous, un charpentier de moulin en a toujours quelques-uns quelque part.

Il alla fouiller dans un coffre au coin de la pièce et en revint avec un marteau et deux clous.

L'homme s'en empara et sortit. Il souleva d'un coup son fardeau, laissé près de la porte. Traînant sa charge sur son dos, il s'en alla derrière la maison. Arnaud l'entendit fixer les clous dans le mur arrière. Deux minutes plus tard, il lui remettait le marteau.

— Dormez tranquille, monsieur, ajouta-t-il. Tôt demain matin, je reprendrai mon bien. Merci pour le marteau et les clous. Vous me rendez là un fier service.

Sans plus, l'homme s'enfonça dans la nuit. Arnaud avait sommeil. Il se coucha sans s'interroger davantage sur ce qui venait de se passer. Il vivait depuis déjà suffisamment longtemps en Nouvelle-France pour ne plus s'étonner de pareilles bizarreries. N'avait-il pas entendu parler de dizaines de faits semblables où des voyageurs avaient eu recours à la générosité et l'aide des habitants, pour toutes sortes de raisons ?

Quand il se leva le lendemain, il jeta un coup d'œil à l'arrière de la maison. Le large sac de cuir pendait toujours, bien accroché aux clous plantés en haut du mur. Arnaud se dit : « L'homme ne devrait pas tarder à passer. » Sans plus s'inquiéter, il se rendit sur l'emplacement du moulin, puis à l'atelier où il menait son travail. Ce n'est qu'à la pause du dîner, en allant jeter un coup d'œil à sa maison, qu'il vit le sac toujours suspendu au même endroit.

« Par la chaleur qu'il fait, se dit-il, il va perdre sa viande d'orignal. »

Il eut donc la curiosité de jeter un coup d'œil dans le sac. Ce qu'il y vit le sidéra. Il mit du temps à revenir de son étonnement, et encore plus à se ressaisir. Le sac contenait le cadavre d'une femme. Arnaud en eut la chair de poule. Il courut aussitôt prévenir le sieur Le Tardif qui, en compagnie du bailli de la côte de Beaupré et du chirurgien Letendre, s'amenèrent en vitesse constater la chose par eux-mêmes. Ils décrochèrent le sac et l'ouvrirent pour en retirer le corps de la malheureuse.

— Il a vraiment dit qu'il s'agissait de viande d'orignal ? interrogea le bailli.

— Absolument ! répéta Arnaud. C'était un homme plus grand que nous tous. Une espèce de géant qui m'a dit s'appeler Roch Barfleur dit La Fleur de mai.

— Ce nom ne me dit rien, assura le sieur Le Tardif. Quant à cette femme, depuis le temps que j'habite en ce pays, et au petit nombre de femmes qui y vivent, je devrais bien l'avoir vue quelque part.

Ils décidèrent de porter la dépouille à Québec afin d'établir l'enquête sur cette mystérieuse affaire. Après avoir examiné le corps, le chirurgien Letendre en vint à la conclusion qu'elle avait bel et bien été étranglée. Le procureur ne mit guère de temps à prendre les choses en main. Il fit d'abord incarcérer Arnaud, qu'il interrogea à son tour sur toutes les circonstances ayant mené à la découverte de ce cadavre. Arnaud ne fit que répéter ce qu'il avait déjà dit au sieur Le Tardif. Le procureur, trouvant son récit étrange, refusa de lui rendre sa liberté et le fit garder en prison. Il expédia un tambour sur la place du marché. Celui-ci lut le communiqué suivant :

> *Toute personne ayant vu dernièrement ou ayant été en contact avec un étranger de très haute stature, nommé Roch Barfleur dit La Fleur de mai, éventuellement accompagné d'une femme de taille moyenne aux cheveux noirs, est prié instamment d'en informer le procureur. C'est une question de justice.*

Habituellement, dans des circonstances similaires, plusieurs personnes se manifestaient rapidement auprès du procureur. Chose étonnante, cette fois-ci, personne ne se présenta de toute la journée. Ce dernier pestait :

— C'est impossible que personne n'ait vu cet homme, si toutefois il existe bien ailleurs que dans l'imagination de ce charpentier de moulin. Et cette femme, d'où sort-elle ?

Ce fut à cette question soulevée à plusieurs reprises par le procureur qu'un commencement d'explication sembla tout à coup faire son chemin. Un marchand du nom de Pierre Sauvé se présenta :

— C'est une simple observation de ma part, monsieur le procureur. Elle vaut ce qu'elle vaut, mais le matin où a été découvert le cadavre de cette femme, un navire a fait voile vers la France.

— Et quel rapport voyez-vous entre ce meurtre et le départ d'un navire ?

— Le meurtrier pourrait tout simplement s'être débarrassé du corps et avoir regagné la France à bord de ce vaisseau.

— Quel navire était-ce ?

— *L'Hippopotame*.

— Depuis combien de temps était-il arrivé ?

— Deux semaines seulement. C'est un navire marchand. À ma connaissance, il n'y avait pas de passager à bord. Je n'en ai pas vu en descendre. Il est demeuré à l'ancre devant Québec, le temps qu'on le vide de ses marchandises et qu'on le charge de plusieurs centaines de peaux d'orignal.

— Qui en est le capitaine ?

— Salomon Dutrisac.

— Comment êtes-vous si bien informé à son sujet ?

— C'est qu'une bonne partie des marchandises à son bord m'étaient destinées.

À la suite de cette conversation, le procureur fit de nouveau venir le tambour, avec ordre, cette fois, de faire le boniment suivant : « Toute personne ayant eu affaire avec le capitaine Salomon Dutrisac du navire *L'Hippopotame* est prié de se présenter incessamment devant le procureur. »

Quelques marchands défilèrent devant lui en ne rapportant rien de plus que ce qu'avait dit Pierre Sauvé. Le procureur en vint donc à la conclusion que le départ de ce navire, au matin de la découverte du corps, n'était qu'une pure coïncidence. Entre-temps, avant qu'on procède à l'inhumation de la malheureuse, il avait mandaté un artiste pour en dessiner le portrait. Plusieurs copies de ce portrait furent affichées tant sur la place du marché qu'à la porte de l'église paroissiale et de celle des moulins avoisinants. Au bas de ce portrait était inscrit ce qui suit : *Quelqu'un reconnaît-il cette femme ? Si oui, en aviser aussitôt le procureur*. Mais personne ne se présentant, il devenait de plus en plus évident qu'il s'agissait là d'une inconnue. Le procureur désespérait de ne jamais pouvoir faire la lumière sur ce meurtre quand un petit homme se présenta à lui en affirmant posséder des renseignements qui pourraient faire progresser l'enquête.

— Je peux savoir qui vous êtes ? lui demanda le procureur d'une voix impatiente.

—Joseph Latraverse, monsieur le procureur. Je suis maître de barque.

— Pourquoi avez-vous tant tardé à vous manifester ?

— Parce que je n'étais pas à Québec. J'ai fait un transport du côté de la Pointe-à-la-Caille.

— Et qu'est-ce qui vous a incité à venir me voir ?

— Eh bien ! La veille du départ de *L'Hippopotame*, le marchand Léveillé m'a mandé chez lui et m'a dit : "Tu vas te rendre à bord de *L'Hippopotame* t'assurer du nombre de peaux d'orignal inscrites près de mon nom sur l'inventaire à cet effet. D'après la copie que j'ai en main, j'aurais fourni cent vingt peaux, mais mon comptable croit n'avoir fait inscrire sur la liste que cent dix peaux."

— Et alors ?

—Je me suis rendu au navire. Il était vers les dix heures et demie du soir. Comme j'abordais à la proue et que j'appelais pour qu'on me lance une échelle de corde, j'ai vu qu'une autre barque venait d'en faire autant à la poupe. Comme on tardait à me répondre, je me suis approché lentement de la poupe afin de profiter à mon tour de l'échelle qu'on venait d'y lancer. J'ai vu un homme beaucoup plus grand que la normale se saisir de l'échelle et grimper en vitesse à bord. Mais ce qui m'a le plus étonné, c'est qu'il a laissé filer à la dérive la barque dans laquelle il venait d'arriver. Je me serais bien préoccupé de récupérer cette embarcation, mais il me fallait moi aussi monter à bord afin de parfaire ce pourquoi j'étais venu jusque-là. Ma vérification faite, j'ai repris mon embarcation et je l'ai laissée aller au fil de l'eau avec espoir qu'elle me conduirait jusqu'à la barque en dérive. Mais j'ai dû renoncer parce qu'il faisait nuit noire.

— Ainsi donc, grogna le procureur, ce géant existait bel et bien ailleurs que dans la tête de ce charpentier de moulin.

Il fit aussitôt libérer Arnaud, qui demanda compensation pour les journées passées en prison. Pendant tout ce temps, Agathe ne s'était douté de rien, le croyant au travail au moulin du Sault-à-la-Puce.

Chapitre 41

Une affaire de sorcellerie

Il y avait exactement dix ans qu'Arnaud n'avait pas mis les pieds à Montréal. Il s'y rendait pour construire le moulin du Coteau Saint-Louis. Celui du fort, qu'il avait érigé dix années auparavant, ne suffisait plus à la tâche. Deux meuniers y travaillaient à plein temps, le faisant tourner jour et nuit quand le vent le permettait. La population de Montréal avait plus que doublé et les habitants réclamaient un nouveau moulin. Arnaud ne tarda pas à se mettre à l'ouvrage. Beaucoup de monde venait par curiosité voir la progression des travaux. Constamment dérangé dans son travail, le charpentier dut demander au sieur de Maisonneuve d'en interdire l'accès aux habitants.

— Si vous voulez voir ce moulin moudre du grain avant un an, il faudrait que les gens se contentent d'attendre la fin de son érection. Comment puis-je travailler quand je suis tout le temps interrompu ?

— J'y verrai, promit le sieur de Maisonneuve.

La tour du moulin était montée et Arnaud travaillait à la confection des pièces des différents mouvements lorsqu'il eut la visite de celui qu'on avait déjà engagé comme meunier. Il s'apprêtait à souper quand l'homme en question obstrua l'entrée du moulin, jetant du même coup Arnaud dans la pénombre.

— Ne restez pas dans la porte ! lui lança-t-il. Dans un moulin, on entre ou on sort.

— À qui le dites-vous ! répliqua l'arrivant. Je suis meunier et bien placé pour le savoir.

— Dans ce cas, venez que l'on cause. Seriez-vous déjà le meunier promis à ce moulin ?

— En effet, je le suis. Pierre Bissonnette que je me nomme, natif du Poitou, à La Roche-sur-Yon pour être plus précis. J'ai été engagé par la Compagnie de Montréal pour faire tourner ce moulin. En attendant qu'il soit prêt, je donne un coup de main au moulin du fort. Quand puis-je espérer moudre mes premières farines ici ?

— Pas avant trois mois. Nous ne sommes qu'en décembre. J'ai encore à terminer lanterne et rouet. Tout cela ne se fait pas en disant ouf ! Il faut ce qu'il faut. Je ne peux pas aller plus vite si je veux réaliser de la belle ouvrage qui durera longtemps.

— Vous avez bien raison. Nous voyons trop de ces moulins qui ne tournent que quelques mois par année parce que mal bâtis.

— Vous n'aurez pas à vous plaindre de celui-ci, vous ne me reverrez pas pour des années.

— Tant mieux!

Arnaud ne revit pas le meunier Bissonnette pendant deux semaines, puis il revint et prit l'habitude de venir causer le soir, après le souper. Au bout de quelque temps, les deux hommes étaient devenus amis.

Un bon midi, le meunier arriva tout excité.

— Pardonne mon intrusion, Arnaud, dit-il en entrant, mais la nouvelle en vaut la peine.

— Tant que ça?

— Il va y avoir un procès pour sorcellerie.

— Que dis-tu là?

— Je dis bien ce que je dis. Un soldat a, paraît-il, noué l'aiguillette à des nouveaux mariés.

— Noué l'aiguillette?

— Oui! Tu sais bien, pour jeter un sort aux mariés.

— Quel genre de sort?

— Les rendre infertiles.

— Je ne connais rien de ces histoires de sorcellerie, reconnut Arnaud. Comment peut-on empêcher des mariés d'avoir des enfants?

— En leur jetant un maléfice, pardi! Le diable s'en mêle et leur enlève leur fécondité.

— Il va donc y avoir procès?

— Cet après-midi.

Arnaud, que son travail retenait au moulin, dit:

— J'aimerais être un oiseau pour y assister.

— J'y serai, lui promit Bissonnette, et ce soir je te raconterai.

❖

Tenant parole, le meunier se présenta au moulin le soir même. Arnaud l'attendait, un verre de gnôle à la main.

— Prends, dit-il, ça aide à mieux se souvenir.

Bissonnette avala le tout d'une gorgée.

— Alors ? demanda Arnaud.

— C'est bien ce que le soldat Besnard a fait. Pendant la messe, il s'est tenu près de Gadois et de la Pontonnier, les mariés. Il a sorti un lacet de cuir et à commencé à nouer l'aiguillette. Gadois l'a vu faire. Il a aussitôt récité le *Miserere* à l'envers.

— Et puis ?

— Il y a de cela quinze mois et ils n'ont point d'enfant.

Réfléchissant tout haut, Arnaud dit :

— Il faut croire que Gadois n'a pas bien récité son *Miserere* à l'envers.

— Ou que les maléfices ont porté. Mais ce n'est pas le pire.

— Quoi donc ?

— Interrogé par monsieur de Maisonneuve, Besnard, le sorcier, a raconté que depuis le mariage il est allé trouver la Marie Pontonnier et lui a dit : "Sais-tu ce qui pourrait te permettre d'avoir une jouissance de ton mari ?" Elle a répondu : "Je ne sais !" "Eh bien, il te faut d'abord en avoir une de moi."

— Pas vrai ? Le misérable !

— Bien plus !

— Quoi donc ?

— Il a dit qu'elle lui avait donné rendez-vous chez elle pendant la grand-messe et qu'il s'y était rendu à dessein de jouir d'elle. Une fois là, elle lui a demandé : "Est-ce que tu dénoueras l'aiguillette si je te donne jouissance ?" Il a aussitôt répondu : "Non, me prends-tu pour un sorcier ?" À son tour, elle a dit que dans ce cas, il ne jouirait point d'elle. Tout aurait dû finir là, mais voyant qu'il faisait chou blanc, Besnard a ajouté aussitôt : "Oui, je dénouerai l'aiguillette si j'ai jouissance avec toi." Mais la Pontonnier l'a envoyé paître et l'a ensuite accusé de sorcellerie.

— Qu'a dit monsieur de Maisonneuve de tout ça ?

— Il a expédié Besnard en prison.

— Pour longtemps ?

— Je ne sais pas, il ne l'a pas mentionné.

— Eh bien, dit Arnaud, on aura tout vu en ce pays !

— Ce n'est pas si pire qu'en France, fit remarquer le meunier, mais on n'a guère de temps pour s'ennuyer. Quand ce n'est pas une histoire de sorcellerie, c'en est une de fausse monnaie.

— Fausse monnaie ? questionna Arnaud. Il y en a qui ne craignent pas de jouer avec leur vie…

— Oui ! Il paraît qu'un nommé Michel a fait circuler de fausses pièces d'argent.

— Vraiment ? Il court après sa mort. On le pendra.

— Il n'est pas sot. Il a choisi d'imiter des pièces espagnoles, moins connues dans nos parages. D'autant plus que celles qui circulent ici sont très souvent mutilées et ne font pas le poids.

Arnaud, que les propos du meunier intéressaient, ajouta :

— Il faut être habile pour reproduire une pièce de monnaie. Cet homme devait avoir des connaissances pour créer le moule nécessaire à leur confection.

— C'était un armurier, habitué à couler des pièces de fusil et d'armement. Paraît-il qu'il est parvenu, à l'aide d'une pièce réelle, à produire le moule qui lui a servi par la suite à couler les fausses pièces de plomb dont il se servait.

— Faire passer du plomb pour de l'argent ne doit pas être si simple ?

— C'est ce qui l'a trahi. Ses pièces avaient beau briller et paraître authentiques, elles péchaient par excès de poids. Un marchand plus au fait de la monnaie espagnole a fini par le faire prendre. Il risque la peine de mort.

❖

Arnaud regagna Québec au début du printemps, heureux de retrouver son épouse et leur fils Marcellin. Agathe en avait long à dire sur les progrès de leur enfant. Il grandissait bien. Il allait bientôt avoir quatre ans et démontrait d'intéressants signes de débrouillardise. Il s'inventait toutes sortes de jeux et parlait déjà franc, imitant à la perfection les cris de plusieurs animaux dont celui du coq, ce qui faisait l'admiration d'Arnaud. Interrogée sur son emploi du temps, Agathe raconta qu'elle passait ses après-midi en compagnie de quelques amies à la confection de hardes diverses pour les pauvres Sauvages.

— Mais, s'étonna Arnaud, ils savent fort bien s'habiller eux-mêmes !

— Pourquoi alors sont-ils toujours presque nus ?

— Parce qu'ils se sentent bien ainsi. Mais qu'importe ! Ce qui compte, c'est que vous sachiez vous occuper de façon utile.

Comme chaque fois qu'il revenait d'un travail qui l'avait retenu loin d'elle pendant plusieurs mois, Arnaud se montrait d'une extrême fébrilité. Il lui semblait redécouvrir son épouse comme lors de leur première rencontre. De la revoir devant lui et de pouvoir enfin la tenir dans ses bras l'excitaient au plus haut point. Mais il y avait l'enfant et il devait attendre jusqu'à ce que le petit soit couché avant de satisfaire le désir qu'il avait d'elle. Chaque fois, elle tentait de le calmer tant il était pressé.

— Allons, disait-elle, je sais, je sais, tu as faim de moi, mais c'est comme pour manger, il ne faut pas avaler trop vite, sinon tu risques de t'étouffer ou de faire une indigestion, ensuite tu ne voudras plus rien savoir de moi.

— Voyons ! Voyons ! Ma mie, tu es trop appétissante pour que je me passe de manger.

À peine était-elle dévêtue qu'il assouvissait son désir. Elle ne pouvait rien y faire. Ce soir-là, comme à chacun de ses retours d'une longue absence, elle le laissa faire puis, pince-sans-rire, lui dit le plus sérieusement du monde :

— Après celle-là, si jamais je tombe en famille, j'aurai certainement un enfant qui ne tiendra pas en place.

Sa réflexion fit se pâmer Arnaud qui, en prenant cette fois davantage son temps, s'unit tendrement à elle en lui disant à l'oreille :

— Si jamais c'est une fille, il faudra sérieusement penser à l'appeler Agathe, parce qu'il me semble qu'il faut absolument perpétuer ce nom dans la famille en souvenir de la plus merveilleuse femme du monde.

— Tu te moques, dit-elle.

— Jamais, ma mie. Le plus beau jour de ma vie, c'est celui où je t'ai rencontrée par le hasard que tu sais.

— Veux-tu dire, rétorqua-t-elle, que sans ce fameux pot de chambre, tu ne serais pas là ?

— Allons, protesta-t-il, n'est-ce pas le plus heureux pot de chambre qui ait jamais existé ?

Chapitre 42

Quand les démons s'en mêlent

Arnaud revenait de Beauport, où il avait été appelé pour une réparation mineure au moulin du seigneur Giffard. Agathe l'attendait pour le souper. Elle avait hâte de lui apprendre sa nouvelle grossesse. Marcellin avait maintenant six ans. C'était un petit homme plein de vie, curieux et débrouillard qui s'intéressait aux insectes et à tout ce qui bougeait dans la nature, autour de la maison. Au cours de la journée, pendant que sa mère était au marché à faire quelques achats, il avait couru d'un côté et de l'autre et était soudain réapparu, tenant à bout de bras une couleuvre, créant tout un émoi parmi un groupe de femmes. Les quelques hommes présents s'étaient bien entendu moqués d'elles. Fier de son coup, Marcellin attendait le retour de son père pour lui raconter l'aventure. Il avait voulu conserver la bête dans un pot de terre, mais sa mère était parvenue à le convaincre qu'elle ne survivrait pas et qu'il valait mieux la rendre à la nature. Il attendit donc que son père la voie avant de la libérer.

Arnaud arriva à la maison vers l'heure du souper. Il ne put dire un seul mot tant l'enfant en avait long à raconter. Ce fut en sa compagnie qu'il alla de l'autre côté de la rue, où un terrain vacant permettait la remise en liberté. La couleuvre n'attendit pas son reste pour disparaître dans les herbes hautes. De retour à la maison, ils ne tardèrent pas à se mettre à table. Un bon fumet de soupe au poisson ouvrait l'appétit. Pendant le repas, Arnaud dit à Agathe :

— Tu ne peux pas savoir ce qui m'est arrivé aujourd'hui.

— Quoi donc ? Raconte.

— Pas tout de suite. Pas avant que le petit soit au lit et bien endormi.

— Est-ce si singulier que tu ne puisses en parler tout de suite ?

— En effet, ma mie. Il vaut mieux attendre.

Agathe mourait d'envie de savoir ce qui pouvait bien s'être passé. Quand elle fut assurée que l'enfant dormait, elle demanda :

— Et cette aventure ? Me feras-tu encore languir bien longtemps avant de me l'apprendre ?

Arnaud la regarda avec des yeux quelque peu moqueurs.

— Crois-tu aux démons ? commença-t-il.

— Quelle question ! Tu sais tout aussi bien que moi qu'ils existent et nous entourent pour nous faire tomber dans le péché. Voilà bien ce que nos prêtres racontent et ce que nos parents nous ont dit, alors que nous étions encore tout petits. Tout le monde sait ça !

Arnaud esquissa un sourire.

— Eh bien, j'ai vu aujourd'hui une jeune femme possédée du démon.

Agathe ouvrit de grands yeux.

— Où ça ?

— À Beauport.

— Quand ?

— Ce matin. Je marchais sur la Canardière avant d'arriver au moulin du seigneur Giffard quand j'ai vu venir sur la route une jeune femme agitée comme ça ne se peut pas. Elle tressautait sans cesse comme si quelqu'un la piquait au derrière. Elle a tourné autour de moi en gesticulant, les yeux chavirés. Elle soufflait comme un animal, me regardait par en dessous comme une personne méfiante et disait toutes sortes de méchancetés à propos du seigneur Giffard, du missionnaire et des habitants de l'endroit. "Ce sont tous des maudits ! crachait-elle. Des crapauds de la pire espèce avec du venin plein la gueule ! Je les écrabouillerai !" Elle tenait une gaule à la main et en frappait le sol comme pour battre quelqu'un. Elle n'était vraiment pas belle à voir, bien qu'elle possédât des traits qui, en temps ordinaire, devaient lui donner du charme.

— Qu'as-tu fait ?

— Je l'ai laissé faire et dire, et j'ai continué jusqu'au moulin.

— Sais-tu qui c'est ?

— Justement ! Rendu au moulin, j'ai parlé au meunier de ma rencontre. Il m'a raconté qu'il s'agit de Barbe Hallé, la fille de Jean-Baptiste Hallé. Il paraît que le père Lallemant a dit qu'elle est infestée par un démon follet depuis quelques mois et qu'elle n'a pas toute sa raison. J'ai demandé au meunier d'où cela lui venait. Le meunier a baissé la voix et m'a dit à l'oreille : "Il paraît que c'est mon prédécesseur, le meunier Voil, qui lui a jeté ce maléfice." Le meunier a poursuivi en jetant des coups d'œil de côté et d'autre comme quelqu'un qui craignait d'être surpris : "Voil est un magicien qui apparaît à la jeune fille jour et nuit. Il paraît qu'elle le voit partout, même dans sa soupe, en compagnie de trois autres magiciens dont elle connaît les noms, Hervé, Jeancien et Merlot, sans les avoir jamais vus."

— La pauvre, fit Agathe, émue. Faut-il qu'il y ait des gens méchants pour jeter ainsi de mauvais sorts !

— C'est pas tout, poursuivit Arnaud. Chez les Hallé, il se produit toutes sortes de phénomènes étranges. Des cailloux volent dans la maison sans toucher personne et sans qu'on voie qui les lance. Chaque jour, les mauvais esprits apparaissent à la possédée sous toutes sortes de formes, des hommes infirmes et contorsionnés, des enfants pas de tête, des bêtes immondes, et même des spectres qui passent à travers les murs en laissant derrière eux toutes sortes de senteurs fétides qui obligent les membres de la famille à sortir de la maison pour ne pas étouffer. Un jour, à leur retour chez eux, ils ont trouvé tout dévasté. La table, les chaises, le lit, tout était viré à l'envers.

Agathe s'indigna :

— Mais c'est épouvantable ! Monseigneur l'évêque n'est-il pas capable de chasser ces démons ?

— Il a bien tenté de le faire, mais les démons se sont moqués de lui. Quand il a voulu exorciser la fille, les démons ont dit par sa bouche toutes sortes de paroles ignominieuses indignes d'être répétées.

— Qu'est-ce que monseigneur de Laval a décidé ?

— Il semble qu'il va la faire enfermer à l'Hôtel-Dieu. On dit qu'il y a là une bonne sœur qui fait peur aux démons.

— Oui, je sais, c'est la mère Catherine de Saint-Augustin. On raconte toutes sortes de choses à son sujet. On m'a dit qu'elle a même pris charge d'un sorcier sur qui le diable faisait des marques.

— Qu'est-ce que tu racontes là ?

— Oui, le diable faisait des marques sur le corps du sorcier en question et la mère, sans l'avoir vu, pouvait dire sur quelle partie de son corps le diable avait fait des marques. Chaque fois qu'un religieux ou un chirurgien examinait le sorcier, ils trouvaient les marques exactement là où la bonne mère l'avait annoncé.

— C'est difficile à croire.

— Oui, mais elle a un vrai pouvoir sur les démons. Mon amie Charlotte Laprise m'a raconté l'autre jour que la mère Catherine de Saint-Augustin est une sainte. Elle a chassé un démon qui s'était caché dans la serrure du couvent.

Arnaud sursauta :

— Que dis-tu là ? Un démon caché dans une serrure ?

— Oui, un bon soir, la portière du couvent a été trouver sœur Catherine pour lui dire qu'elle n'était pas capable de fermer la porte à clé parce qu'un démon s'était mis dans la serrure. La bonne mère ne voulait pas descendre jusqu'à l'entrée, mais le père Brébeuf lui est apparu et lui a dit de s'y rendre. Elle a obéi et a soufflé dans la serrure. Le démon lui a répondu par un soufflet si puissant que ça lui a cinglé le visage comme s'il s'agissait de verges de fer. Elle a soufflé si fort à son tour que la mère portière a pu mettre la clé dans la serrure et fermer la porte pour la nuit.

Arnaud demeurait sceptique.

— Ce sont là des histoires de bonnes femmes.

— Non, Charlotte Laprise avait affaire au couvent le lendemain et elle a vu que la mère Catherine de Saint-Augustin avait la joue enflée.

❖

À quelque temps de là, Arnaud revint sur cette histoire de démons, car de nouveaux développements s'étaient produits.

— Le meunier Voil, dit-il à Agathe, a été jeté en prison pour magie, sorcellerie, blasphème et profanation des sacrements.

— C'est un mauvais homme, dit Agathe. Il n'a eu que ce qu'il mérite.

— Ce n'est pas tout... J'ai appris que Barbe Hallé n'est plus possédée.

— Je suis certaine que la mère Catherine a fait un miracle !

— Vous autres et vos miracles ! Si un seigneur venait me demander de construire son moulin, voilà ce qu'on pourrait appeler un véritable miracle...

❖

À la fin de janvier parut dans le ciel une comète qui fut aperçue tous les soirs jusqu'à la fin de mars. Impressionnées par cette apparition, les amies d'Agathe affirmaient que cet astre apporterait le malheur. Agathe rapporta leurs propos à son mari :

— Ce sont des messagers du ciel. Plus ils brillent, plus ils sont porteurs de mauvaises nouvelles : la preuve, les Iroquois attaquent de partout cette année, par la faute de cet astre de malheur.

— Allons donc ! dit Arnaud pour l'apaiser. Quel rapport peut-il y avoir entre cette comète et les malheurs que nous subissons ? Les Iroquois nous attaquent chaque année.

— Mes amies disent que nous aurons du très mauvais temps, de très gros orages, de la grêle et des inondations.

— Tes amies sont bien gentilles, mais elles ont beaucoup trop d'imagination.

❖

Quand, peu de temps après, Agathe perdit l'enfant qu'elle portait, ses amies furent unanimes à en faire porter le blâme à la comète. Arnaud ne manqua pas de rappeler à Agathe que les décès précédents ne pouvaient être imputés au passage de l'astre.

— Soyons heureux, ma mie, de l'enfant que nous avons.

Chapitre 43

Sorcellerie, bigamie et tremblement de terre

En passant à Notre-Dame-des-Anges, où il avait été appelé à vérifier les mouvements du moulin, Arnaud se buta au meunier Pierre Bissonnette qu'il n'avait pas revu depuis son séjour montréalais. Ils eurent bien du plaisir à sc retrouver. Arnaud se rappela aussitôt le procès de Besnard et demanda au meunier:

— Puis! Comment a fini l'histoire de sorcellerie?

— L'histoire de sorcellerie... Ah! La Pontonnier et son mari? Tu ne sais vraiment pas?

— Ça m'était parti de l'idée depuis belle lurette, c'est en te voyant que ça m'est revenu.

— Ils ne sont plus mariés ensemble. Ils n'ont pas pu avoir d'enfant. L'an passé, l'évêque les a démariés. Il a dit que le mariage n'était pas bon à cause du maléfice.

— Eh bien! En voilà une histoire. Et le sorcier?

— Besnard? Il est sorti de prison et s'est exilé aux Trois-Rivières. Mais ce n'est pas la meilleure: la

Pontonnier s'est remariée et a eu tout de suite une fille, mais son deuxième mari a été tué par les Iroquois. Gadois, le pauvre, a dû payer quatre cents livres en castors à la Pontonnier parce qu'il ne l'a pas engrossée le temps qu'il est demeuré avec elle. Il paraît qu'il était si en rage que Besnard était mieux de rester caché aux Trois-Rivières.

— Eh bien! On aura tout vu. Et toi, qu'est-ce qui t'amène dans nos parages?

Le meunier hésita un brin avant de répondre:

— Je n'aimais pas travailler à Montréal. J'ai cherché de l'ouvrage par ici et j'en ai eu tout de suite par les jésuites à ce moulin.

— Bon, c'est bien beau, les retrouvailles, mais il me faut voir ce qui ne va pas dans les entrailles du moulin.

— Oh, ça ne me semble pas être grand-chose, c'est la lanterne qui est désajustée. J'aurais pu tenter de la réparer moi-même, mais le père Rafeix a dit: “Tu n'y touches pas. Je vais faire venir le charpentier Perré.” Ça m'a réjoui de savoir que je te reverrais.

Arnaud ne mit que quelques minutes à tout remettre en place. Quand il quitta les lieux, le moulin était de nouveau en marche. Il regagna Québec à pied sous une bonne chaleur, si bien qu'il s'arrêta se rafraîchir en passant au cabaret de Boisdon. Le charpentier Lemire y était déjà, et Arnaud se mit tout bonnement à causer avec lui.

— J'arrive de Notre-Dame-des-Anges, du moulin pour tout dire. La lanterne était désaxée. J'y ai vu le meunier Bissonnette. Je le connaissais de Montréal quand j'y ai bâti le moulin il y a quatre ans.

— Le meunier Bissonnette ? reprit Jean Lemire. Sais-tu ce qu'il lui est arrivé ?

— Quoi donc ?

— Ah ben ! Je vais t'en apprendre une bonne. Il était marié en France avant de venir ici.

Portant sa main à sa bouche, Arnaud s'écria :

— Oh, là, là ! Pas vrai !

— Vrai comme tu me vois. Il avait une femme du côté de La-Roche-sur-Yon. C'est un de ses amis arrivé à Montréal qui l'a dénoncé quand il l'a vu bel et bien marié ici. L'évêque a annulé son mariage il n'y a pas un mois et Bissonnette a préféré s'en venir par ici pour se faire oublier à Montréal. Il est question qu'il paye gros prix pour avoir trompé sa femme d'ici, d'autant plus qu'ils ont eu un enfant ensemble.

— Ah, le vlimeux ! Il me l'aurait pas dit pour toute une terre.

La réflexion d'Arnaud fit bien rire son ami Lemire avec qui il avait grand plaisir à causer et travailler. Pour lors, ils étaient à préparer ensemble les mouvements du moulin à vent que le sieur de La Trinité s'apprêtait à faire ériger au Mont-Carmel.

Peu de temps après, par un marchand de Montréal, Arnaud apprit la mort du meunier Michel Louvart dit Desjardins qu'il avait connu lors de son séjour à Montréal. Il fut indigné d'apprendre qu'il avait été tué sur le pas de sa porte par des Iroquois de la tribu des Loups.

« Heureusement, se dit-il, que nous sommes ici à l'abri de pareille calamité. »

❖

Si, à Québec, on ne craignait pas de voir soudain surgir des Iroquois, on n'était pas pour autant à l'abri d'un autre fléau qui ne tarda pas à frapper bientôt tout le pays. Le cinquième jour de février, sur les cinq heures du soir, un puissant grondement fit se précipiter Agathe et Arnaud hors de leur maison. Ils pensèrent d'abord qu'il s'agissait du bruit d'un grand incendie ou encore de la venue soudaine d'une multitude de tombereaux. Mais quand le sol se mit à vibrer sous leurs pieds, ils surent qu'il s'agissait d'un tremblement de terre. Les maisons s'agitaient d'un côté et de l'autre comme des arbres sous la poussée du vent. De sinistres craquements se faisaient entendre de partout, et aussi des crépitements, comme si des pierres pleuvaient sur les toits. Les cloches de l'église et des chapelles sonnaient d'elles-mêmes à petits coups, puis en longues secousses. Il leur sembla que la terre s'apprêtait à s'ouvrir sous leurs pieds. De la poussière montait de partout, les portes s'ouvraient puis se refermaient avec fracas. Les animaux gémissaient, les chiens hurlaient comme des loups. On entendit jusqu'à des coups de feu. C'était la confusion la plus totale. Puis le sol en vint à se stabiliser, les maisons reprirent leur place, la plupart sans leur cheminée entre-temps écroulée au sol.

Comme leurs voisins, Agathe et Arnaud regagnèrent leur maison pour y trouver des meubles renversés, de la vaisselle cassée et la maison sens dessus dessous. Ils avaient à peine remis tout en place qu'une nouvelle secousse fit vibrer la maison et les garda sur le pied d'alerte toute la soirée.

Le lendemain matin, ils purent se faire une meilleure idée du terrible séisme qu'ils venaient de subir en parcourant les rues de la ville jonchées de débris. Mais ce qui les étonna le plus, ce fut de voir le fleuve, débarrassé de ses glaces, présenter pendant plusieurs jours une eau couleur soufre.

Arnaud avait été intrigué d'entendre des coups de feu au plus fort du tremblement de terre. Il s'informa de ce que ça pouvait être. Un homme le lui apprit en ces termes :

— Ce sont les Sauvages qui ont tiré des coups de fusil en l'air.

— Pourquoi donc ?

— Effrayés par le tremblement de terre, ils ont pensé qu'il était le fait des mauvais esprits. Ils ont donc tiré vers le ciel afin de les chasser.

Arnaud, que ce phénomène avait bouleversé comme tout un chacun, ne manqua pas d'en causer avec tous ceux qu'il rencontrait çà et là. Un homme de la région des Trois-Rivières lui dit :

— Des centaines d'arbres ont été entraînés dans le fleuve. Le cours d'une rivière a été détourné et elle s'est répandue dans les plaines avant de regagner le fleuve en déversant avec elle des montagnes de boue qui ont fait se changer la couleur de l'eau.

— Voilà donc ce qui explique la teinte ocre du fleuve, en déduisit Arnaud.

— Bien plus, ajouta l'homme. À un endroit où il y avait autrefois une chute, la terre s'est si bien soulevée qu'elle l'a fait disparaître.

— Pas vrai ?

— Je le jure ! Ailleurs, il y a des collines entières qui sont apparues là où il n'y en avait pas. Elles font place à ce qui était auparavant des forêts.

— Tout cela est incroyable, dit Arnaud.

— Mais ce n'est rien encore. Imagine-toi donc que des marsouins blancs ont jeté des hauts cris devant le bourg des Trois-Rivières.

— Je ne veux pas vous relancer, dit un voyageur venu de Baie-Saint-Paul, mais une montagne entière a déboulé dans le fleuve et y a formé une petite île à l'abri de laquelle on peut désormais trouver un havre pour les vaisseaux.

Tout au long de l'année, de nouvelles secousses furent ressenties. Maintes fois, Arnaud et Agathe crurent devoir quitter leur maison en vitesse. Puis la terre finit par s'apaiser et la vie reprit le cours paisible auquel elle les avait habitués jusque-là.

❖

L'été approchait. Souvent, à cette période de l'année, Arnaud était appelé à réparer les mouvements d'un mécanisme brisé ou encore à commencer la construction d'un moulin dans une seigneurie. Comme il y avait peu de charpentiers de moulin, l'ouvrage ne manquait ordinairement pas. Mais, cet été-là, personne ne le fit demander. N'ayant pas d'ouvrage, un soir il dit à Agathe :

— Ce serait bien pour Marcellin s'il pouvait jouer à sa guise au bord de l'eau et profiter du bon soleil de l'été. Il fréquentera en septembre le collège des Jésuites et nous aurons moins l'occasion de l'avoir avec nous. Pourquoi n'irions-nous pas nous installer pour quelque temps dans notre maison du Cap-Rouge ?

— Voilà une excellente idée ! s'exclama Agathe. Pour nous aussi, ce changement fera le plus grand bien.

Quelques jours plus tard, ils remplissaient la voiture de toutes sortes de biens qu'ils comptaient utiliser à leur maison de Cap-Rouge. Ils partirent, heureux de laisser les rues étroites de la ville afin de profiter durant ces mois de chaleur du bon air frais de la campagne.

QUATRIÈME PARTIE

LES GRANDES ÉPREUVES

Chapitre 44

L'agression

Cap-Rouge, printemps 1664

Le jour promettait d'être beau. Un morceau de brume enveloppait la forêt jusqu'à la rive du fleuve. « On dirait le pan d'un manteau », pensa Arnaud en jetant un coup d'œil par la fenêtre de la cuisine. À la limite des champs, les clôtures apparaissaient puis disparaissaient comme des sentinelles au changement de la garde. Le soleil parvenait à peine à déchirer çà et là ce voile opaque. Pour se convaincre du beau temps à venir, Arnaud récita machinalement une maxime de sa région natale : « Brume sur la vallée, aussitôt percée, fera belle ta journée. » Sa prédiction s'avéra juste. Une heure plus tard, pompée par le soleil, la buée s'effilochait déjà au sommet des arbres. Arnaud sortit. Il s'étira puis respira longuement en fermant les yeux de plaisir. Du sol montaient les plus agréables parfums printaniers. « Enfin, se dit-il, les tracas sont derrière moi. » Agathe l'appela depuis la maison.

— Tu ne déjeunes pas ?

— Viens plutôt voir quelle belle journée se prépare. Il me semble cependant que ça sent la fumée.

— Espère-moi, j'arrive.

Il se retourna pour l'attendre. Elle accourut vers lui de son pas agile, mais s'arrêta net et poussa un cri d'effroi. Il n'eut pas le temps de se rendre compte de ce qui pouvait tant l'effrayer. Une main ferme se plaqua sur sa bouche. Une vive douleur lui traversa la nuque et il perdit conscience.

❖

Quand il revint vaguement à lui, il entendit la voix d'un homme qui disait :

— C'est un miracle, monsieur Roussel ! Comment un homme a-t-il pu survivre à une levée de chevelure ?

— Celui qui a fait le coup n'a pas terminé son ouvrage, comme quelqu'un qui laisse tout en plan pour s'occuper d'une autre besogne. Il n'a pas pu l'achever ensuite, car il a été surpris par le sieur Juchereau et ses gens qui sont accourus en voyant du feu à la maison de Boulé. Quand ils sont arrivés sur place, les Iroquois sont partis en vitesse. Crois-moi, mon pauvre Cornélius, il a eu de la chance dans sa malchance. Il en sera quitte pour souffrir toute sa vie d'une large tonsure sur le dessus du crâne.

Comme dans un rêve, Arnaud entendait chaque mot de cette conversation. Il aurait voulu faire taire ces deux hommes dont les paroles lui martelaient le cerveau comme fer sur enclume. Il ne parvenait pas à comprendre de qui ces hommes pouvaient bien parler. C'était sans importance. Son mauvais rêve allait prendre fin d'une minute à l'autre. Sitôt éveillé, il leur dirait de ne pas parler si fort à l'avenir. Il tenta de lever la main pour leur faire signe de se taire. Son bras était si lourd qu'il le laissa retomber. « C'est au-dessus de mes forces », se dit-il.

La voix reprit :

— Regardez ! Il a bougé un bras !

— Ma foi du bon Dieu, tu as raison, Cornélius, il vient de faire un geste.

Le chirurgien Roussel s'approcha du lit d'Arnaud.

— Si tu nous entends, dit-il, cligne des yeux.

Malgré le gong qui résonnait dans sa tête, Arnaud fit l'effort de cligner des yeux.

— Il reprend sa connaissance ! jubila Cornélius.

Son exclamation fit tressaillir Arnaud. Il aurait voulu se boucher les oreilles. Qui était ce bourreau dont il ne reconnaissait pas la voix ?

— Chut ! fit le chirurgien. Il grimace chaque fois que nous parlons. Nos paroles le font sursauter. Contentons-nous de chuchoter.

❖

Quand, quelques jours plus tard, Arnaud ouvrit enfin les yeux pour de bon, il ne reconnut pas l'endroit où il se trouvait. Il faisait nuit. La pièce n'était éclairée que par la lueur d'une lampe à l'huile de baleine. Une femme inconnue, tout de gris vêtue, veillait à côté de son lit, assise sur une chaise droite. Il vit ses lèvres bouger. Comme il n'entendait rien, il se dit: «Je suis sourd.» Pour s'assurer qu'il ne rêvait pas, il tendit un bras dans sa direction. Elle sursauta et, du même coup, se leva. Arnaud s'entendit demander:

— Où suis-je?

— Au royaume des vivants, répondit la femme en gris. Vous revenez d'aussi loin qu'on le peut d'entre la frontière des vivants et des morts.

— Que m'est-il arrivé?

— Vous avez été surpris par les Iroquois. L'un d'eux a levé une partie de votre chevelure. Ça fait aujourd'hui sept jours que vous vous complaisez dans le monde de l'inconscience.

— J'ai faim et j'ai soif!

— C'est bon signe. Quand on a faim, c'est que la vie nous revient, comme un navire au long cours regagne le port après un long périple.

Elle s'interrompit pour lui tendre un gobelet d'eau.

— Prenez ceci pour tout de suite.

Il but avidement. Quand il laissa retomber sa tête sur l'oreiller, il ne put réprimer un cri de douleur.

— Vous êtes encore bien fragile, monsieur Perré. Ici, tout le monde vous considère comme un miraculé.

Comme s'il venait tout à coup de reprendre vraiment conscience, Arnaud s'écria en gémissant:

— Agathe ! Qu'est-elle devenue ? Et Marcellin ?

— Votre femme n'a pas eu la même chance que votre fils et vous-même. Les Iroquois l'ont emmenée en captivité. Pauvre elle, je la plains. Mais ne vous désolez pas trop. Grâce à Dieu, ces barbares n'ont pas eu le temps de trouver votre fils. Votre voisine en prend soin.

Arnaud se tut. La religieuse hospitalière qui le veillait vit ses joues s'inonder de larmes. Elle respecta sa douleur.

— Pleurez, dit-elle. Cela vous fera grand bien.

Chapitre 45

Le tonsuré

Après une autre semaine, au sortir de l'hôpital, Arnaud gagna directement Cap-Rouge. Il voulait d'abord s'assurer de la santé de son fils. La mère Desprès qui prenait soin de lui était une maîtresse femme, joufflue à souhait et d'une énergie inépuisable. Elle respirait la bonne santé, menant son monde sans jamais perdre patience même s'ils étaient cinq marmots à lui tourner autour en quémandant qui du lait, qui du pain, qui de l'eau. Quand Arnaud arriva chez cette femme exceptionnelle, elle faisait dîner sa marmaille. En le voyant, elle s'écria :

— Merci, mon Dieu, vous revoilà !

Elle le considéra quelques secondes avant d'ajouter en portant la main à son cœur :

— Pauvre monsieur Arnaud, vous ne venez pas nous enlever Marcellin, au moins ?

À la vue de son père, l'enfant s'était levé pour se précipiter dans ses bras.

— Je viens au contraire m'assurer que vous pouvez le garder, le temps que j'aille m'enquérir de ce qu'est devenue sa mère.

La femme poussa un soupir de soulagement.

— C'est une soie que vous avez là, monsieur Arnaud, et beau comme un angelot.

Tout à son idée, Arnaud fit celui qui n'avait pas entendu. Il poursuivit en disant :

— Demain, madame Després, si vous me promettez de bien prendre soin de Marcellin, je me rends chez le notaire Rageot vous faire don de tous mes biens en cas de mort.

— Vous avez donc l'intention de partir pour longtemps ?

Avant de répondre, peu habitué aux effusions, il se pencha et serra gauchement son fils contre lui. L'enfant se mit à pleurer. Il prit Marcelin par le menton pour le forcer à le regarder dans les yeux et lui dit :

— Écoute bien ce que ton père va te dire. Je vais retrouver ta mère. Ça prendra le temps que ça prendra. Si elle est encore vivante, je vais te la ramener, je t'en fais le serment. Si elle est morte, malheur à celui qui l'aura tuée.

Marcellin pleurait toujours. Arnaud comprit que les tristes événements qu'il avait subis l'avaient passablement perturbé. Il se demanda si son départ n'allait pas le bouleverser davantage. Mais son idée était faite. Il n'allait pas en déroger.

— Soyez sans crainte, madame Després, dit-il en se redressant, si je meurs, tous mes biens seront à vous et votre mari. De la sorte, vous pourrez faire instruire mon fils et peut-être bien le rendre à sa maturité.

La femme s'exclama :

— Dites pas des choses de même, monsieur Arnaud, ça porte malheur !

Pour chasser les mauvais présages, elle se signa vivement.

— Ne craignez rien, ma bonne dame, je vous dédommagerai pour vos bons soins. Je m'arrangerai pour vous envoyer l'argent qu'il vous faudra, tout le temps que je serai au loin. Je suis homme de parole. Vous pouvez vous fier à moi. Maintenant, vous allez m'excuser, je vais de ce pas chez le seigneur Juchereau.

Il enfonça sur sa tête le bonnet que les religieuses lui avaient confectionné pour cacher son crâne dénudé. Il serra de nouveau son fils contre lui, puis, d'un pas alerte, il se dirigea vers le manoir des Juchereau de Maure. Comme il lui fallait traverser la rivière, il gagna directement la berge pour remonter vers la cabane du passeur. Quand il y parvint, la barque était amarrée sur l'autre rive. Il chercha vainement le passeur.

« Où peut-il bien être ? se dit-il. Il ne s'éloigne jamais beaucoup à cause des passants. » Il s'assit sur une moraine, au bord de la rivière, en attendant son retour. Au bout de dix minutes, le passeur n'était pas encore revenu. « C'est pas normal, songea-t-il, il devrait être là. Madame Durand doit être chez elle. Je vais aller m'enquérir. »

La maison du passeur se dressait tout près, sur un promontoire d'où il pouvait voir venir toute personne qui s'amenait de l'un ou l'autre côté du gué. D'un bon pas, il gagna la maison et frappa sans obtenir de réponse. La porte n'était pas verrouillée : il entra. Il n'y avait personne, pas même les enfants. « Les Iroquois ! », se dit-il. Il s'empara d'un mousquet posé au-dessus de la cheminée. Il n'avait rien pour l'armer. En fouillant dans la maison, il mit la main sur une corne de poudre. Nerveusement, il chargea son arme. Il sortit se poster tout près d'un hangar d'où il pouvait apercevoir le sentier du gué, la rivière et tous les alentours. Il regarda par-dessus les arbres dans la direction du manoir. Tout semblait calme, il ne voyait pas de fumée. Il se rendit compte que son cœur battait à tout rompre. « Calme-toi, se dit-il, sinon tu ne sauras même pas te défendre. » Il commençait à peine à se contrôler quand il entendit des coups de mousquet venant du manoir.

— Vite chez les Després ! cria-t-il en gagnant la berge au pas de course.

Quand il arriva chez les Després, tout était aussi calme que lorsqu'il en était parti. À bout de souffle, il entra en coup de vent dans la maison. Occupée à faire cuire une soupe aux pois, la femme blêmit en le voyant faire irruption, armé et affolé de la sorte.

— Mon Dieu ! Qu'est-ce qui se passe ? cria-t-elle d'une voix chargée d'angoisse.

— Les Iroquois ! Ils sont de retour !

La femme s'empara d'une hache posée près de la porte.

— Ils sont combien ? dit-elle.

— Je ne le sais pas !

— Vous les avez vus ?

— Non ! Mais je suis sûr que ce sont eux. Il n'y a plus personne chez les Durand et j'ai entendu des coups de mousquet du côté du manoir.

La nourrice éclata de rire tout en allant reposer la hache où elle l'avait prise. Arnaud resta stupéfait.

— Pauvre monsieur Arnaud, dit-elle, vous avez oublié que c'est la fête du mai. Tous les habitants sont au manoir.

Arnaud laissa tomber le mousquet qu'il tenait en main. Il se mit à trembler de tous ses membres comme une corde d'arc qui vibre après avoir été tendue. Il lui fallut un bon moment pour reprendre tous ses sens.

— Pardi, madame Després ! Si tous les habitants sont au manoir, pourquoi n'y êtes-vous pas vous-même ?

— Parce que j'attends le retour de mon mari. Les enfants sont impatients de le voir arriver. Henri doit revenir des Grondines d'une minute à l'autre. Il est parti à l'aube porter du grain au meunier, une vieille dette qu'il voulait rembourser depuis un bon moment. On ira aussitôt qu'il arrivera.

Ils n'eurent guère à attendre. Henri Després arriva avant que le soleil soit à son zénith. C'était un homme corpulent dont les joues pendaient au-dessus de son double menton. Il ne démontra aucun étonnement à trouver Arnaud chez lui. Avant de gagner le manoir, en éclatant d'un gros rire, il s'empara d'une bouteille d'eau-de-vie en disant :

— Le mai, c'est le mai, ça se fête ! Surtout de la part d'un revenant.

Arnaud passa chez les Durand reporter le mousquet qu'il prit soin de décharger. Pour traverser la rivière, ils montèrent dans le canot que Desprès avait tiré sur la berge, à son retour. Le passeur fit d'abord traverser les enfants. Puis il revint chercher son épouse et Arnaud. Quand ils arrivèrent au manoir, la fête battait son plein. Des hommes déchargeaient leur mousquet sur un sapin dressé au milieu de la place pendant que d'autres, qui buvaient sec, les invectivaient en commentant les coups ratés. Les femmes préparaient le repas. Des tables dressées en plein air attendaient les convives.

En les voyant arriver, quelqu'un s'écria :

— Venez voir ! C'est Desprès qui arrive avec le miraculé !

— Avec sa tonsure ! s'exclama un autre.

L'expression fit rire les fêtards que la boisson rendait plus volubiles. On les accueillit en leur offrant à boire. Arnaud fut aussitôt entouré.

— Enlève ton bonnet, Arnaud la tonsure ! dit un grand sec tout chambranlant sous l'effet de l'alcool. On voudrait voir à quoi ça ressemble un tonsuré vivant.

Arnaud le dévisagea en fermant les poings.

— Ne le prends pas mal, lui dit Després, il a un peu trop bu. Rien n'empêche qu'on aimerait bien voir de quoi ça retourne, une pareille cicatrice.

Une femme s'approcha en plaidant leur cause :

— Nous aussi, on serait curieuses de voir les suites du miracle.

Arnaud enleva son bonnet. Il se pencha pour leur permettre d'examiner le dessus de son crâne, où un cercle presque aussi large qu'une soucoupe laissait paraître une peau rose toute neuve, cerclée de rouge.

— Ouf ! dit la femme. Vous l'avez échappé belle, monsieur Perré… C'est vraiment un miracle !

Elle courut alerter ses compagnes qui, à leur tour, défilèrent devant Arnaud. Quand tout le monde eut satisfait sa curiosité, il remit son bonnet et demanda aussitôt à Després :

— Qui est intervenu pour chasser les Iroquois, le jour où ils m'ont attaqué ?

— Thècle Dubord, un serviteur du sieur Juchereau. C'est lui qui a tiré le coup de mousquet qui a fait fuir les Sauvages.

Sans plus attendre, Arnaud se mit à sa recherche. Il le trouva dans le foin de la grange, en pleins ébats avec la servante des Amiot.

— Thècle, pardonne-moi d'interrompre la fête, dit-il, mais je dois te parler sans plus attendre. Il paraît que c'est toi qui m'as sauvé la vie. Je veux d'abord t'en remercier. Ensuite, je veux que tu me dises ce qui s'est passé avec ma femme. Plusieurs m'en ont déjà parlé, mais il n'y en a pas un qui raconte la même chose.

Quelque peu contrarié, le jeune homme prit le temps d'embrasser encore sa compagne, puis, s'assoyant sur son séant, il dit:

— Quand, à travers la brume, j'ai vu des flammes du côté de la maison de Boulé, j'ai prévenu le seigneur et ses hommes. Nous avons pris des seaux et nos mousquets. Nous sommes descendus à la course vers la rivière. Une des barques de Durand se trouvait au gué. Nous avons sauté dedans et nous avons traversé la rivière en vitesse. Un groupe a piqué à travers le champ de Durand. Avec Geoffroy et Martel, j'ai suivi la berge de la rivière. Vis-à-vis de chez vous, j'ai remonté, et comme j'arrivais au milieu du pré, j'ai entendu crier votre femme. C'est là que je vous ai aperçu aux prises avec un Iroquois. Il était en train de vous lever la chevelure. C'est alors que votre femme a sauté sur l'Iroquois et l'a mordu au bras. Il vous a lâché, mais c'était pour attraper votre femme par les cheveux. J'ai tiré un coup de mousquet en l'air pour le surprendre. J'avais trop peur de blesser votre épouse en tentant de le tuer. Il est aussitôt parti en la traînant derrière lui par les cheveux. Geoffroy et Martel m'avaient rejoint. Je suis allé voir ce que vous deveniez pendant qu'ils tentaient d'aller couper le passage de l'Iroquois du côté de la rivière. Malheureusement, ce Sauvage n'était pas seul. Ces démons déchargèrent leurs armes sur Geoffroy et Martel, qui furent tués sur le coup.

Pendant ce temps, je m'occupais de vous. Vous aviez le dessus de la tête en sang. Je vous ai traîné jusque dans votre maison. Je vous ai fait un pansement de fortune. C'est alors que j'ai entendu votre fils qui pleurait. Je désespérais de voir arriver quelqu'un quand le seigneur est entré avec deux Hurons. Nous vous avons transporté au manoir, puis à l'hôpital. Le seigneur a ramené lui-même votre fils avec lui.

Arnaud avait écouté ce récit sans l'interrompre. Il dit:

— Un jour, Thècle, je te revaudrai ce que tu as fait pour moi. En attendant, dis-moi de quoi avait l'air cet Iroquois qui m'a attaqué.

— Pauvre de vous, je l'ai à peine entrevu, et de loin en plus. Tout ce que je sais, c'est qu'il s'agissait d'un Agnier de grande taille. Si j'ai bien vu, il lui manquait des doigts à la main droite.

Satisfait, Arnaud conclut:

— C'est tout ce que je voulais savoir. Cet Iroquois, je le retrouverai. Mes excuses encore pour avoir gâché ton plaisir.

— Y a pas de faute, monsieur Perré, ça peut vite se retrouver, dit le jeune homme en enlaçant sa compagne.

Chapitre 46

Les coureurs des bois

Le soleil venait à peine de se lever. Arnaud se mit au guet près du Sault-au-Matelot. Il savait qu'infailliblement un coureur des bois finirait par se pointer avec sa charge de peaux de castor et d'orignal. Il s'était dit: «Le premier que je vois, je lui demande de me garder une place dans son canot jusqu'à Montréal.» Il attendait depuis près d'une heure déjà. Le soleil éclairait toute la côte de Lauzon et faisait luire les vitres de la tannerie du sieur Bissot, à la Pointe-de-Lévis. La marée faisait refluer l'eau du fleuve en amont, vers les terres de Sillery. Quelques embarcations venant de Cap-Rouge ou de Saint-Augustin se dirigeaient vers Québec, avec leurs cargaisons de viande, de sirop d'érable et de blé destinés au marché. Parmi ces barques, Arnaud distingua un canot chargé à ras bord que deux hommes conduisaient avec dextérité. Pour garder le rythme, ils chantaient en avironnant.

Il les regarda se diriger vers le grand magasin de la Compagnie de la Nouvelle-France. Ils laissèrent leur canot s'échouer sur la grève, près du quai du Cul-de-Sac, et en sautèrent prestement pour le tirer plus avant sur le sable. C'était deux hommes de taille différente. Le plus grand, qui semblait commander, portait l'habit en peau de chevreuil des coureurs des bois. Un poignard et une corne de poudre pendaient à sa ceinture. Il était chaussé de mocassins et semblait doté d'une force prodigieuse, car en moins de deux, il assujettit sur son front une courroie de cuir passée sous un ballot de fourrures. D'un coup de rein, il se redressa et fit basculer sa charge sur son dos. Arnaud vit les muscles de son cou se tendre pour soutenir le poids qu'il portait. Chargé de la sorte, il se dirigea vers l'entrée du magasin par une venelle percée entre deux maisons. Arnaud pressa le pas pour le rejoindre.

Comme il tournait le coin, il croisa le sieur de La Chesnaye qui se hâtait, lui aussi, vers le magasin. Avant que le coureur des bois n'y pénètre, le sieur de La Chesnaye lui cria :

— Salut Tancrède ! Je t'en offre huit sols la livre.

L'homme s'arrêta et éclata de rire.

— Allons, mon bon monsieur de La Chesnaye, vous décoconnez, neuf me donneront les messieurs.

— Que dirais-tu de dix sols alors ?

L'autre, qui s'apprêtait à entrer, se figea pour de bon.

— Peuchère ! Laissez-moi y pinser. Vous les ponez dix pour en avoir treize ou quinze, c'est sûr. Mais à savoir si je fus chanceux d'en tâter dix.

— Essaie toujours, tu verras, mais permets-moi d'en douter. Si on t'en offre dix pour égaler ma mise et rien de plus, tu dois me promettre d'honorer mon offre en premier.

— C'est comme ça, dit Tancrède, et d'un élan, il poussa la porte du magasin.

Le sieur de La Chesnaye poursuivit son chemin. Arnaud attendit que le coureur des bois sorte de l'entrepôt. Au bout de cinq minutes, il réapparut avec sa charge. « Monsieur de La Chesnaye a gagné, se dit Arnaud, dix sols la livre, ça doit être bien payé. »

Apercevant Arnaud, Tancrède lui dit :

— Tu as quoi à m'apincher comme un cocluchon vide ? Où fut le sieur de La Chesnaye ?

À l'entendre ainsi parler, Arnaud comprit qu'il avait affaire à un Lyonnais.

— Il a continué vers le marché, mais si je te regarde, c'est que je voulais justement te parler. Je m'étais dit que je demanderais au premier coureur des bois que je rencontrerais…

— Tu peux m'aconter, on verra bien ce qui fut.

— Je veux me rendre à Montréal. Le plus tôt sera le mieux. Il n'y aurait pas une place dans ton canot ?

— Peuchère ! Tu déboules pic. Demain je vais. Une place, c'est sûr, au matin levant.

— Si tu veux un engagé, je suis ton homme.

Le coureur des bois le toisa.

— Tu sembles pas flape. Je crois tu feras. Faut aussi à Timothée demander. Tantôt nous saurons.

Arnaud le regarda partir avec sa lourde charge de peaux de castor sur le dos, comme s'il s'en allait paisiblement, les mains dans les poches, faire une balade au bout de la rue. Cet homme lui plaisait déjà. «Mais l'autre ?» se demanda-t-il.

Pour tuer le temps, il remonta la rue jusqu'au marché. Sur leurs étals, les bouchers exposaient leurs quartiers de bœuf et de porc pendant que, tout près, des commères disposaient sur des tréteaux des courtepointes, des foulards de laine, du savon fort, du sucre du pays et toutes sortes de marchandises, fruits de leur labeur de l'hiver. Son arrivée ne passa pas inaperçue. Un habitant, qui s'apprêtait à porter à ses lèvres une longue pipe de plâtre, arrêta son geste pour lui crier :

— Hé l'ami ! T'as oublié d'enlever ton bonnet de nuit ?

Les autres autour s'esclaffèrent. Arnaud, qui n'acceptait pas qu'on se moquât de lui, réagit vivement.

— Méfie-toi, le pourceau, je pourrais te faire avaler ta pipe plus vite qu'un pipeau !

— Pardi ! Monte pas sur tes grands chevaux, s'écria une des commères.

— Hé, vous autres ! reprit une petite bonne femme tout en joues et bajoues. Faut pas rire, nous avons affaire au tonsuré.

Sa réflexion fit tourner toutes les têtes dans la direction d'Arnaud. Tout le monde était informé de son aventure. Les plaisanteries firent place à la curiosité.

— C'est donc toi, le miraculé ? questionna un vieil homme assis sur un chevalet, entre deux barriques d'anguilles. Tu peux te compter chanceux d'en être sorti vivant.

— Vous inquiétez pas, celui qui m'a fait ça ne perd rien pour attendre.

— Tu espères vraiment retrouver cet énergumène ?

— Aussi vrai que je suis là, je rapporterai son scalp.

Le bonhomme hocha la tête, incrédule.

— J'aimerais ben voir ça, faudra revenir montrer ton trophée.

— Promis ! dit Arnaud tout en poursuivant son chemin vers la rue du Sault-au-Matelot.

Pour tuer le temps, il entra à l'auberge où pendait l'enseigne de La Jolie Rochelle. L'aubergiste avait le nom de l'emploi, il se nommait Boisdon. Il causait précisément avec Tancrède et un autre homme qu'Arnaud identifia comme étant Timothée. En le voyant entrer, Tancrède dit à l'aubergiste :

— Un verre pour l'associé nouveau.

Il lui présenta aussitôt Timothée.

— Timothée Lavigueur le Tireur.

Les deux hommes se toisèrent un instant avant de se donner la main. Arnaud resta étonné de la puissance de cet homme qui se tenait droit devant lui, aussi solide qu'un grand chêne. Il avait rarement vu un individu si bien charpenté. Sa poignée de main vigoureuse en disait long sur sa personnalité. En plus, il portait en Lavigueur un nom qui lui allait à merveille. Mais pourquoi le surnommait-on le Tireur ?

Arnaud n'eut pas le loisir de le demander, l'aubergiste apportait déjà un verre de vin rouge pendant que, sans façon, les deux coureurs des bois s'assoyaient à la table où il venait de prendre place. Tancrède demanda aussitôt :

— Comment est ton nom ?

— Arnaud Perré.

— D'où tu es ?

— Du Cap-Rouge.

— Pourquoi à Montréal aller ?

— Pour ça ! répondit Arnaud, en penchant la tête tout en enlevant son bonnet.

— Peuchère ! Un scalp recrénillé !

— Manqué, oui. Je veux retrouver l'Iroquois qui m'a fait ça et qui a emmené ma femme prisonnière.

— Comment faire tu veux ?

— Par le Richelieu, je gagnerai les villages iroquois et j'irai régler son compte à ce fils de truie. Je l'ai juré à mon fils. Je retrouverai sa mère, si elle vit encore, et je ferai regretter son geste à ce pourceau aux doigts coupés.

— Comme tu vas ! s'exclama Tancrède. Quinze lieues sur Richelieu, tu es occis. C'te rivière tout comme c'est le fond du wigwam, pleine de Peaux-Rouges.

— Peu m'importe, je le retrouverai, advienne que pourra.

Timothée, qui n'avait encore rien dit, intervint.

— Ce sont les Anglais de Nouvelle York qui les envoient lever des chevelures parmi les Français, le long du Saint-Laurent. Il est grand temps que le roi de France nous envoie des soldats, sinon nous ne pourrons plus tenir le coup encore longtemps. Tu le sais comme moi, ils tuent des dizaines de Français chaque printemps et chaque été près de Ville-Marie, Trois-Rivières, Québec, l'île d'Orléans et la côte de Beaupré. Je comprends ta colère et ton désir de vengeance, mais tu n'y arriveras jamais seul. Sais-tu seulement comment survivre et t'orienter en forêt ?

— J'apprendrai ! Je ne suis pas plus bête que ces Sauvages.

— Tu apprendras, si tu prends le temps de le faire. Crois-en notre expérience, il faut y mettre des mois et des années.

— Pendant ce temps, ce pourceau sautera ma femme et en fera son esclave.

— Il est possible qu'elle vive encore, mais à ta place, je ne me ferais pas d'illusions. Les Iroquois ne s'embarrassent pas trop longtemps de prisonniers et encore moins de prisonnières. Il serait plus sage que tu nous accompagnes dans notre voyage à Michillimakinac. Tu commencerais ton apprentissage de ce qu'est la vie en forêt et tu mettrais toutes les chances de ton côté pour réaliser ton projet.

Arnaud se tut un moment. Tancrède avait bu son verre d'eau-de-vie. Il s'en commanda un autre. L'aubergiste Boisdon en personne le lui apporta.

— Comme ça, mon brave Tancrède, tu pars encore pour la traite ?

— Cinquième la fois. Premier avec congé à moi acheté, sieur de La Chesnaye, mille livres tournois. Deux autres mille livres d'acomptées pour marchandises de traite remboursées avec peaux de castor prochain printemps, sinon Tancrède être à cul.

Il se tourna vers Arnaud et informa l'aubergiste :

— Lui a nom Arnaud Perré, associé nouveau.

— D'où sors-tu avec ton bonnet sur la tête ? demanda Boisdon à brûle-pourpoint.

— Du Cap-Rouge. On me surnomme le Tonsuré.

— C'est donc toi, le miraculé dont tout le monde parle ! Sais-tu que tu es le premier que je rencontre à survivre à un scalp ?

— Celui qui m'a fait ça apprendra un jour comment je m'appelle.

L'aubergiste le regarda d'un œil sceptique.

— Vous pouvez le croire, dit Timothée, il vient faire son apprentissage avec nous. Demain matin à huit heures pile, la marée n'attend pas, nous partons pour Ville-Marie et Michillimakinac. En attendant, ajouta-t-il à l'intention d'Arnaud, on se revoit à une heure chez le notaire Rageot pour notre contrat d'association. Nous avons encore beaucoup à faire jusque-là. À tantôt, va !

Ils tapèrent sur l'épaule de leur nouvel associé, saluèrent l'aubergiste et partirent d'un pas décidé vers le magasin du sieur de La Chesnaye.

Chapitre 47

L'héritage

Après son entretien avec les coureurs des bois, Arnaud se dirigea immédiatement à l'étude du notaire Rageot où il comptait faire rédiger le contrat de donation de ses biens en cas de mort à Henri Després et son épouse, en compensation pour les soins donnés à son fils.

Ce fut Jean Marnay, le jeune clerc du notaire Rageot, qui le reçut. Maître Rageot était de passage à Notre-Dame-des-Anges pour la rédaction d'un contrat de mariage. Marnay conseilla à Arnaud de profiter de sa venue prévue, avec Tancrède Martin, en après-midi, pour faire établir son contrat de donation.

— En attendant, proposa-t-il, dites-moi en gros quelles sont vos intentions, je préparerai le contrat en laissant les blancs nécessaires et le notaire les complétera. Faites-moi confiance, j'ai l'habitude, vous savez.

Arnaud dit qu'il léguait tous ses biens meubles et immeubles à Henri Després et son épouse s'il venait à mourir au cours de son voyage. Ils les priaient à leur tour, une fois venue la majorité de son fils, de les lui léguer. Ils se fiaient à eux pour rembourser en son nom une dette de quinze livres tournois à la veuve La Taupine et une autre de sept livres au sieur Jean Juchereau de Maure. Ils pourraient faire valoir sa terre et utiliser sa maison et ses biens à leur guise en empochant tous les profits, jusqu'à son retour. Advenant son décès au cours de ce périple, ils devraient consacrer trente livres tournois, prises à même la valeur de ses biens, pour faire dire des messes basses de requiem pour le repos de son âme. Enfin, il les priait de vendre sa maison de Québec et tout ce qui s'y trouvait, à l'exception de la grande armoire où étaient rangés les draps, serviettes et garnitures de lit ainsi que son coffre. Il désirait que cette armoire, qu'il avait fabriquée avec grand soin, et son coffre soient conservés pour l'héritage de son fils.

Le jeune clerc le rassura :

— Le document sera prêt à deux heures. Il n'y aura plus qu'à le faire approuver et signer par le notaire en présence de deux témoins, et y apposer vous-même votre signature si vous savez le faire, sinon votre marque. Il vous en coûtera quatre livres tournois pour ce contrat et les frais de copie. À propos, avez-vous un métier ?

— Charpentier de moulin.

— Vraiment ? Avez-vous construit des moulins ?

— Plusieurs ! Si tu l'ignores, c'est parce que tu es nouveau par ici, sinon tu aurais entendu parler de moi.

— Sans doute, parce que des charpentiers de moulin, il n'en pleut pas sur nos rives ! Savez-vous que j'ai entendu dire par un collègue de Montréal qu'on cherche un charpentier pour la construction d'un moulin à vent, à Michillimakinac ?

— Tiens ! Tiens ! J'aurais avantage à me faire voir à Montréal…

Arnaud disposait de trois bonnes heures avant son rendez-vous chez le notaire. Il salua le jeune clerc et, pour tuer le temps, décida de se rendre à la Haute-Ville voir comment progressaient les travaux de construction du moulin du Mont-Carmel, et en même temps saluer le meunier Mathurin Grain, qui s'était marié le même jour que lui. Il emprunta le sentier tournant, rocailleux et abrupt qui partait de la rue du Fort et rejoignait le Mont-Carmel. Il poursuivit son chemin jusque sur les hauteurs du Cap-aux-Diamants, où le charpentier Jean Lemire démontait la charpente du vieux moulin pour le reconstruire au Mont-Carmel.

Arrivé à l'emplacement du moulin, Arnaud reprit son souffle avant de demander au charpentier où se trouvait le meunier.

— Tiens, Arnaud ! Te voilà revenu parmi les vivants ?

— Comme tu vois, collègue. Les choses semblent bien avancer ?

— Tout à fait !

— Le meunier est-il dans les parages ?

— Mathurin ? Il n'est jamais bien loin, mais pas aujourd'hui. Serais-tu un de ses amis ?

— Une connaissance plutôt, on s'est mariés le même jour.

— Bon, c'est mieux comme ça. À l'heure qu'il est, il ronge son frein en prison.

Arnaud sursauta.

— En prison ? Il n'a pas volé de blé, j'espère ?

— Fort heureusement non, sinon son corps se balancerait à la plus haute aile du moulin, et je n'aurais pas le droit de le démonter. Non, il a quitté sans permission le service de son maître, il ne voulait pas m'aider dans mon travail. C'est pas l'ouvrage d'un meunier, qu'il disait. Pour sûr qu'il avait en partie raison. Mais tu sais comme moi qu'un meunier doit savoir comment fonctionne un moulin et être en mesure de s'apercevoir quand quelque chose ne va pas, dans les engrenages ou ailleurs.

— Tu as bien raison ! Les meuniers nous font venir trop souvent pour des réparations qu'ils pourraient faire eux-mêmes.

— Toujours est-il que le sieur Simon Denis, à qui appartient le moulin, ne voulait pas le voir perdre son temps et faire la grosse tête. Il l'a fait mettre en prison en attendant que le juge décide de son avenir. Pendant ce temps-là, c'est moi qui dois me taper ce travail tout fin seul.

Le charpentier se cracha dans les mains avant de soulever une poutre qu'il s'apprêtait à aller déposer dans une charrette à laquelle un bœuf était attelé.

— Attends, fit Arnaud, je te donne un coup de main.

Durant plus d'une heure, il aida son collègue à charger la charrette. Il l'accompagna jusqu'au Mont-Carmel pour le déchargement. Leur travail terminé, pour le remercier, Lemire l'invita à trinquer chez lui.

— Une autre fois, dit Arnaud. Je n'ai plus de temps. J'ai rendez-vous chez le notaire Rageot pour une donation. Je pars pour Montréal demain et ensuite à la traite du côté de Michillimakinac.

— À la traite ? Quel taon t'a piqué ? Tu n'as pas de travail ? Il me semble que dans notre métier, il n'en manque pas.

— J'ai promis à mon fils de venger sa mère. Les Iroquois me l'ont prise, je vais leur faire payer.

Incrédule, son collègue le regarda en hochant la tête :

— Bonne chance et merci pour le coup de main. Quand tu reviendras de ton voyage, si jamais tu en reviens, en voyant le moulin sur le Mont-Carmel, rappelle-toi que je te dois un verre et passe me voir rue Sainte-Anne, j'aurai du bon vin pour toi.

Chapitre 48

L'engagement

Arnaud reprit à rebours le chemin qui l'avait conduit jusqu'au Mont-Carmel. Il se retrouva bientôt au niveau du fleuve, rue Sous-le-Fort. Sans s'attarder, il se rendit chez le notaire Rageot, où Tancrède et Thimothée l'attendaient depuis quelques minutes.

— Voilà notre homme! s'écria Timothée dès qu'il le vit. Amène-toi vite, le notaire nous attend!

Jean Marnay, le jeune clerc qu'Arnaud avait rencontré le matin, les introduisit dans l'étude du notaire qui, plume d'oie à la main, s'appliquait à signer une série de documents. À leur arrivée, il leva la tête, rajusta ses bésicles et dit:

— Prenez place, messieurs, je suis à vous dans l'instant, le temps de terminer ces damnées signatures. Que de paperasses, mes aïeux! Que de paperasses!

Il poussa un long soupir pendant que les coureurs des bois et Arnaud s'assoyaient sur les chaises disposées autour du secrétaire où travaillait le notaire.

Au bout d'un moment, le scribe, ayant terminé ses écritures, rompit le silence.

— Si j'ai bien compris, vous partez demain pour le Pays d'en Haut. Vous venez signer un contrat d'association qui est déjà prêt dans les grandes lignes. Mon clerc va vous le lire.

Jean Marnay s'approcha. Il tenait quelques feuillets à la main et, sans tarder, en commença la lecture d'un débit lent et d'une voix monocorde :

Par-devant Gilles Rageot, secrétaire du Conseil établi par le Roy à Québec, notaire en la Nouvelle-France et témoins soussignés…

— Où sont les témoins ? l'interrompit le notaire.

— Ils devraient être là d'une minute à l'autre, répondit le jeune clerc. Ce sont Charles Gauthier et Louis Dupont. Je…

— Je t'ai souvent dit qu'il faut les attendre, l'interrompit de nouveau le notaire d'une voix impatiente, sinon à quoi bon cette lecture ?

Il n'avait pas terminé sa phrase que les deux hommes arrivaient.

— Faites excuses pour ce retard, messieurs. Nous voilà fin prêts à entendre et signer.

Ils restèrent debout derrière les futurs associés. Le clerc reprit sa lecture.

Furent présents en leur personne, Tancrède Martin, Timothée Lavigueur et Arnaud Perré, voyageurs, prêts à partir vers la région de Michillimakinac, dûment munis à cette fin d'un congé du gouverneur Davaugour, afin d'y aller traiter à leur compte des fourrures contre des marchandises avec les Indiens. Par la présente, ils s'engagent à quitter Québec dès que possible pour y revenir avec le fruit de leur traite le printemps prochain. Une fois leurs obligations remboursées, ils partageront les revenus de la traite de la façon suivante : Tancrède Martin et Timothée Lavigueur qui fournissent le canot et les marchandises toucheront les trois quarts des revenus du butin rapporté. L'autre quart payera les gages de leur associé Arnaud Perré. Tous trois pourront traiter en surplus à leur compte personnel deux chemises, un fusil et une poire à poudre.

— Vous ne soufflez mot, dit le notaire. Je présume que jusque-là tout est à votre convenance ?

Les trois hommes hochèrent affirmativement la tête. Après s'être raclé la gorge, Jean Marnay poursuivit sa lecture, qui ne contenait plus que les formules officielles pour ce genre de document. Il se terminait par les mots suivants :

Fait en l'étude du notaire soussigné, ce mardi quinzième jour de mai mil six cent soixante-quatre, en présence des sieurs Charles Gauthier et Louis Dupont, bourgeois, témoins, demeurant à Québec qui ont signé avec le notaire et ledit Arnaud Perré, lesdits Tancrède Martin et Timothée Lavigueur ont fait leur marque ordinaire, ayant déclaré ne savoir signer de ce enquis suivant l'ordonnance.

La séance de signatures terminée, tout le monde se donna la main et se mit à parler en même temps. Le contrat de donation d'Arnaud n'était pas encore prêt. Jean Marnay lui dit de revenir dans une heure. Arnaud en profita pour accompagner ses associés à l'auberge la plus proche afin de souligner dignement leur entente. Arnaud parlait peu. Ses compagnons lui décrivirent avec moult détails la vie qui l'attendait au cours des mois à venir. Il leur demanda ce qu'ils lui conseillaient d'apporter pour le voyage.

— Le moins possible, répondirent-ils. On en a toujours trop. Une bonne couverte, des mocassins, ton meilleur fusil, de la poudre, un couteau croche et un poignard, du tabac et quelques chemises de grosse toile. Voilà ce que nous apportons, dirent-ils. Si jamais tu sais jouer de la musique, un violon est toujours bienvenu au Pays d'en Haut.

— Ne comptez pas sur moi pour le violon, reprit Arnaud, la seule musique que je connaisse est celle de mon flûtiau.

— Apporte-le sans faute ! s'écria Timothée. Un petit air de France autour du feu le soir est toujours agréable.

Ils se séparèrent en se donnant rendez-vous le lendemain à huit heures au quai du Cul-de-Sac. Arnaud retourna aussitôt chez le notaire pour signer l'acte de donation de ses biens à Henri Després et son épouse. Il regagna Cap-Rouge, où il arriva à l'heure du souper. Après être passé embrasser son fils chez les Després, et les prévenir qu'il leur avait cédé tous ses biens en cas de décès, il regagna sa maison, rapailla les effets et les hardes dont il avait besoin pour le voyage et les fourra dans un sac avec l'unique bouteille de vin qu'il gardait pour les grandes occasions. Il décrocha son fusil du mur, le posa près de son sac et s'affaira aussitôt à se faire cuire une omelette, qu'il accompagna d'un verre de cidre et d'un croûton de pain. Il sortit ensuite prendre l'air un moment sur le seuil.

Le soleil disparaissait déjà derrière les Laurentides. Le ciel s'embrasait comme un feu de joie. Au-dessus du fleuve, des nuages orangés descendaient majestueusement vers Québec, comme de grands voiliers. Sur la rive sud, çà et là, les vitres des rares maisons reflétaient, tels des miroirs, les couleurs du soleil couchant. Par endroits, le ciel paraissait vert. Semblables à des flocons de neige rosée, des goélands s'abattaient sur les battures de la côte sud. Arnaud sortit son flûtiau. Doucement, il se mit à jouer : « Lève ton pied légère, bergère, lève ton pied légèrement. »

Chapitre 49

Le départ

Au petit matin, ne tenant plus en place, il était debout. Il enfila son sac sur son dos et prit soin de bien refermer la porte de sa maison avant de partir. Après avoir jeté aux alentours le coup d'œil de celui qui sait qu'il ne reviendra pas de sitôt, il gagna le sentier qui, le long de la berge, conduisait à Québec. Il arriva au Cul-de-Sac bien avant l'heure dite. Ses associés n'y étaient pas encore. À son grand étonnement, le canot était vide. Il décida de se rendre au magasin du sieur de Lachesnaye. Comme il y arrivait, Tancrède frappait à la porte à tour de bras en grognant comme un ours.

— Réveille-toi, caquenano ! Cinq heures c'était, grand bugne ! Sept heures il est, artignole !

— Attends que je t'attrape, rugit Timothée, tu vas apprendre à lire l'heure plus vite qu'à dire tes prières.

Ils avaient beau pester, la porte restait close. Tancrède s'approcha.

— Tassez-vous ! dit-il. Ouvrir je vais !

D'un coup d'épaule, il fit sauter le verrou. Les deux hommes, suivis d'Arnaud, s'engouffrèrent dans le magasin. Du fond de la pièce, le commis, qui bâillait encore, arriva les yeux bouffis de sommeil. Il s'apprêtait à rouspéter contre cette intrusion quand Timothée le saisit à la gorge, puis le souleva de terre, avant de l'envoyer rouler sur des ballots de fourrures empilés le long du mur.

— Nous avions dit cinq heures ! hurla-t-il. Et les marchandises devaient être empilées près de la porte ! Il est près de sept heures ! Rien n'a été préparé, à ce que je vois. Apprête-toi à te faire passer un savon par ton maître, corniaud ! En attendant, t'as besoin de retrouver ta liste au plus vite !

Le commis ne mit que quelques secondes à revenir avec en main la liste des marchandises que Tancrède avait commandées la veille. Tancrède à ses trousses, il parcourut le magasin en indiquant où se trouvait chaque chose. Timothée et Arnaud se chargèrent de les transporter au fur et à mesure à l'extérieur, près de la porte. Quand, au bout d'une demi-heure, toutes les marchandises furent réunies, les trois hommes se chargèrent comme des bourriques pour les apporter au canot. Timothée à lui seul portait deux fois la charge d'Arnaud. Le va-et-vient entre le magasin et le canot grugea encore une bonne demi-heure de leur temps. Avec précaution, et selon un ordre bien établi, Tancrède vit à ce que chaque ballot de marchandises, chaque baril d'eau-de-vie, les fusils et les munitions soient délicatement déposés à la place qui leur convenait. Quand il n'y eut plus rien sur le quai, il invita Arnaud à monter le premier, au milieu de l'embarcation. Prestement, Timothée prit place à la pince et Tancrède s'installa le dernier à l'arrière. En même temps qu'il sautait à bord, d'un pied expert appuyé sur le quai, il donna l'élan du départ.

— Nous aurions pu profiter à plein de la marée montante, gronda Timothée. À cause de cet imbécile, nous avons perdu plus d'une heure. Cet après-midi, nous devrons lutter contre le baissant.

Sous les vigoureux coups d'aviron, le canot se retrouva rapidement au large, où il profita de la force de la marée montante vers les Trois-Rivières. Tout en ramant de son mieux, Arnaud jetait des coups d'œil rapides vers la ville dont les maisons grises rapetissaient en même temps que leur embarcation s'éloignait de la rive. « Quand reverrai-je ces lieux, si jamais j'y reviens ? », songea-t-il. Il n'eut guère le temps de se laisser aller à la nostalgie, car d'une voix de baryton bien posée, Timothée se mit à chanter :

Passant par Paris
En vidant la bouteille
Un de mes amis
Me dit à l'oreille
Oui buvons
Le bon vin m'endort
L'amour me réveille

Le bon vin m'endort
L'amour me réveille encore

Un de mes amis
Me dit à l'oreille
Un de mes amis
Me dit à l'oreille
Jean prends garde à toi
On courtise ta belle

Arnaud joignit sa voix de fausset à la sienne. À l'arrière, Tancrède se contentait de temps à autre de turluter.

Vers les dix heures, après avoir laissé Sillery derrière eux, ils s'engagèrent dans le passage le plus étroit du fleuve, en amont de Québec, puis débouchèrent sur le plus large boulevard liquide qu'on puisse imaginer. Arnaud sentit des picotements au cœur quand ils passèrent devant Cap-Rouge. Vers les deux heures, ils regagnèrent la rive nord, du côté de la baronnie de Portneuf.

— Nous connaissons une source qui nous fera grand bien, dit Timothée. Nous en profiterons pour manger un morceau, le dernier avant la nuit, et toi, Arnaud, tu vas me faire le plaisir de te vêtir comme un vrai coureur des bois. Regarde comment nous sommes attifés, Tancrède et moi, et fais-en autant, on est voyageur ou on ne l'est pas !

Comme ils s'approchaient de la rive, Timothée, soudain bientôt imité par Tancrède, donna de vigoureux coups d'aviron qui firent pivoter le canot sur lui-même. Sans arrêter d'avironner, ils reprirent en vitesse la direction du large. Arnaud entendit soudain des cris qu'il pensa être ceux des oies sauvages. Mais il ne fut pas long à comprendre que si ces oies avaient des plumes, ce n'était que sur la tête. Quatre canots montés chacun par trois Indiens fonçaient dans leur direction. Arnaud était si mauvais avironneur qu'il nuisait plus qu'il n'aidait à leur progression. Il décida de s'emparer de son fusil qu'il chargea en vitesse et pointa dans la direction du canot le plus proche. Il fit instinctivement feu et, par une chance du destin, son coup porta puisque le canot le plus près du leur perdit aussitôt de la vitesse. Une ouverture dans son flanc laissait pénétrer une bonne quantité d'eau. Les Indiens à bord s'agitaient et bientôt ils furent dépassés par deux des autres canots qui s'approchaient rapidement. Ce fut alors que Timothée déchargea son fusil et aussitôt un des rameurs du plus proche canot s'affaissa.

Sans perdre une seconde, Timothée se remit à l'aviron. Il n'y avait plus que deux canots à leur poursuite, mais l'un d'eux s'approchait dangereusement. Arnaud n'eut que le temps de voir un des Indiens bander son arc. Mais la trajectoire de sa flèche dévia parce qu'il venait de s'écrouler, touché à mort. Arnaud n'y comprenait rien. Presque aussi subitement, un autre des Indiens de ce canot tomba à la renverse.

Puis, de nouveau, Arnaud sentit leur embarcation se soulever. Timothée et Tancrède avaient repris leur aviron et le canot filait vers le large. Ils n'avaient plus à leurs trousses que trois poursuivants. Ayant trouvé le temps de recharger son fusil, Arnaud tira au hasard dans leur direction. Cette fois, son coup manqua la cible, mais sans doute impressionnés de ce qui était arrivé à leurs compagnons, les trois Indiens diminuèrent la cadence. Timothée choisit ce moment pour tirer de nouveau. Arnaud vit un des Indiens s'effondrer dans le canot.

Poursuivant leur route vers les Trois-Rivières, ils accostèrent cette fois dans une baie déserte.

— Nous l'avons échappé belle, dit Arnaud.

— Échappé nous avons, reprit Tancrède.

— Qui peut m'expliquer comment deux de ces Indiens ont été blessés sans que j'entende de coups de feu ?

Timothée s'exclama :

— Tu devais être fort saisi par ce qui se passait pour ne pas l'avoir remarqué.

— Remarquer quoi ?

— Tancrède.

— Qu'est-ce qu'il a fait ? Je croyais qu'il ramait.

— Il n'y a pas de meilleur lanceur de couteau que Tancrède.

— Et au fusil comme Timothée, pas de meilleur ! ajouta aussitôt ce dernier.

Arnaud, que cet accrochage avait énervé, déclara :

— Ces maudits Indiens sont partout. Ils auraient pu nous tuer !

— S'ils avaient voulu le faire, dit Timothée, crois bien qu'ils l'auraient fait. Leur erreur est d'avoir plutôt voulu nous faire prisonniers. C'est ce qui les a perdus. Mais ne va pas croire qu'ils ont abandonné la partie pour autant. Ils vont tout simplement nous tendre un nouveau piège pas plus tard que demain. Notre nuit de sommeil sera brève. Quelques heures et nous profiterons de la fin de la noirceur pour mettre le plus de distance possible entre eux et nous.

Vers trois heures du matin, ils étaient de nouveau aux avirons. Ils gagnèrent le milieu du fleuve et ramèrent sans arrêt jusqu'à l'aube, passant devant les Trois-Rivières sans s'y arrêter. Ils campèrent une lieue plus loin, sur une petite île, à quelques centaines de pieds de la rive nord du fleuve.

— Ce n'est guère prudent, ce que nous faisons-là, dit Timothée, mais c'est drôlement efficace.

— Pourquoi donc ?

— Il est toujours préférable de s'arrêter dormir sur la terre ferme que sur une île où on peut être plus facilement repérés.

— Quel avantage y a-t-il alors de coucher sur une île ?

— Nos ennemis ne nous croient pas assez fous pour le faire et, de la sorte, ils ne nous y cherchent pas. De plus, on perd moins de temps à regagner le large à partir d'une île.

Ils remontèrent ainsi vers Montréal où ils arrivèrent sains et saufs deux jours plus tard. Au moment où ils accostaient, Timothée demanda à Arnaud :

— Comptes-tu toujours nous accompagner jusqu'à Michillimakinac ?

— C'est mon intention.

— Dans ce cas, retrouvons-nous demain midi à l'auberge du Chien qui Rote. À ce moment, nous saurons exactement quand nous partirons pour là-bas.

Chapitre 50

Le voyage

Quoique engagé en compagnie de Timothée et Tancrède pour le voyage vers Michillimakinac, Arnaud pensait bien, une fois parvenu là-bas, trouver autre chose à faire que d'échanger des marchandises contre des peaux de castor. Ses deux associés sauraient y faire bien mieux que lui. Il décida de s'enquérir auprès du notaire Adhémar de ce qu'il advenait du sort d'un moulin à construire à cet endroit.

Le notaire lui dit:

— Il est toujours question d'ériger un moulin par là, mais je ne sais pas où au juste. Tout ce qu'il manque, c'est un charpentier de moulin prêt à s'y rendre.

— Je suis votre homme.

— Dans ce cas, donnez-moi le temps de m'informer davantage et peut-être pourrez-vous passer un contrat de construction avant de partir.

Arnaud n'eut pas le loisir de signer de contrat. Il était bien question d'ériger un moulin quelque part sur la route empruntée par les coureurs des bois, mais le notaire ne pouvait pas lui préciser l'endroit et encore moins lui donner les noms de ceux qui désiraient le faire construire. Le notaire lui conseilla :

— Il sera toujours temps de vous informer une fois sur place.

Ses deux amis n'avaient pas perdu de temps. Il les retrouva à l'auberge du Chien qui Rote et, dès le lendemain, ils se mirent en route.

Ils firent transporter leur canot en charrette jusqu'en amont des rapides, en haut du village Saint-Pierre, et prirent la direction de la rivière des Français. L'embarcation était à ce point chargée de marchandises qu'ils avaient peine à y tenir.

Arnaud mit du temps à s'habituer à tout ce nouvel environnement. Alors que Timothée et Tancrède ramaient sans paraître se fatiguer, lui, après quelques heures, était exténué. Ses compagnons se moquaient de lui :

— Heureusement que nous ne sommes pas trop pressés, remarqua Timothée.

— Que veux-tu dire ?

— Habituellement, nous prenons un peu plus d'un mois pour nous rendre à destination.

— Tant que ça ?

— Avec toi, deux mois il faudra, insinua Tancrède.

— Comment ça ?

— Rame comme Michillimakinac.

Ne saisissant pas la remarque de Tancrède, Arnaud s'enquit à Timothée :

— Peux-tu me dire ce qu'il baragouine-là ?

— Michillimakinac signifie "grosse tortue".

Arnaud s'indigna :

— Dans un mois, lança-t-il, vous aurez de la difficulté à soutenir mon rythme !

Les deux hommes s'esclaffèrent.

— Tu gages ? lança Timothée.

Arnaud ne voulut pas s'engager plus loin. Il demanda :

— Quelle route suivons-nous jusqu'à Michillimakinac ?

Timothée répondit aussitôt :

— La rivière des Français, puis la fourche de la Mattawa, le lac Nipissing, quelques petites rivières jusqu'au lac Ontario. Michillimakinac est à la jonction avec le lac Michigan.

— Combien de lieues ça fait ?

— Trois cent cinquante, environ...

Arnaud n'avait aucune idée de ce que pouvait représenter un périple de la sorte, mais il l'apprit très vite. Le premier jour, ils n'eurent pas de portage à faire. Tout de même, au soir, après une quinzaine d'heures sur la rivière, il ne sentait plus ses bras. Ils s'arrêtèrent dans une petite clairière où, avec quelques jeunes sapins ébranchés sur lesquels ils déplièrent une toile, en quelques minutes, Timothée et Tancrède montèrent un abri pour la nuit. Ils avaient confié à Arnaud la tâche de faire un feu. Il s'y appliqua et parvint à faire flamber suffisamment d'écorce de bouleau pour obtenir un bon brasier.

— Toi qui n'as rien à faire, dit Timothée à Arnaud, tu vas nous préparer notre déjeuner de demain.

Il lui montra comment placer un chaudron au-dessus du feu, de manière à y faire chauffer des pois ou du maïs dans de l'eau en enrichissant ce mélange de quelques tranches de lard, avant de lui tendre un sac de blé d'Inde.

— Fais-en cuire suffisamment pour nous trois. Tu le laisses venir en purée. Si c'est bon, tu recommenceras de la sorte tous les soirs, beau temps mauvais temps : un soir des pois, un soir du blé d'Inde. Quand nous en aurons le temps, nous y ajouterons le poisson que nous pêcherons.

— Ce sera notre déjeuner de demain ? demanda Arnaud. Mais notre souper, où est-il ?

Timothée le regarda d'un drôle d'air.

— Allons ! Tu ne le sais pas ? On ne mange rien le soir.

Abasourdi, Arnaud en laissa tomber ses deux bras, ce qui déclencha de grands rires chez ses compagnons. Tancrède le rassura :

— Ce soir, le souper, dans la rivière.

❖

Pendant qu'Arnaud s'affairait autour du feu, Timothée et Tancrède avaient vidé le canot de tout son contenu. Arnaud les vit le tourner à l'envers et l'examiner d'un bout à l'autre avant de l'enduire de gomme de pin, qu'ils firent chauffer à l'aide d'une torche. Puis, ils s'approchèrent du bord de l'eau et y lancèrent chacun une ligne. Quelques minutes plus tard, ils revenaient avec six gros poissons qu'ils firent rôtir à la broche. La brunante était tombée et, déjà, la nuit coulait son encre sur tous les alentours.

«Demain, ça ira!» furent les seules paroles de Tancrède, ce soir-là. Ils avaient à peine fini de manger qu'ils s'enveloppèrent dans une couverte et, étendus à même le sol, s'endormirent aussitôt.

À l'aube, ils étaient debout. Timothée et Tancrède chargeaient le canot pendant qu'Arnaud s'efforçait de réchauffer la purée de maïs cuite la veille. Ils se servirent chacun de leur écuelle pour puiser dans le chaudron leur part de ce brouet qu'ils mangèrent avec grand appétit, accompagné de morceaux de pain sec.

Timothée ne manqua pas de prévenir ses camarades:

— Profitons bien de ces croûtons parce que ce sont les premiers et les derniers que nous verrons avant Michillimakinac.

Ils mirent le canot à l'eau, y montèrent et, pour se donner de l'entrain, Timothée se mit à chanter.

C'est dans le mois de mai en montant la rivière
C'est dans le mois de mai que les filles sont belles
Que les filles sont belles o gai que les filles sont belles

Et que tous les amants en montant la rivière
Et que tous les amants y changent leurs maîtresses
Y changent leurs maîtresses o gai y changent leurs maîtresses

Mais moi je ne changerai pas en montant la rivière
Mais moi je ne changerai pas car la mienne est trop belle

Elle a de beaux yeux bleus en montant la rivière
Elle a de beaux yeux bleus une bouche vermeille

❖

Au milieu de la matinée, Timothée dirigea le canot vers le rivage à un endroit où un ruisseau se jetait dans la rivière.

— Notre premier portage, dit-il à Arnaud.

— Il y en a combien d'ici là-bas ?

— Pas moins d'une trentaine. Il faudra t'y faire.

Ils déchargèrent le canot. Timothée et Tancrède se passèrent autour du front une épaisse lanière de cuir dont ils laissèrent pendre les bouts sur leur dos. Ils y assujettirent à chaque extrémité un ballot de quatre-vingt-dix livres de marchandises. Se relevant d'un coup de rein, ils partirent dans un sentier à peine tracé le long de la rivière avec cette charge de cent quatre-vingts livres sur le dos. Arnaud les regarda aller, ayant peine à croire ce qu'il voyait. Il se sentait tout à fait inutile. Il attendit leur retour et, pour se rendre utile, insista pour porter une charge. Timothée la lui installa sur le dos. Ce fut de peine et de misère qu'il parvint à se rendre au bout du rapide avant d'y déposer son fardeau. Entre-temps, ses compagnons avaient apporté le reste des marchandises et, déjà, ils revenaient en portant le canot sur leurs épaules.

Ils prirent le temps de bien le charger et profitèrent de cet arrêt pour sortir leur pipe. C'était la première fois depuis le départ qu'Arnaud les voyait fumer.

— Il faudra t'y habituer, dit Timothée. À chaque pose d'ici Michillimakinac, nous pétunerons de la sorte. Ça fait du bien et ça redonne de l'élan.

À peine avait-il fini sa phrase qu'un bruit de branches cassées se fit entendre à quelques pas d'eux. Tancrède se leva et s'éloigna de quelques pas. Un léger sifflement fendit l'air. Il s'avança dans le bois et revint avec sur son dos le petit chevreuil que son couteau venait d'atteindre.

— De la viande, trois jours, dit-il simplement. Après, mauvais.

— Si nous en avons le temps, promit Timothée, nous en ferons fumer.

— Peuh ! Viande fumée pas bon, cracha Tancrède, l'air dégoûté.

Timothée le taquina :

— Dis-moi pas que tu fais ton bec fin, à présent ?

— Pas bec fin, bon bec pour goûter, c'est tout.

Ils reprirent leur périple au-delà de ce premier portage sans plus se soucier de ce qu'ils mangeraient dans les jours à venir.

Arnaud soupirait. Jamais il n'aurait imaginé que ce voyage serait si exigeant.

Chapitre 51

Michillimakinac et le trappage

Quand, au bout de près de quarante jours, ils échouèrent leur canot près du petit fort de Michillimakinac, Arnaud se sentait tout fier de ce qu'il avait appris et, surtout, de ce qu'il avait réalisé. Timothée ne manqua pas de lui dire que ce n'était là qu'une première étape dans la vie d'un coureur des bois.

— Ce n'est pas tout de rendre des marchandises à destination, lui dit-il, il faut aussi être en mesure de les échanger contre de bonnes peaux de castor et ça, c'est pour le moins tout aussi, sinon plus compliqué.

— Pourquoi donc ?

— Les Indiens aiment palabrer. Ils ne laissent pas aller le résultat de leurs chasses sans négocier. Au printemps, si tu viens avec nous, tu verras.

— Au printemps seulement ?

— Les fourrures les plus riches sont celles que portent les animaux en hiver. Il faut donc les négocier au printemps.

— Et qu'allons-nous faire durant tous ces mois d'attente ?

— Trapper ! D'autant plus que ce congé de traite nous appartient en partie. Nous pourrons rapporter des peaux pour nous.

Après avoir entreposé leurs marchandises, ils s'installèrent dans le baraquement du fort qui servait de dortoir. Il n'était pas facile d'y dormir en paix tant il y avait de va-et-vient dans cette baraque, et des ronflements à en soulever le toit. Arnaud ne tarda pas à être en demande pour réparer ceci ou cela. Il y avait toujours quelque part de petits travaux à compléter. Il ne manqua pas de jouer de l'égoïne et du marteau. Le soir, autour du foyer, il avait du plaisir à causer avec l'un ou l'autre des coureurs des bois, ces hommes rudes qui avaient tous vu la mort de près. Il était souvent question de leurs rapports avec les Indiens, de rencontres avec des bêtes sauvages, de succès invraisemblables à la chasse et de prises énormes à la pêche. Certains évoquaient leurs prouesses au lit avec des Sauvagesses. Arnaud s'intéressa particulièrement au récit d'un coureur des bois qui, un soir, raconta comment il avait été fait prisonnier par les Iroquois et conduit dans leur pays. Certains demeuraient sceptiques et lui demandèrent :

— Comment se fait-il que tu en sois revenu ?

— Ça, je le dois à un autre Français fait prisonnier avant moi. Il m'a pris sous son aile dès mon arrivée. Il était tout jeune et s'appelait François Hertel. Les

Sauvages avaient commencé à le massacrer. Ils lui avaient coupé un doigt au ras de la main et un pouce qu'ils avaient fumés, quand une vieille Sauvagesse l'a adopté comme son fils, ce qui lui a valu de n'être pas tué. Il savait lire et écrire et, ne me demandez pas comment il y est arrivé, il a écrit des lettres sur l'écorce d'un bouleau et il a réussi à les faire parvenir à un jésuite d'Oswego. Il m'en a même lu des bouts. Il y parlait du nommé Guimont, qui était également prisonnier, et que ces têtes folles ont assommé à coups de bâton et de verges de fer jusqu'à ce qu'il en meure.

— Ce n'était ni le premier ni le dernier que ces Sauvages ont tué de la sorte. Ils sont pires que des bêtes enragées quand ils s'y mettent.

— Le Guimont, il paraît qu'il priait tout le temps. Savez-vous ce qu'ils ont fait pour le faire taire ?

— Ils ont dû lui couper les lèvres ?

— Ils l'ont fait, oui, mais pas suffisamment contentés, ils lui ont arraché le cœur et le lui ont lancé en pleine face. Ils en ont tué un autre, si j'ai bonne mémoire, un enfant. Ils l'ont pris comme cible pour le lancer du couteau.

— Si tu nous racontais plutôt comment vous êtes sortis vivants d'entre leurs mains…

— Hertel, ça faisait deux ans qu'il était parmi ces Sauvages et il parlait même leur langue. Ils ne s'en méfiaient plus. Ils pensaient qu'il allait rester avec eux autres. Un beau matin, alors que j'étais promis à la mort le soir même, il m'a dit : “Prépare-toi, nous nous évadons aujourd'hui." Il connaissait les bois des alentours aussi bien que les Sauvages. Nous avons profité d'un moment où nous étions seuls et nous avons déguerpi. Quand ils se sont avisés de notre départ, ils se sont mis en chasse à nos trousses. Mais nous avions une si bonne avance sur eux que nous avons pu marcher jusqu'au soir en suivant le cours d'une rivière sans qu'ils nous rejoignent. Avant la nuit, nous avons par chance repéré un arbre creux si grand que nous avons pu nous y glisser tous les deux pour passer la nuit.

«Le lendemain, de peur que les Sauvages nous repèrent, après avoir pris la précaution d'en bien cacher l'ouverture avec des branches, nous avons passé la journée à l'intérieur de cet arbre. Bien nous en prit puisque nous avons entendu plusieurs d'entre eux passer non loin de notre cachette.

«Le lendemain, nous sommes partis avec l'aube en suivant la rivière qui nous mena, trois jours plus tard, au bord du fleuve, en amont des Trois-Rivières. C'est un habitant de Montréal qui descendait le fleuve en barque pour Québec qui nous a laissés aux Trois-Rivières en passant.»

❖

Les froids avaient maintenant pris. Il n'y avait rien d'autre à faire au fort que de tuer le temps. Timothée et Tancrède s'apprêtaient à partir en chasse. Arnaud décida de les accompagner. Il avait commencé à s'y préparer en s'exerçant à marcher sur la neige en raquettes.

Timothée et Tancrède apprirent à Arnaud comment tendre des collets pour attraper des lièvres et lui montrèrent également à creuser un abri dans la neige. Ils se rendirent en pleine forêt, à plusieurs jours de marche du fort, et Arnaud fit de son mieux pour aider ses amis à trapper le castor.

— Je partirai d'ici beaucoup plus savant, s'évertuait-il à répéter.

Timothée lui répondait chaque fois :

— Chaque jour nous apprend quelque chose.

— Oui ! renchérissait Tancrède. Rien nous savons.

La façon de trapper le castor fascina Arnaud.

— Il y a deux façons de s'y prendre, lui révéla Timothée. La première est la plus simple. Il faut d'abord trouver leur cabane sur un lac, un étang ou un ruisseau. On ouvre pas loin de là une large ouverture dans la glace et on y glisse un filet dans lequel on met comme appât un morceau de bois dont ils aiment tant l'écorce. Forcé de venir respirer, le castor vient se jeter directement dans le filet. On le tire aussitôt sur la glace et on l'assomme d'un coup de bâton.

— L'autre façon ? demanda Arnaud.

— Elle n'est guère différente de la première. À coups de hache, on démolit la cabane des castors afin de les forcer à en sortir. Autour de la cabane, on a pris soin au préalable de sonder la glace et d'y ouvrir des trous à la hache. Forcé de venir respirer, le castor se présente immanquablement à l'un de ces trous. Il s'agit alors, au moyen d'un bâton renforcé au bout d'un pic semblable à un ciseau de menuisier, de l'embrocher et de le sortir de l'eau.

Arnaud participa à ces chasses, apprenant à dépecer le castor et à étendre les peaux pour les distendre. Pendant les deux mois qu'ils passèrent à chasser le castor, ils se nourrirent presque exclusivement de la viande de cet animal, qu'Arnaud appréciait particulièrement.

Chapitre 52

La traite

Forts du fruit de leurs chasses, ils revinrent à Michillimakinac pour en repartir cette fois en traînant des ballots de marchandises qu'ils allaient troquer aux Indiens des tribus voisines contre des peaux de castor.

Timothée avait bien expliqué à Arnaud comment il fallait procéder avec les Indiens.

— Avec eux, il faut s'armer de patience. Ils ne sont pas pressés et, surtout, ils aiment palabrer. Ils ne t'échangent rien sans avoir jasé pendant des heures en te laissant entendre qu'ils ont mis des heures et des heures à piéger les bêtes dont ils t'offrent les peaux.

— Il me semble que c'est facile de voir si une peau est bonne ou non, et qu'ils ne devraient pas avoir à en parler pendant des heures.

— C'est ce que tu crois, Arnaud, parce que tu raisonnes comme un Blanc. Eux, ils ne raisonnent pas de la même façon. Palabrer pendant des heures, ça fait partie de leur plaisir. C'est comme si, avant de se départir du fruit de leurs chasses, ils ressassaient tous les moyens qu'ils ont pris pour l'obtenir.

Ainsi renseigné, Arnaud se dit prêt à les suivre. Ils marchèrent plusieurs jours sans voir âme qui vive, puis ils finirent par tomber sur un village indien composé de longues huttes. Ce n'était pas la première fois que Timothée y venait. Le chef le reconnut tout de suite. Timothée, qui connaissait un peu leur langage, salua le chef dans sa langue. Invités à entrer dans la hutte, les trois hommes déposèrent leurs ballots de marchandises au milieu de la place, mais comme l'avait recommandé Timothée, sans toutefois se départir de leur fusil chargé à l'avance.

— Avec eux, tu ne sais jamais, avait prévenu Timothée. Ils sont imprévisibles comme des chiens peureux. Ils peuvent mordre au moment où tu t'y attends le moins. Si l'idée leur prend de s'approprier ta marchandise sans rien donner en retour, ils sont capables de le faire.

Les négociations se déroulèrent néanmoins dans l'ordre. Le chef alluma un calumet qu'il fit circuler. Timothée fouilla dans son ballot de marchandises et offrit au chef une couverture de laine pour son épouse. Le chef lui dit que depuis leur dernière rencontre, il avait une deuxième épouse. Timothée fut contraint de donner une autre couverture. Le chef parut satisfait et les vraies négociations commencèrent.

Sortant d'abord une hache d'un des ballots, Timothée demanda au chef combien de peaux il en donnait. Ce dernier hésita, puis montra deux doigts. Timothée lui donna la hache. Il fit aussitôt apporter deux peaux de castor que Timothée examina attentivement. Elles étaient parfaites. Il offrit ensuite au chef un couteau. Le chef fit mine de ne pas en vouloir puis se ravisa en offrant une peau. Timothée s'en montra satisfait. Quand il tira un fusil d'un des ballots, le chef fit la moue comme s'il n'était pas intéressé.

Timothée dit à Arnaud et Tancrède :

— Soyez sur vos gardes, je n'aime pas son attitude. Il le veut plus que tout. Nous risquons de nous le faire arracher des mains.

Arnaud serra davantage la main sur son propre fusil. Mais le chef se ravisa et offrit dix peaux de castor. Timothée reprit l'arme et la remit dans son ballot. Le chef prit le temps d'allumer son calumet et fuma un long moment avant de décider d'offrir douze peaux. Avant de lui remettre le fusil, Timothée voulut voir les peaux. Il prit tout le temps qu'il fallait pour les examiner, puis tendit l'arme au chef. Pendant quelques heures encore, il négocia de la sorte, offrant des colliers de fausses perles, des couvertures de laine et différentes babioles telles que des aiguilles, des boutons et du fil de couleur.

Le chef décida de la fin de cette première série d'échanges. Il fit venir trois femmes et laissa entendre à Timothée qu'il les mettait à leur disposition pour la nuit. Les femmes les conduisirent dans une hutte préparée à leur intention. Timothée, qui ne faisait pas confiance au chef et à sa bande, insista pour porter le reste des marchandises dans leur hutte. Les peaux restèrent dans celle du chef.

— Quatre-vingt-quinze, il y a, dit Tancrède.

— Nous verrons si elles y seront toutes demain matin.

Arnaud s'informa :

— Combien de peaux y a-t-il par ballot ?

— Soixante-dix. On les comprime deux par deux, les poils en dehors, et on les enveloppe dans une ou deux peaux de moindre qualité. Nous devrions en avoir deux ballots demain.

La journée avait été longue. Les squaws leur apportèrent un plat de sagamité, cette bouillie de farine de maïs qu'Arnaud ne prisait guère, mais qu'il dut avaler sans faire la grimace.

Les trois hommes s'étendirent ensuite pour la nuit. Seul Timothée accepta de partager sa couche avec une Indienne qui s'occupait de lui. Arnaud dit :

— Je suis marié.

— Quelle différence ? lança Timothée. Pourquoi ne pas profiter de leur hospitalité ? Demain, ton refus fera tout un drame. Et toi, Tancrède, tu ne t'en prives pas d'habitude…

— Squaw trop laide, puante, grogna-t-il.

— Prends celle d'Arnaud.

— Pas à moi.

❖

Le lendemain matin, quand commencèrent les négociations avec le chef, il se montra on ne peut plus maussade.

—Je vous l'avais dit, leur reprocha Timothée. On ne doit pas refuser leur hospitalité. Le chef est offensé.

Pour l'amadouer, Timothée lui offrit une autre couverture.

— Six peaux de castor de moins à cause de vous, leur dit-il.

Pour s'assurer que le nombre de peaux vendues la veille n'avait pas diminué sur le tas, Tancrède en fit un premier ballot. Il en restait bien vingt-cinq. Ils en obtinrent encore une cinquantaine. Le chef se faisait de plus en plus exigeant, ne voulant pas donner plus d'une peau pour une hache, et exigeant deux couteaux plutôt qu'un pour une seule peau. Timothée jugea alors qu'ils en avaient assez. Ils firent un deuxième ballot, récupérèrent en un seul les marchandises restantes et, à l'aide de lacets de cuir, ficelèrent le tout sur les traînes et firent leurs adieux au chef. Pendant tout le temps des négociations, ils étaient bien conscients que tous les hommes de la tribu surveillaient chacun de leurs mouvements. Quand les trois compagnons furent suffisamment éloignés du village pour ne pas être entendus, Timothée y alla de cette mise en garde:

— Ayez votre fusil chargé suspendu à l'épaule. On ne sait jamais ce qui se passe dans la tête de ces Indiens. N'oublions pas que nous ne sommes que trois et à des lieues du fort. Nous ne serions pas les premiers qu'ils feraient disparaître pour récupérer leurs peaux et les revendre par la suite.

— Tu veux dire que notre vie est en jeu depuis notre arrivée ici ?

— Absolument !

— Pourquoi nous avoir fait courir tant de dangers ?

— Pour des fourrures de qualité, pardi ! Nous serons une vingtaine à négocier les peaux quand, avec la fonte des neiges, les Indiens vont se présenter à Michillimakinac.

— Et alors ?

— Nous n'obtiendrons rien de très bon, et encore : en liquidant toutes nos marchandises à rabais.

Arnaud se tut. Il avait de la difficulté à se rentrer dans la tête qu'il faille autant risquer pour gagner sa vie. Timothée semblait songer à la même chose, car il dit :

— Arnaud, tu sais, qui ne risque rien n'a rien !

Ils furent sur leur garde tout le reste du trajet, le jour, surveillant constamment leurs arrières, et la nuit, se partageant les heures de garde. Arnaud ne put enfin respirer à son aise que lorsqu'ils eurent mis les pieds dans le fort.

— Il n'y a pas que les Indiens qui s'intéressent aux fourrures, prévint Timothée. Ici aussi nous devrons surveiller nos biens.

— Il n'y a pas un endroit dans le fort où nous pouvons les ranger en toute sécurité ?

— Bien sûr ! Mais encore faut-il voir à ce qu'elles n'en disparaissent pas.

Ils étaient à peine arrivés que Tancrède se mit en frais de défaire les ballots. Arnaud s'en étonna.

— Pourquoi les déballes-tu ? Ils n'étaient pas bien compressés ?

— Marquer, il faut.

Timothée avait déjà tiré des bagages un fer qu'il mit à chauffer au feu du grand foyer.

— C'est notre marque, dit-il. Nous allons l'appliquer à chacune des peaux qui nous appartiennent.

Quand le fer fut suffisamment chaud, Tancrède se mit à l'ouvrage. Il gravait leur marque au revers de chaque peau, deux T imbriqués l'un dans l'autre, un à l'endroit et l'autre à l'envers. Chaque fois qu'il appliquait le fer, de la fumée et une odeur de cuir brûlé se dégageaient de la peau marquée.

— C'est la seule façon que nous ayons de ne pas risquer de nous les faire dérober, dit Timothée. Quoiqu'il arrive que des peaux marquées soient volées et traversent la mer vers la France. C'est comme ça. Il n'y a pas d'or ici comme dans l'Amérique du Sud, mais ces peaux sont la plus grande richesse qu'on peut tirer de ce pays.

— Tout cela, en conclut Arnaud, parce qu'en France on aime bien porter des chapeaux et des manteaux de castor !

Le voyage de retour se fit sans anicroche, en un peu moins d'un mois. Arnaud toucha une part de soixante-quinze livres pour ce périple qui, à ses yeux, devait tout lui apprendre sur la façon d'atteindre les Iroquois et qui lui démontra, sans le moindre doute, que son idée de poursuivre seul son bourreau ne tenait pas debout. Les obstacles s'avéraient beaucoup plus nombreux qu'il ne le croyait et, de plus, c'était folie de se risquer seul dans pareille immensité.

Malgré tout, il n'en démordait pas : il voulait à tout prix retrouver Agathe. Il ne manquait pas de s'informer à gauche et à droite si une expédition quelconque allait gagner le Richelieu, pour de la chasse ou pour toute autre raison. Il voulait en être. Il ne cessait de se dire : « Je retrouverai ce Doigts coupés et je lui réglerai son cas. »

De retour à Québec, il attendit avec impatience l'occasion propice pour se rendre au Richelieu.

Chapitre 53

La partie de billard

En se dirigeant au marché, la tête baissée, tout à son idée de découvrir par quel moyen il arriverait à gagner le Richelieu et à le remonter jusqu'au pays des Iroquois, Arnaud buta sur un grand gaillard qui le repoussa d'un geste du bras avant de poursuivre son chemin.

— Espèce d'olibrius ! lui cria-t-il.

— Olibrius ! rugit l'autre qui, se retournant, s'apprêta à lui sauter dessus.

Arnaud partit d'un grand rire. C'était nul autre que Timothée, revenu du Pays d'en Haut.

— Imbécile ! s'écria-il en le serrant dans ses bras.

Ils s'arrêtèrent au cabaret du sieur Boisdon. Ils en avaient trop long à se dire pour ne pas le faire devant un verre. À peine étaient-ils assis qu'ils entendirent du bruit et des rires à l'étage supérieur.

— Qui fête là-haut ? demanda Timothée.

— Sans doute des joueurs de billard.

— On y va ?

— Je te suis.

Ils grimpèrent les marches deux à deux et débouchèrent dans une grande salle au milieu de laquelle trônait une table de billard, pour lors entourée de quatre hommes qui jouaient une partie. La salle était enfumée par les pipes d'une douzaine d'hommes qui, tout en causant, suivaient le déroulement de la partie. Arnaud reconnut parmi eux quelques marchands et négociants de la Basse-Ville. Il connaissait de vue deux des joueurs, les sieurs Petit et Brunelle. La partie se déroulait bien jusqu'à ce qu'un des joueurs, sa bille collant à la bande, tente de l'en déloger. Il manqua son coup, et sa baguette ne fit qu'effleurer la bille et glisser au-dessus.

— Manqué ! dit vivement le sieur Brunelle.

L'autre voulut reprendre son coup. Ce fut alors que le cabaretier Boisdon intervint.

— Un coup raté est un coup raté, n'est-ce pas, messieurs de la galerie ?

Les assistants approuvèrent.

— Ce sont des points de moins pour vous, dit le sieur Petit.

Le cabaretier, qui servait d'arbitre, renchérit en disant :

— Exactement trois.

— Trois points ? rugit le joueur fautif avant d'ajouter d'un ton méprisant : Vous n'êtes qu'une bande de viédazes !

Le sieur Boisdon intervint.

— Puisque c'est moi qui ai mentionné que vous perdiez trois points et que ces gens sont mes invités, votre insulte me touche directement. Je ne suis pas une verge d'âne ou un imbécile, comme vous le laissez entendre. Veuillez vous excuser, monsieur Dubonnet.

— Jamais !

— Dans ce cas, souffrez que je vous dise que vous êtes vous-même le plus fieffé viédaze que je connaisse, en plus d'être un incidentaire.

Le Dubonnet en question s'empara d'une chaise et il allait la rabattre sur la tête du sieur Boisdon quand, vif comme l'éclair, Timothée retint la chaise d'une main et, de l'autre, saisit Dubonnet par le collet et le fit mettre à genoux.

— Monsieur, vous portez bien votre nom, lui dit-il, vous avez la tête près du bonnet.

Quelques-uns des assistants s'esclaffèrent. Le sieur Dubonnet leur jeta un regard noir et il cracha entre ses dents, à l'intention de Timothée :

— Tu ne perds rien pour attendre, vieille bourrique, je t'aurai à quelque détour et je te fourrerai vingt coups de pied au cul.

— Parlant de cul, répliqua Timothée, tu l'as vraiment mal léché. Je ne crains pas un pourceau de ton espèce.

Les choses en restèrent là pour cette fois. Arnaud devait remonter au Mont-Carmel pour continuer son travail. Il invita Timothée :

— Tu viens avec moi ?

— Non pas ! Je suis attendu au magasin, mais, si tu veux, on se revoit ici demain à la même heure.

Le lendemain, Arnaud le retrouva devant un verre au cabaret du sieur Boisdon et tous deux se rappelèrent le bon temps vécu ensemble. À la sortie du cabaret, le sieur Dubonnet, qui les y attendait, épée en main, fonça droit sur Timothée. Souple comme un écureuil, ce dernier évita le coup. Arnaud en profita pour donner un croc-en-jambe à l'agresseur. En moins de deux, Timothée fut sur lui et le maîtrisa. Il s'empara de l'épée qu'il fracassa contre le mur de pierre de la maison voisine.

— Un instrument aussi dangereux, dit-il, ne devrait jamais se retrouver entre les mains d'un viédaze. Tu as voulu me tuer, tu devras t'en défendre en justice.

Il le conduisit lui-même aux gendarmes.

— Prenez bien soin de cet énergumène, recommanda-t-il. Demain, il devra rendre compte de ses gestes.

Un des gendarmes intervint :

— Nous ne pouvons garder quelqu'un prisonnier que s'il est formellement accusé.

— Je ne permettrai pas que cet homme dangereux se promène librement dans la nature. Comme c'est la coutume, et puisque je me constitue prisonnier avec lui, vous n'avez pas d'autre choix que de l'emprisonner. Le lieutenant civil et criminel en sera averti demain.

Il pria Arnaud d'adresser la requête en son nom.

— Vois, dit-il, à ce qu'il soit accusé de préméditation d'homicide.

Informé du litige par Arnaud, le lieutenant civil y alla avec célérité. Deux jours plus tard, à la suite des nombreux témoignages reçus, il condamna le Dubonnet en question à l'exil à vie de la Nouvelle-France.

❖

La rencontre de Timothée avait fait renaître chez Arnaud son désir de se rendre chez les Iroquois.

— Je cherche toujours, lui dit-il, quelques hommes qui m'accompagneraient là-bas.

— À ce que je vois, ta folle idée ne t'a pas quitté l'esprit. Je te réitère le même conseil que je t'ai si souvent donné. Ce serait folie que de te rendre là-bas avec quelques hommes seulement. Il te faudrait ni plus ni moins qu'une armée…

Chapitre 54

L'expédition

Quand Arnaud avait quelque chose en tête, il n'en démordait pas. Son idée de se rendre chez les Iroquois ne le quittait pas. Mais, pour lors, il travaillait à la rénovation du moulin de la seigneurie d'Argentenay, à l'île d'Orléans. Il pestait contre ceux qui l'avaient érigé et, malgré tous les efforts qu'il déploya pour le remettre en marche, il en vint à la conclusion, si on voulait en tirer quelque chose, qu'il vaudrait mieux le démolir et le reconstruire selon les règles de l'art.

Pendant qu'il travaillait à cette restauration, il apprit que le 19 juin, du navire *Le Vieux Siméon* à l'ancre devant Québec, étaient descendus pas moins de deux cents soldats faisant partie de quatre compagnies du régiment de Carignan-Salière. « Enfin, se dit-il, ce qu'on nous promettait depuis des années est en train de se réaliser ! » Il apprit bientôt que pas moins de huit cents autres militaires allaient débarquer à Québec dans les semaines à venir et qu'ils avaient pour mission d'anéantir les Iroquois.

Dès que le seigneur d'Argentenay, désormais convaincu de l'inutilité des réparations à son moulin, le libéra de son contrat, il fila sans plus tarder à Québec. Il avait hâte d'en savoir davantage sur les intentions des commandants du régiment. Quand comptaient-ils envoyer leurs soldats en expédition contre les Iroquois ?

Il revint à Québec à temps pour assister à l'arrivée de deux vaisseaux remplis de soldats. Il ne mit guère de temps à se faire quelques connaissances parmi les nouveaux arrivants. Tous les jours, il causait avec Hugues Randin, enseigne de la compagnie du sieur Saurel. Randin ne se prenait pas au sérieux, était toujours de bonne humeur et prêt à conter une histoire plus ou moins abracadabrante qui le faisait bien rire.

Par lui, il apprit que sa compagnie s'apprêtait à gagner l'embouchure du Richelieu pour y construire un fort.

— Notre capitaine se cherche justement des hommes compétents pour ce travail. Tu es charpentier de moulin. Un charpentier de moulin doit certainement savoir suffisamment travailler le bois pour être utile dans la construction d'un fort.

— Dis à ton capitaine que je suis prêt à vous suivre.

Prévenu par son ami Randin que la compagnie gagnait l'embouchure du Richelieu, Arnaud fit monter son coffre sur une des embarcations qui s'y rendaient. Le lendemain, en canot, en compagnie de quelques soldats, il gagnait le Richelieu. En raison de la pluie, le voyage ne fut pas de tout repos. Ils cantonnèrent à

Champlain, chez le sieur Pézard de La Touche, avant de traverser le fleuve jusqu'à leur destination. Arnaud avait hâte de se rendre utile à quelque chose. On lui fit même l'honneur de le consulter à propos de l'emplacement où devrait s'ériger le fort. Son ami Randin lui demanda :

— Tu as sans doute l'habitude d'élever un moulin sur les ruines d'un moulin précédent ?

— En effet, je l'ai fait quelquefois.

— Dans ce cas, tu nous seras utile. Juges-tu que les ruines de l'ancien fort élevé ici il y a vingt ans par un gouverneur du nom de Montmagny sont encore suffisamment bonnes pour recevoir les assises du nouveau fort ?

Après examen de ces ruines, Arnaud dit :

— À mon avis, ces fondations sont bien assez solides pour qu'on y élève de nouvelles palissades et de nouveaux bâtiments, mais à condition que le travail soit bien fait.

— Dans ce cas, dit Randin, je te confie la tâche de diriger les opérations.

Pendant quinze jours, Arnaud fut de tous les travaux. Le fort, avec ses baraquements et sa chapelle, s'éleva rapidement. Il offrit d'y construire un moulin. Mais comme les officiers ignoraient combien de temps les soldats demeureraient à cet endroit, il n'eut pas le loisir de s'attaquer à cet ouvrage.

Quatre compagnies de soldats passèrent par le fort peu de temps après, en route pour un endroit situé plus haut sur le Richelieu, avec instruction d'y construire un nouveau fort. Ayant des connaissances d'ingénieur, Hugues Randin fut réquisitionné pour remonter la rivière en leur compagnie. Hugues dit à Arnaud :

— Un autre fort doit être érigé plus haut sur la rivière. M'accompagnerais-tu pour m'aider à trouver l'emplacement idéal ?

— Certainement !

Arnaud ne demandait pas mieux. Plus il remontait cette large rivière, plus il avait l'impression de se rapprocher d'Agathe. Il savait que les villages iroquois étaient situés quelque part plus haut et il se disait : « Un jour j'y serai et je saurai. »

L'expédition menée par Hugues Randin le conduisit au-delà du fort Chambly. Ils remontèrent le Richelieu en canot, accompagnés de quelques soldats. Le premier soir, ils couchèrent dans un endroit abrité du vent grâce à un rocher de granit. Pendant une semaine, ils explorèrent de la sorte les berges du Richelieu jusqu'au lac Champlain et, après avoir choisi un emplacement pour établir un fort, ils redescendirent jusqu'au fort Saint-Louis, près des rapides de Chambly. Après avoir rendu compte de leur mission au colonel Salière, ils comptaient retourner au fort Richelieu, mais ce dernier leur demanda de l'accompagner pour leur désigner avec exactitude l'emplacement retenu pour le futur fort.

Le jeudi 1er octobre, pas moins de trois cent cinquante soldats et une quarantaine d'ouvriers arrivèrent à cet endroit, prêts à se mettre à l'ouvrage. Arnaud insista si bien pour demeurer avec eux qu'on l'accueillit sans problème. L'automne s'installait déjà, donnant un avant-goût de l'hiver. Des bandes d'oiseaux repartaient vers le sud. Des centaines d'oies blanches sillonnaient le ciel. Il fallait faire vite pour se mettre à l'abri avant l'hiver. Quinze jours plus tard, le fort était terminé.

Hugues Randin comptait regagner bientôt sa compagnie au fort Richelieu. Il demanda à Arnaud :

— Reviendras-tu avec nous ou préfères-tu passer l'hiver ici ?

Arnaud allait lui répondre quand un officier vint dire à son ami que le colonel Salière désirait le voir. Quand Hugues revint de cette rencontre, il avait autre chose à proposer à Arnaud.

— Dix canots chargés d'Algonquins remontent le Richelieu jusqu'à une île du lac Champlain pour y chasser. Le colonel me propose d'y aller avec dix hommes afin de voir s'il n'y aurait pas moyen d'ériger un fort sur cette île. Es-tu intéressé à venir ?

Une fois de plus, Arnaud fut de la partie. Il avait toujours Agathe en tête et se sentait de plus en plus près d'elle.

❖

Le mois d'octobre était fort entamé quand ils regagnèrent le fort Sainte-Thérèse, le dernier construit. Arnaud se demanda s'il n'y passerait pas l'hiver. Mais voilà que de nouveau ses plans furent contrariés, puisque le gouverneur Courcelles lui-même demandait à Hugues et ses hommes de le guider autour du fort Sainte-Thérèse, en compagnie des gentilshommes qui l'accompagnaient.

De retour au fort, le soir, Arnaud fut étonné de voir son ami Hugues, d'habitude si débonnaire, laisser voir son mécontentement :

— Quelle misérable journée a été la nôtre ! Que font-ils ici en pleine forêt autour du gouverneur et de sa chaise à porteurs ?

Arnaud n'osa pas l'interrompre. Son ami poursuivit :

— Ces gens sont des plaignards nés. Ils craignent de mettre un orteil à l'eau et pestent contre l'inconfort des embarcations. Je te le dis, Arnaud : le roi a sa cour et le gouverneur, sa basse-cour.

Fort heureusement, cette clique quittait le fort le lendemain. Arnaud hésita un long moment avant de décider de retourner passer l'hiver au fort Richelieu, ce qu'il choisit de faire parce qu'il voulait profiter encore de l'amitié d'Hugues Randin. Il donna un coup de main à la construction des baraques qui leur serviraient d'abris tout l'hiver. Maintenant qu'il se savait entouré d'une armée, il ne doutait plus un seul instant qu'il découvrirait le sort réservé à Agathe. Cette expédition qui le mènerait jusque chez les Agniers, il l'attendait désormais avec impatience. Malgré sa hâte d'en découdre avec ces barbares, il se faisait à l'idée qu'elle n'aurait pas lieu avant l'été. Mais il se trompait...

Chapitre 55

Une première tentative

Décembre était déjà du passé. Avec les soldats, Arnaud parcourait les bois avoisinants en quête de lièvres et de perdrix. Le reste du temps, il le passait à se réchauffer dans leurs abris, attendant que le temps se fasse plus clément. Aussi fut-il l'homme le plus étonné du monde quand un matin de janvier, son ami Randin lui dit :

— Seras-tu de la partie ?

— Quelle partie ?

— Nous avons ordre de nous préparer à une expédition au pays des Iroquois.

— En plein hiver ?

— Le gouverneur Courcelles en a décidé ainsi.

Arnaud n'en croyait pas ses oreilles.

— Mais Hugues, dit-il, cet homme ne sait certainement pas ce qu'est l'hiver en Nouvelle-France.

— Je l'ignore moi aussi.

— Nos pires ennemis ne seront pas les Iroquois, mais bien le froid et les engelures.

— D'autres habitués comme toi à l'hiver d'ici en auront sans doute prévenu le gouverneur, mais il n'a pas changé d'idée. Nous partons dans quelques jours en guerre contre les Iroquois.

❖

Janvier soufflait ses froids les plus vifs quand, en compagnie d'une cinquantaine de soldats et de quelques miliciens comme lui, Arnaud quitta le fort Richelieu vers celui de Chambly. Il fut vivement impressionné de trouver ce fort déjà envahi par quelques centaines de soldats. Il se joignit aux miliciens et à la majorité des soldats de l'expédition qui gagnèrent le lendemain le fort Sainte-Anne. À cet endroit, tous trépignaient d'impatience de se mettre en route vers le sud, où ils jouiraient d'un temps plus doux, du moins l'espéraient-ils.

— Qu'est-ce qu'on attend ici ? s'impatienta Arnaud quand, arrivé au fort Sainte-Anne, on leur apprit qu'ils n'avaient pas encore l'ordre de partir.

Sa question ne tomba pas dans le vide. Un jeune milicien plus déluré que les autres lui répondit en riant :

— Ça va comme on est menés ! Tout est parti de travers. Nos guides algonquins tardent à arriver et notre bon gouverneur tourne en bourrique.

Arnaud trouva ce jeune homme sympathique. Il se dirigea vers lui et demanda :

— À qui ai-je l'honneur ?

— René-Louis Chartier de Lotbinière, répondit l'autre en lui lançant un regard où Arnaud crut déceler un brin d'espièglerie.

— Je suis ici depuis plusieurs mois, dit Arnaud. J'ai participé comme bien d'autres à la construction de ce fort. Je me suis porté volontaire pour cette expédition et nous voilà tassés comme des poteaux de palissade à attendre le bon vouloir de ces messieurs fraîchement débarqués de France.

— Et qui ne connaissent rien de rien à ce pays, se moqua le jeune de Lotbinière, en plus de ne rien vouloir entendre de la part de ceux qui y sont nés et qui ont vu neiger. Cette expédition, je le prédis, se terminera en queue de poisson. Elle ne vaudra guère mieux qu'un coup d'épée dans l'eau. Quelle idée folle que celle de partir en guerre au milieu de l'hiver !

Et brusquement, il lança la tirade suivante :

Demandez à un cheval de vous dire le chemin
Il ne pourra vous répondre car il ne parle point
Demandez à un gouverneur de vous montrer la route
Même s'il l'ignore, il vous l'indiquera sans doute
La morale de cette histoire vous la connaissez
Un cheval vaut mieux qu'un gouverneur pressé

Arnaud et tous ceux qui les entouraient s'esclaffèrent. Ce jeune homme avait l'esprit vif. Ils croupirent encore une journée autour du fort avant que le gouverneur décide que l'expédition se déroulerait sans guide.

Utilisant comme une route la rivière Richelieu gelée, ils partirent vers le lac Champlain, pour le pays des Iroquois.

❖

La boutade du jeune de Lotbinière s'avéra on ne peut plus juste au fur et à mesure de la progression de la troupe. Le gouverneur ne savait pas où il allait. Au bout d'une semaine, les centaines de soldats et miliciens de l'expédition n'avaient pas vu un seul Peau-Rouge et leur progression sur des glaces incertaines devenait de plus en plus pénible. Ils s'arrêtaient tous les soirs pour dormir sous des abris de toile. Ils laissaient dans des caches, derrière eux, les provisions nécessaires à leur retour.

Ils avaient progressé au hasard sur des lieues et des lieues sous la neige et dans le blizzard quand, un beau matin, sous une pluie diluvienne, ils atteignirent un poste hollandais du côté d'Albany. Le gouverneur de la place se montra inhospitalier.

—Je ne laisse ordinairement pas impunis ceux qui violent mon territoire.

Le gouverneur Courcelles lui dit:

—Ne voyez pas là une invasion de notre part. Ce n'est pas vous que nous cherchons, mais bien les Iroquois.

—Ce n'est pas ici que vous les trouverez, mais beaucoup plus à l'ouest. Vos guides ne connaissent donc pas leur chemin?

— Précisément, nos guides nous ont fait faux bond.

— Permettez-moi de vous dire qu'on ne se risque pas sans guide dans de si vastes étendues.

— Si je me suis permis de venir jusqu'ici, c'est d'abord et avant tout pour vous demander de l'aide. La pluie et le froid ont rendu certains de mes hommes fort malades. Ils ne pourront certes pas refaire le trajet à rebours. Accepteriez-vous d'en héberger quelques-uns, le temps qu'ils se remettent ?

— Je le ferai volontiers, mais c'est tout ce que vous pouvez attendre de moi.

Ils poireautèrent encore deux jours et une nuit sous la pluie à Schenectady avant que le gouverneur Courcelles donne enfin l'ordre de revenir sur leurs pas, en pleine nuit, sans avoir aperçu le moindre Iroquois. Quelle ne fut pas leur surprise de constater que leurs caches de nourriture avaient été vidées par ceux qu'ils cherchaient, et qui demeuraient invisibles !

Puis, ceux qui traînaient derrière furent attaqués par une poignée d'Iroquois. Ils pensèrent tous mourir de froid et de faim. Mais, fort heureusement, voilà que vinrent au-devant d'eux la trentaine d'Algonquins qui devaient leur servir de guides. Ce furent eux qui les sauvèrent. Ils se mirent en chasse dans les bois voisins et revinrent avec les chevreuils et les autres bêtes qu'ils avaient abattus. Il était grand temps, car déjà une quarantaine de soldats étaient morts de faim ou de froid.

De peine et de misère, ils regagnèrent le fort Sainte-Thérèse, tirant sur la neige, à l'aide de traîneaux improvisés, leurs camarades qui n'étaient plus en état de marcher.

Tout au long de cette expédition, Arnaud se tint avec le jeune de Lotbinière. En raison de la réverbération du soleil sur la neige, Arnaud souffrait d'insolation. Il fut aveugle pendant trois jours, n'étant capable d'avancer que guidé par le jeune milicien qui ne perdait jamais sa bonne humeur. Malgré leurs fatigues et leurs misères, ce jeune homme trouvait le moyen de s'amuser. Tous les soirs, il lançait ses boutades en vers, seules consolations à leur désarroi. Il décrivit leur halte chez les Hollandais en ces termes :

Mais ce lieu devenu stérile
Ne vous fournissant point d'asile
Fallut y faire des remparts
De neige et de glaçons épars
À l'abri de la belle étoile
Bâtir maisons d'un peu de toile

Et se composer des hameaux
Avec bûchettes et rameaux
Le soir on plantait le piquet
Afin de faire sopiquet
On n'y voyait rien de profane
Chacun était en sa cabane
Où l'on se tenait à couvert
Encore que tout y fût ouvert

On remplissait un peu sa panse
Mais honni soit qui mal y pense
Puisque tout le monde endormi
N'avait de repos qu'à demi
Et qu'ainsi les troupes lassées
N'avaient que de bonnes pensées
Il y eut matière de rire
Que je ne saurais vous décrire
Car on voyait ces fiers-à-bras
Pour nettoyer leurs museaux gras
Se torcher au lieu de serviette
De leur chemise ou chemisette
Et quelques-uns de leur capot
Dont ils frottaient souvent leur pot
Avec cette troupe animée

Grâce à cet ami, Arnaud put supporter avec plus de facilité sa déception. Tous les soirs, le jeune de Lotbinière s'amusait à leur lire le fruit de ses réflexions de la journée. Il multipliait ses rimes avec une facilité déconcertante, en se moquant de leur situation et, pour se venger à sa manière du gouverneur qui les avait entraînés dans cette mésaventure, il osa ajouter :

Le vent nord-ouest, froid et contraire
Ne nous a pas pris par derrière
Il aurait eu plus de raison
Et j'eusse aimé sa trahison.

La victoire aurait bien parlé
De la démarche et défilé
Que vous fîtes grand Courcelles
Sur des chevaux faits de ficelles

Mais en voyant votre harnoix
Et votre pain plus sec que noix
Elle n'aurait pu vous décrire
Sans nous faire pâmer de rire.

Ils parvinrent de peine et de misère à regagner le fort Sainte-Thérèse, où ils purent enfin manger convenablement, se réchauffer et reprendre suffisamment de forces pour rejoindre le fort Richelieu et, de là, retourner à Québec.

Cet échec, doublé d'une profonde déception, calma quelque peu les ardeurs belliqueuses d'Arnaud. Il avait rapporté avec lui son coffre et tous ses effets, comme s'il avait renoncé à son projet. Il avait vu mourir plusieurs dizaines d'hommes au cours de cette expédition où ils n'avaient pratiquement rencontré aucun ennemi. Comme de Lotbinière l'avait mentionné au moment où il se mettait en route, leurs pires ennemis avaient bel et bien été les rigueurs de l'hiver, le froid et la faim. Il se rendit surtout compte que, malgré leur grand nombre, la mort n'avait pas épargné plusieurs d'entre eux. Il se comptait chanceux d'être encore vivant.

À peine de retour à Québec, il s'empressa de retrouver son fils à qui il raconta quelques péripéties du voyage, l'assurant que si cette fois il n'avait pu retrouver sa mère, il ferait tout en son possible à l'occasion d'une autre expédition, si jamais il y en avait une, de la lui ramener. Il gardait la conviction qu'elle était toujours vivante. Aussi, quand il apprit, à l'automne 1666, que les soldats partaient de nouveau faire la guerre aux Iroquois, il se porta encore volontaire pour faire partie de l'expédition.

« Cette fois sera la bonne », parvint-il à se persuader. Il en parla au jeune de Lotbinière qui, tout comme lui, croyait à de meilleures chances de réussite.

— Nos grands connaisseurs de France auront sans doute appris, en se gelant le nez, qu'une expédition comme celle-là ne s'improvise pas. Au moins, cette fois, ils ont la sagesse d'écouter ceux qui s'y connaissent et peuvent les conseiller en cette matière. J'ai meilleur espoir que nous ayons du succès.

— Qu'est-ce qui te permet de le penser ?

— L'expédition se fait en automne et les guides dont nous avons besoin sont déjà là. Cette fois, nous trouverons les villages iroquois, et gare à eux !

Arnaud lança aussitôt un souhait qui démontrait à quel point cette expédition lui tenait à cœur.

— Puisse le ciel faire que tu dises vrai !

Chapitre 56

Au pays des Iroquois

L'automne approchait. Arnaud voulait mesurer les chances de réussite de cette nouvelle expédition contre les Iroquois et alla s'informer auprès des officiers qui devaient en faire partie.

— Combien de miliciens doivent-ils être de l'expédition ?

— Quatre cents.

— Et combien de soldats ?

— Au moins autant. Nous en avons assez de ces Iroquois. Nous allons faire en sorte qu'ils ne viennent plus impunément chaque année massacrer de paisibles habitants.

L'expédition de l'hiver avait servi de leçon. Cette fois, il était assuré que les soldats se rendraient au pays des Iroquois accompagnés de guides algonquins.

Le mardi 14 septembre 1666, monsieur le gouverneur Courcelles, accompagné du commandant Tracy et du colonel Salière, se mit en route à la tête d'une armée composée d'une quinzaine de compagnies de soldats, de quatre cents miliciens et d'une centaine d'Indiens.

Le fleuve, tout comme le Richelieu, étant en eau libre, ce fut dans des embarcations en tous genres, canots, gabares, chaloupes, bateaux plats, radeaux et barges, que cette armée remonta le Saint-Laurent jusqu'à l'embouchure du Richelieu, puis emprunta cette rivière sur toute sa longueur pour atteindre le lac Champlain qui, malgré son étendue de soixante lieues, fut traversé en moins d'une semaine. Puis, échouant les embarcations à l'extrémité sud du lac Saint-Sacrement, les membres de l'armée, à la suite des guides, prirent à travers bois le chemin des villages agniers.

Ils atteignirent bientôt un premier bourg où il n'y avait que deux femmes, un vieillard et un jeune garçon. Les soldats mirent aussitôt le feu au village. Laissées sans surveillance, les deux vieilles femmes se jetèrent dans leur cabane en feu où elles périrent. Fait prisonnier, le vieillard leur apprit que les guerriers agniers avaient fui le village à leur approche.

Comme bon nombre de soldats, Arnaud fut étonné de voir à quel point les cabanes de ces Iroquois étaient bien faites et bien ornées. Il y découvrit des outils de menuiserie et fut impressionné par l'habileté de ces Sauvages. Il tenta d'en apprendre plus sur l'Iroquois appelé Doigts coupés, mais le vieillard ne savait pas ce qu'il était devenu.

Poursuivant leur route, ils ne trouvèrent devant eux que des bourgs déserts qu'ils brûlèrent, ainsi que les récoltes dans les champs. Arnaud désespérait d'apprendre quoi que ce soit au sujet de la captivité d'Agathe quand, parvenu dans une bourgade en retrait, il tomba sur une vieille squaw qu'il put interroger par l'entremise d'un des miliciens du groupe rompu à la connaissance de la langue iroquoise.

— Y a-t-il eu une prisonnière française amenée ici, il y a deux ans, par Doigts coupés ? demanda-t-il.

La vieille répondit ce que le truchement traduisit par :

— Plus qu'une prisonnière française.

— Y en avait-il une aux yeux bruns et aux cheveux noirs qui répondait au nom d'Agathe ?

— Il y en avait une aux cheveux noirs et yeux bruns, mais je ne sais pas quel était son nom.

— Qu'est-elle devenue ?

— Tuée par une levée de chevelure.

Arnaud fut soudain saisi par une forte émotion. Il se tut un long moment, mais il n'en avait pas terminé avec ses questions. Il demanda encore :

— Qu'est devenu Doigts coupés ?

— Mort l'an dernier dans une embuscade ennemie.

Arnaud poussa un long soupir. Sa quête n'avait pas été vaine. Il savait maintenant à quoi s'en tenir, tant au sujet d'Agathe que de son meurtrier. Il ne regretta pas d'être allé si loin chercher la vérité. Il eut encore la satisfaction de voir brûler tous les villages des Iroquois, de même que leurs récoltes. Il assista à la prise de possession, au nom du roi de France, du pays des Iroquois.

Il se demanda toutefois si le fait de planter un poteau orné des armes du roi de France suffirait à garder ce territoire français. Il avait hâte maintenant de se retrouver auprès de son fils, n'ayant plus à se tourmenter au sujet de celle dont il avait partagé la vie.

❖

Au retour, pensant pouvoir aller plus vite en prenant une embarcation plus légère, il monta à bord d'un canot qui, depuis le lac Champlain, descendait le Richelieu. Le soleil faisait briller la surface de l'eau comme s'il se fut agi d'une rivière d'or. Il se souvint alors des paroles du vieillard qui, pendant le siège de La Rochelle, prétendait lui apprendre à fabriquer de l'or. Ce vieillard n'avait-il pas dit:

« Tu iras très loin d'ici où les esprits n'ont guère été dérangés. Quand tu seras en ces lieux, n'oublie pas que je te l'avais prédit. À un endroit, que tu verras d'abord en songe, tu trouveras une large rivière, ses eaux couleront sur l'or. Si tu es alors maître des esprits, toutes ces richesses t'appartiendront. Tu seras dans ce pays de rêve. »

« La voilà, cette rivière d'or, songea Arnaud, le vieillard avait sans doute raison. » Il n'eut jamais de réponse à son interrogation. Comme il se penchait pour toucher la surface de l'eau, le canot qu'il montait avec une dizaine d'autres hommes chavira : lui, qui ne savait pas nager, coula à pic.

Chapitre 57

L'avenir de Marcellin

La nouvelle de la mort d'Arnaud chagrina profondément les Després. Ils héritaient de ses biens, mais également de la responsabilité de veiller à l'éducation de Marcellin. Informé de la disparition de son père, le garçon de dix ans ne dit mot pendant des jours. Soucieux de le faire instruire comme ils l'avaient promis à Arnaud, les Després décidèrent de l'inscrire au collège des Jésuites.

Henri Després prit donc le chemin de la ville et arriva chez les jésuites avec la ferme intention de n'en revenir qu'avec l'autorisation qu'il venait y chercher. Il fut affablement reçu par le père Le Mercier. Ce dernier se montra ouvert à recevoir l'enfant, à condition toutefois de le rencontrer pour s'assurer de ses capacités d'apprendre.

—Monsieur Després, je comprends bien votre désir de faire instruire cet orphelin, mais encore faut-il que je m'assure qu'il a l'intelligence suffisamment développée pour apprendre.

— Pour ça, mon père, il l'a, c'est certain.

— Vous me dites que c'est le fils d'un charpentier de moulin. Ordinairement, les enfants de ces familles ont davantage de talent pour travailler de leurs mains.

— Mais mon père, on voit que vous ne le connaissez pas. Il est déjà plus instruit que ma femme et moi. Tout l'intéresse. Il en sait plus que nous sur les bêtes, les oiseaux, les arbres, les plantes des champs, les planètes et les étoiles.

— Fort bien ! Vous allez me l'amener. Je verrai s'il sera opportun de lui faire suivre des cours de grec et de latin afin d'en faire un chirurgien, et peut-être même un prêtre. Qui sait ?

— Pour ça, n'y comptez pas trop. Bien que très bon et juste, son père n'était pas le plus pieux des hommes. Mais sa mère était une femme tellement bonne : jamais un mot plus haut que l'autre, une sainte créature. Dire que les Sauvages l'ont tuée et, que par leur faute, son père a lui aussi péri !

Dès le lendemain, Henri Després conduisait Marcellin au collège des Jésuites. Il y passa quelques semaines. Les pères apprirent à le connaître et à évaluer ses aptitudes. Sachant que, grâce à son héritage, on pouvait facilement pourvoir au logement et à l'entretien de ce jeune garçon, le père Lemercier prit une importante décision à son sujet. Il dit à Henri Després :

— Comme son père a pratiqué le métier de charpentier de moulin, nous croyons qu'il serait profitable pour cet orphelin de suivre les traces de son géniteur.

— Vous pensez qu'il peut devenir charpentier de moulin ?

— Oui. Mais le problème, c'est que ce métier ne s'enseigne pas ici. Nous avons en France une école où il pourrait l'apprendre. Il faudrait donc songer à y envoyer cet enfant.

— Je ne sais pas, dit Henri Després, si son père aurait choisi de l'envoyer en France, ne serait-ce que pour y apprendre ce métier ?

— Je sais qu'il vous en coûte de le laisser partir puisque son père vous l'a confié. Mais si je vous fais cette offre, c'est d'abord et avant tout pour le bien de l'enfant.

— Je n'en doute pas, mais je songe à mon épouse. Le laissera-t-elle partir ? Elle le considère tout autant que nos enfants. Pour elle, c'est son fils.

— À vous de lui en parler et de décider !

❖

Henri Després et son épouse mirent quelque temps à se faire à l'idée de laisser partir Marcellin. Mais comme ils avaient déjà fort à faire avec l'avenir de leur propre marmaille, ils finirent par se rallier à l'idée du père Le Mercier. Ce fut ainsi que Marcellin Perré s'embarqua en l'année 1666 sur le dernier navire en partance pour la France. Qu'allait-il devenir ?

FIN DU TOME PREMIER

Table des matières

DEUXIÈME PARTIE
L'APPRENTISSAGE

TROISIÈME PARTIE
LE PAYS DE NEIGE

QUATRIÈME PARTIE

LES GRANDES ÉPREUVES